D0550178

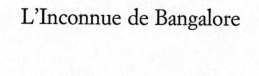

L'Inconnue de Bangalore

Anita Nair

L'Inconnue
de Bangalore

ROMAN

Traduit de l'anglais (Inde)
par Dominique Vitalyos

Albin Michel

Ouvrage publié sous la direction
de Vaiju Naravane

© Éditions Albin Michel, 2013
pour la traduction française

Édition originale indienne parue sous le titre :
CUT LIKE WOUND
Chez Harper Collins Publishers India
en partenariat avec The India Today Group à Noida en 2012
© Anita Nair, 2012.

À Sunil, grand frère, ami cher
et complice de toujours.

Flora, de quoi est fait un homme ? C'est la question qu'il faut poser. Quelque chose en moi s'est apparemment interrogé là-dessus et je me demande : Dans quelle mesure suis-je sain d'esprit ? Certes, il m'arrive de tenir des propos sensés ; pourtant, sans crier gare, un autre surgit, décalé comme l'ombre, mais plus secret et plus fatal. Quel ressort le suscite ? Oui, là est la question.

FLORA RHETA SCHREIBER,
The Shoemaker (Le Cordonnier)

Lundi 1er août

Ce n'était pas la première fois. Pourtant, il se sentait toujours comme un novice, debout devant le miroir, hésitant, tergiversant, à deux doigts d'un saut dans l'immensité. Devant lui, sur la coiffeuse, une trousse de maquillage. Il glissa la main sur la surface de marbre poli et, satisfait de la trouver à son goût, sans un grain de poussière, il toucha enfin le rabat capitonné. Le satin se fronça sous ses doigts. Un flot de ravissement sans mélange le souleva et, d'un coup, il bascula.

Un rire léger lui échappa, un petit hennissement, mélange de joie pure, de jubilation adolescente et d'excitation désinhibée.

Il alluma les ampoules qui encerclaient le miroir. L'électricien avait ouvert de grands yeux quand il lui avait réclamé cet agencement. Son assistant lui avait demandé dans un rictus sardonique : « Pourquoi est-ce qu'il a besoin d'autant de lumières ? Il se prend pour Rajinikanth ou quoi ? Il a l'intention de se maquiller ? »

Mais depuis qu'il avait vu l'objet dans un film, il tenait à s'en procurer un semblable. Il avait répondu d'une voix glaciale en fronçant les sourcils : « Si vous ne savez pas le faire, je peux toujours demander à quelqu'un d'autre. »

11

La discussion était close.

Il jeta un coup d'œil fugitif à son reflet. Le moment était venu. Il ouvrit la trousse et se mit au travail de la main sûre du praticien qui connaît bien ses instruments. L'anticerne pour voiler les ombres sur le menton et autour des lèvres. Le fond de teint, la poudre à texture soyeuse pour adoucir les traits, le crayon à khol pour mettre les yeux en valeur, une spire de mascara sur les cils pour dégager le regard. Il humecta de vaseline l'extrémité de son annulaire pour lisser les sourcils. Il posa une touche de rose sur les joues et dessina soigneusement au crayon le contour des lèvres. Puis, ouvrant un tube, il les colora de rose foncé, les pressa l'une contre l'autre, y appliqua une couche de brillant. Dans le miroir, une bouche luisante esquissa un sourire timide.

Il entreprit alors d'essuyer méticuleusement le marbre à l'aide d'un mouchoir en papier tiré d'une boîte. Marbre et peau se ressemblaient, ils révélaient tous deux la façon dont on les traitait. Il froissa le papier en boule, le jeta dans la poubelle, s'extirpa ensuite de son pantalon de sport, qu'il accrocha à une patère derrière la porte. Il ôta son slip en détournant les yeux et le lança avec une moue dans le panier à linge où il rejoignit le T-shirt qu'il avait porté.

Vêtu de son seul maquillage, il sortit de la salle de bains – pour aussitôt se raviser, retourner à la coiffeuse et ouvrir un tiroir qui révéla six fioles d'*attar*[1] de la meilleure qualité.

Les débouchant tour à tour, il huma les effluves un à un. *Nag Champa. Raat Shanti. Roah al Oud. Shamama. Moulshrî.* Et *Jammat il Firdous*, son favori.

Il arrêta son choix sur *Shamama*. Ce soir, il serait un jardin floral. Une senteur composite le précéderait et s'attarderait dans son sillage.

---

1. Les différents termes d'usage courant en italique dont le sens n'est pas éclairé par le contexte sont définis dans le glossaire p. 387. (*Toutes les notes sont de la traductrice.*)

12

Il entra dans la petite pièce qui contenait sa garde-robe. La dernière armoire était fermée à clé ; il était le seul à pouvoir l'ouvrir, ce qu'il fit en fredonnant. Vert, c'est du vert que je veux porter aujourd'hui, se dit-il. Il choisit un sari chatoyant en chiffon de soie, sortit d'un tiroir un jupon vert pâle et un corsage, puis, sourire aux lèvres, un soutien-gorge rembourré et son slip assorti. Toujours fredonnant, il passa le corsage, épingla les plis du sari, assez bas pour découvrir le piercing de son nombril et la topaze qui l'ornait. Un lent frisson d'excitation le parcourut des pieds à la tête.

L'étagère du haut était garnie de perruques ; il opta pour une longue chevelure dénouée qui descendait jusqu'à la taille. Lorsqu'il se regarda dans le miroir, il reconnut, à la forme tombante de ses yeux, le personnage qu'il voulait être ce soir-là.

Il travaillait avec un soin méticuleux à sa transformation en la *Femme sortant du bain* peinte par Ravi Varma. Les mains devant le menton, il entrecroisa les doigts, posa la pointe du majeur droit sur le bord de sa bouche.

Debout, les cheveux lâchés déroulant leur flot généreux jusqu'à ses genoux, le personnage du tableau serrait contre elle le tissu froissé de son sari dans un mouvement pour se couvrir qui ne faisait que souligner la nudité de son sein, la plénitude de sa chair. Craintive, mais prête à vivre. Femme, intégralement.

Il sortit et posa devant lui sa paire de boucles d'oreilles, toujours la même, à l'ancienne mode : une perle suspendue à un crochet – plus pratique à fixer qu'une tige à vis. Il passa un collier autour de son cou, puis enfila des bracelets ton sur ton à ses deux poignets. Le cliquetis du verre, tandis qu'il soulevait le bas de son sari pour chausser des sandales à très hauts talons, beige et vert, le fit sourire.

Il trouvait toujours un moment, dans ses journées pourtant bien remplies, pour aller s'acheter vêtements, accessoires, produits de beauté et parfums. Les vendeurs, croyant que ses achats étaient destinés à la femme de sa vie, s'amusaient du temps qu'il prenait à choisir. Un jour, l'un d'eux lui avait dit, avec un soupçon d'envie :

– Elle doit avoir quelque chose de très spécial, la femme à qui vous offrez tout ça. La plupart des hommes prennent le premier article qui leur tombe sous les yeux, paient et s'en vont, mais vous...

– C'est la personne la plus importante de ma vie, avait-il acquiescé en hochant la tête.

Dans le miroir, Bhuvana, la femme que la déesse avait voulu qu'il soit, lui faisait face.

La déesse parlait chaque vendredi. Elle lui murmurait ses instructions à l'oreille. Dix jours plus tôt, elle avait marqué son approbation pour le plaisir qu'il prenait à se déguiser en femme dans l'intimité de son domicile. Néanmoins, il était temps pour Bhuvana, avait-elle déclaré, de sortir dans le monde et de s'imposer. Il avait obéi.

Mais ce jour-là, pour la première fois, la déesse lui était apparue sans qu'il la suscite. Il s'était réveillé de sa sieste de l'après-midi en l'entendant murmurer son nom et l'avait découverte assise au pied du lit. La vision s'était prolongée un instant avant de disparaître. Il ne restait plus d'elle qu'une senteur de camphre et son murmure incessant qui lui disait : Ce soir, tu dois être Bhuvana. Ce soir, tu seras Bhuvana. Tu arpenteras les rues sous les traits de Bhuvana. Tu le feras. Tu le feras, oui ou non ?

– Oui, *Amma*, oui, avait-il répondu, subjugué.

Alors elle s'était tue, mais des effluves de camphre persistaient dans la pièce, signe qu'elle était là et le tenait à l'œil.

Je suis elle ! Je suis elle ! Je suis la plus belle femme que je connaisse ! La vague de pur délice l'envahit de nouveau. C'était Bhuvana qui, plantant une main sur sa hanche, lui adressait une moue de séduction, Bhuvana, l'extrémité du majeur sur ses lèvres luisantes, qui murmurait :

14

– Ce soir, ce soir…

Et ce fut Bhuvana qui, le prenant par la main, l'entraîna vers le repaire secret de son esprit où il était une reine de la nuit drapée dans une soierie sublime accordée au chatoiement séduisant des perles fines à ses oreilles.

Bhuvana saurait lui ouvrir tous les horizons.

Un coup léger frappé à la porte le tira de sa rêverie, suivi d'un murmure :

– Tu es prêt ? Il faut qu'on y aille.

Il sourit à la femme du miroir. Bhuvana lui rendit son sourire et lui envoya un baiser. Ce soir, tout irait bien. Ce soir, elle serait comblée.

– Oui, répondit-il sans se détourner, j'arrive.

Puis, s'adressant à son reflet avec un soupçon de coquetterie :

– Allons-y, Bhuvana.

Bhuvana pouffa de rire.

21 h 51

– Rentre chez toi, Liaquat, dit le boutiquier sur un ton tranquille. Vas-y, mon fils.

– Non, je ne veux pas rentrer, pas tout seul, souffla le jeune homme en secouant la tête. Laisse-moi, *bhai jaan*. Tu ne sais pas comment je me sens. Je suis resté toute la journée dans la maison, sans compagnie. Et j'ai jeûné… Allah seul sait comment j'ai tenu. J'ai fait appel à toute la volonté dont je suis capable, je n'ai même pas avalé une goutte d'eau. Mais pour qui est-ce que je le fais ? À quoi ça sert ?

Mohammed soupira bruyamment. C'était le premier jour du Ramadan ; ils devaient suivre le jeûne, eux aussi, sa femme et lui. Seuls les enfants en bas âge, exemptés, avaient été servis à l'heure du déjeuner.

– Pourquoi vous faites ça, *Abba* ? lui avait demandé Tasnîm, sa fille.

– Parce qu'Allah le veut ainsi.

La vérité, c'était qu'ils jeûnaient pour leurs enfants. Afin qu'Allah leur prodigue ses bienfaits.

Bientôt, tous ses coreligionnaires allaient sortir de chez eux après le repas d'*iftar*. Ils se répandraient à travers les rues, s'arrêtant ici pour manger une sucrerie, là pour acheter quelque chose à un prix intéressant… On faisait de nombreuses courses pour l'année à venir. La fille de Saïd achèterait ses vêtements et ses accessoires en prévision de son mariage, lequel n'était prévu que dans quatre mois. Il avait entendu dire qu'une charrette à bras de colporteur se louait quinze mille roupies le mois du Ramadan. Mais, lui avait dit Yousouf, ils en auraient pour leur argent. Ils allaient en tirer un bénéfice juteux !

Mohammed, lui, tenait boutique sur un emplacement permanent. Les affaires du Ramadan allaient rejaillir sur son commerce. Il sourit. C'était un mois de profit pour tout le monde. Pour lui aussi.

Malgré l'heure tardive, la gare routière de Shivaji Nagar fourmillait d'activité. Le samedi soir, les rues étaient encore plus animées qu'en semaine. L'atmosphère d'euphorie particulière à la première nuit du Ramadan planait sur les venelles et les allées.

Les marchands ambulants avaient rangé leurs voitures à bras le long des avenues bourdonnantes de vie. Le fumet des viandes cuisant sur la braise se mêlait à l'arôme des *samosa* qu'on faisait frire dans des poêles géantes où sifflait l'huile bouillante, absorbait l'odeur des oignons tranchés, des feuilles de coriandre, des *pakoda*, des *jalebi*, des guirlandes de soucis et de jasmin, de la bouse de vache. Il s'imprégnait de la puanteur des ordures pourrissantes comme des notes éthérées de l'*attar* et des exhalaisons animales de crasse et de sueur.

Des hommes de toutes tailles et de toutes corpulences flânaient dans les rues. Certains en quête d'un kebab où planter les dents, d'autres d'un moment de rire partagé autour d'un *suleimani* et d'une cigarette. D'autres encore cherchaient à baiser ou à se faire baiser. On trouvait aussi des hommes revenant du travail, des policiers en patrouille, des conducteurs de rickshaws et des journaliers, des prostituées, des eunuques, des gosses de la rue, des mendiants, des touristes, des habitués.

Une foule composite aux mille effluves, aux multiples désirs se déversait dans ces bas-fonds obscurs de la ville.

Mohammed pétrissait une pâte destinée à fabriquer des galettes fines comme un tissu, qu'on servirait pliées sur une assiette.

— Alors reste et aide-moi à préparer les *rumâli roti*. On rentrera après, quand j'aurai fini. Tu peux dormir chez nous cette nuit. Shama sera contente de te voir. Elle a fait du *halîm* pour dîner. Tu aimes ça, je crois ?

Liaquat avala sa salive. Il détestait être seul. La perspective de passer la nuit chez Mohammed *bhai* le tentait. Shama *bi* lui offrirait de la nourriture goûteuse et bien cuisinée comme celle que préparait sa mère. Pas les saloperies que Mohammed et les autres marchands servaient aux imbéciles venus chercher à Shivaji Nagar ce qu'ils prenaient pour de la cuisine musulmane.

Il dormirait dans l'entrée avec les enfants. Il chanterait des chansons, raconterait des blagues, les ferait rire. Tout le monde le trouvait désopilant. En particulier son Razak à la barbe fournie.

Il pensait à la façon dont ce regard farouche s'attendrissait en se posant sur lui. À la douceur de ses caresses quand il le retournait sur le ventre en murmurant à son oreille : « Leïla, ma très douce Leïla... tu me fais tout oublier. »

Une douleur brûlante lui étreignit le cœur.

— Personne ne m'appelle plus Leïla, dit-il, depuis que Razak *mia*...

– Il sera bientôt de retour, dit Mohammed calmement. Rentre chez toi, le pressa-t-il de nouveau en voyant les pupilles dilatées de Liaquat.

Le garçon avait recommencé à se piquer. Allah seul savait dans quel état il se retrouverait bientôt s'il continuait.

– Tu as vu ? ajouta-t-il en suivant des yeux deux policiers qui arpentaient paresseusement la rue. Les *tholla* sont sortis en force, ce soir. S'ils t'attrapent…

Puis, incapable de contenir la question qui lui brûlait les lèvres, il demanda :

– Pourquoi est-ce que tu te mets dans cet état ? Pourquoi, Liaquat ? Tu sais que ce n'est pas bon pour toi…

– Quel état ? hurla Liaquat. Ne me fais pas la leçon, je vais bien, tu entends, je vais bien, j'ai la trique, je veux me faire baiser. Voilà ce que je veux. Voilà dans quel état je suis, conclut-il en se levant avant de disparaître entre les étals. Je veux baiser, je veux baiser toute la nuit ! riait-il en se glissant parmi les ombres et son ensemble *kurta pajama* blanc se découpait sur l'obscurité.

Mohammed retourna ses brochettes de poulet. Il entendait Liaquat s'éloigner en chantant à tue-tête de sa voix de fausset :

– Ce soir, Leïla baisera jusqu'au petit matin, ce soir…

22 h 04

Elles étaient parties ensemble et elle avait dû attendre près d'une demi-heure le moment de s'esquiver, échappant au regard de ses compagnes qui suivaient le moindre de ses gestes. Elle ne souhaitait pas particulièrement passer la soirée avec elles, mais celle qu'elle appelait *Akka*, « sœur aînée », n'aurait pas permis qu'il en aille autrement. « Tu dois être prudente. Nous devons toutes nous méfier. Si quelqu'un te voyait… »

Elle n'avait pas répondu, mais au fond d'elle-même, la rancune couvait. Il lui semblait avoir de nouveau quatre ans, quand sa mère l'emmenait voir les lumières de la foire et lui interdisait de toucher à quoi que ce soit. « Tous les objets sont payants, disait-elle. Si on en casse un, avec quel argent on le rembourse ? »

Que tout se paye, elle le savait bien. Mais aujourd'hui, elle avait les moyens d'acquérir tout ce qu'elle désirait. Tout. N'importe quoi.

Akka lui toucha le coude.

– Je crois que tu ne devrais pas prendre autant de risques.

Elle rejeta la tête en arrière d'un geste altier que seules peuvent se permettre les belles femmes, et la perle à son oreille se balança contre sa joue.

– Pourquoi ? Je n'ai pas besoin de m'amuser, moi aussi ?

Sa bouche eut un rictus de loup tandis qu'elle se détournait. *Akka* croyait connaître tous ses secrets. Mais le meilleur d'entre tous, elle le gardait pour elle. Personne ne le connaissait. Personne ne savait quel sentiment de puissance il lui apportait. Elle pouffa de rire. *Akka* lui décocha un drôle de regard, mais ne dit rien.

Une foire était comme sortie de terre à l'occasion du Ramadan de l'autre côté de la gare routière, mais *Akka* refusa de laisser ses amies s'aventurer dans cette direction.

– Ça ne va pas leur plaire de nous voir. Pourquoi courtiser les ennuis ? dit-elle lorsque l'une d'elles protesta que l'on y faisait de meilleures affaires. En plus, même nos meilleurs clients feront semblant de ne pas nous connaître. C'est leur mois sacré. Ils sortent faire les boutiques en famille. Restons du côté de la gare, et nous prendrons vers Cubbon Road. On y retrouvera les autres, décida-t-elle en les entraînant.

Les corps se pressaient autour d'elles tandis qu'elles se frayaient un passage parmi la foule. Une main lui caressa la taille, se posa sur son postérieur. Elle s'abandonna à la sensation, mais la brièveté du geste y mit fin presque aussitôt, lui laissant l'impression d'avoir été utilisée. Elle se sentait salie. Souillée. Sale.

Alors une fibre nerveuse se rompit en elle, le sang se mit à battre à ses tempes. Elle vit *Akka* lui couler un regard, mais ne laissa rien transparaître de ce qui l'agitait. Et au moment opportun, tandis que, postées près d'un étal de bijoux, elles essayaient des bracelets en badinant avec le marchand, tâtant le terrain, elle faussa compagnie au groupe.

Elle sentit qu'un homme la suivait dans l'allée sombre. Elle accentua l'ondulation de sa démarche pour l'aiguillonner. Il savait. Il savait ce qu'elle avait à lui offrir. Elle sourit et, s'arrêtant brusquement, tourna la tête pour lui adresser un sourire, qui se figea aussitôt. Un deuxième homme les suivait, qui se mit à rire quand elle posa les yeux sur lui.

— Allez-vous-en, gronda-t-elle.

L'intrus rit de plus belle, d'un rire aigu, strident.

— Il vous prend pour une femme.

Les larmes lui montèrent aux yeux. Puis, se reprenant, elle répondit en serrant les dents :

— Pourquoi dites-vous ça ? Je suis une femme, ça ne se voit pas ?

— Et moi, pouffa-t-il, je suis le Premier ministre de l'Inde !

Il tapa sur l'épaule du premier.

— Ce n'est pas une femme, c'est un *chakka*[1]. Tu ne t'en es pas aperçu ? Ils sont tout un groupe là-bas, près de la gare routière.

Les traits de l'autre se défirent et le désir fit place à une expression de dégoût. Il s'avança vers elle pour l'examiner de près.

---

1. Dans le texte, les « eunuques » (*chakka*, *hijra*) se vivent au féminin. Ils utilisent le genre féminin pour parler entre eux. Les autres parlent d'eux soit, avec sympathie, au féminin, soit avec une distance objective ou hostile, au masculin.

– Il a raison. Tu n'es qu'un putain d'eunuque.

– Mais si c'est ça qui te plaît..., railla le gêneur, viens avec moi, *Mia*, je peux faire mieux que lui...

Son interlocuteur se racla la gorge et cracha par terre.

– Va te faire foutre, grinça-t-il. Je ne te donnerai pas ma bite à sucer.

Puis, se tournant vers elle :

– Je ne suis pas en manque au point de baiser un homme déguisé en femme. Va trouver un crétin qui se laissera prendre à ça...

Il désignait la plénitude de sa poitrine, la courbe de ses hanches. Il donna une pichenette à la perle de son pendant d'oreille et la regarda se balancer comme un pendule :

– Beaux bijoux. Mais tu sais quoi ? Ils ne te vont pas, tu n'es pas assez belle – ou assez féminine – pour les porter.

Elle fixa le sol à l'endroit où le crachat était tombé, tandis que le bruit des pas pressés de l'homme dépité s'évanouissait au loin. Elle n'était rien qu'une créature sale, répugnante. La soirée avait commencé dans un tel bonheur, et voilà...

Levant les yeux, elle rencontra l'expression railleuse de celui qui l'avait démasquée. Si seulement ce putain de suceur de bites ne l'avait pas suivie. Si seulement... La rage bouillonnait en elle, elle en oubliait complètement qui elle était.

Elle se rua en avant et lui plongea son poing dans le ventre. Plié en deux par la douleur, le souffle coupé, il tenta de garder son équilibre et jeta les bras en tous sens, cherchant quelque chose à quoi s'agripper. Ses doigts rencontrèrent la tresse lâche qu'elle portait sur le côté, et la perruque lui resta dans la main.

Ses yeux s'arrondirent en découvrant qui se tenait devant lui. Sous les multiples couches de maquillage, les traits restaient reconnaissables. En dépit de la douleur et de la stupéfaction, un sourire lui étira les lèvres. « Vous ? C'est vous ! J'ai du mal à y croire... »

Son nom ne franchit jamais ses lèvres. Elle ouvrit d'un déclic le petit couteau qu'elle gardait dans son corsage et le lui mit sur la gorge :

– Tais-toi, dit-elle.

Il la fixa, soudain terrifié.

– Laissez-moi partir, gémit-il en tombant à genoux, je ne dirai rien à personne. Je vous le jure sur ce que j'ai de plus cher au monde. Vous pouvez me croire, je vous en prie...

Elle fredonnait à voix sourde en tournant autour de lui, tenant toujours la lame contre son cou. Il y eut le claquement d'un sac qu'on ouvrait et qu'on refermait. Que faisait-elle ?

Puis le contact froid de l'acier quitta sa peau. Ses muscles crispés se détendirent. Mais avant qu'il puisse tourner la tête vers elle, il sentit quelque chose le frapper à l'arrière du crâne.

Il entendit l'os craquer et hurla. À travers la douleur fulgurante, il sentit sa gorge serrée dans un étau.

– Non, non, murmura-t-il, saisissant le lien pour tenter de le briser.

Mais un millier de pointes de verre s'enfoncèrent aussitôt dans la peau de ses mains. Des éclairs de lumière lui brûlaient les paupières, une tribu de serpents emplirent ses oreilles de sifflements. Il n'avait plus la force de résister.

– Tu es là ? cria *Akka* à l'orée du cul-de-sac.

Le choc qu'elle reçut devant la scène qui s'offrait à ses yeux la réduisit aussitôt au silence : un homme était à genoux et son amie derrière lui, son déguisement en désordre. Elle vit le supplicié s'effondrer. Il n'avait même pas senti la corde lui couper la peau et presser la veine jugulaire.

Akka la vit sortir un mouchoir en papier de son sac et s'essuyer les doigts avant de le jeter au visage de l'homme. La ligne rouge que le sang dessinait sur sa gorge s'épaississait à chaque battement de cœur.

Akka se précipita vers elle.

Sa compagne garda le silence un moment avant de commenter d'une voix neutre :

– Il m'avait reconnu. Je n'avais pas le choix...

Akka sentit un frisson lui glacer les os. Qui était la personne qui se tenait devant elle ?

– De toute façon, c'était un minable. Personne ne le regrettera, alors ne gaspille pas tes larmes à pleurer sur son sort, reprit-elle en arrangeant sa perruque avec soin. Passe-moi ton portable, fit-elle en ouvrant la paume.

Akka le lui tendit sans rien dire et la regarda composer un numéro.

– C'est moi. J'ai laissé quelque chose dans l'allée près du garage de Siddiq. Occupez-vous-en. Qu'il n'en reste rien.

Les yeux d'*Akka* se rivèrent à l'homme étendu par terre. Il respirait encore...

– Allons-y, ordonna-t-elle à *Akka* en lui rendant son téléphone.

Elles tournaient déjà au coin de la ruelle quand elle pila, fit volte-face et regagna à pas vifs l'endroit où gisait le corps. Elle se pencha au-dessus de lui et l'examina un instant. Puis, se redressant, elle lui asséna un violent coup de pied au visage.

– Ordure ! souffla-t-elle tandis que le talon aiguille déchirait la joue de l'homme.

23 h 42

Samuel se frotta les yeux avec la manche de son blouson. Il rentrait chez lui à moto, recru de fatigue. Une bruine piquante commençait à tomber. Quelle vie, pour un homme, de devoir traverser la ville sur trente kilomètres en pleine nuit sous la pluie, après avoir passé la soirée à regarder des mannequins défiler en sous-vêtements et des types connus écluser des verres à l'œil !

Ah ça, on pouvait dire qu'ils l'avaient tous courtisé ! Les mannequins, les hôtes, les commanditaires, les habitués, les pique-assiettes, tous. Sam par-ci, Sam par-là, Sam ceci, Sam cela, Sammy, Sammy... Ils avaient voulu voir sur l'écran témoin de son appareil à quoi ils ressemblaient quand ils tenaient la pose, bien plantés sur leurs pieds, sourire figé.

Ce travail de photographe des événements mondains pour le *Bangalore Messenger* le dégoûtait. Certains jours, du moins. La plupart du temps, ce n'était qu'un métier pour lequel il était doué. Il avait l'art de capter le bon moment et de parsemer les têtes connues de visages nouveaux. Comme il savait qui était qui, il pointait son objectif sur les papillons, laissant les autres insectes volants et rampants aux photographes des feuilles rivales. « Vous avez l'œil, disait son rédacteur en chef. Vous êtes bon. Vous ne ratez pas un détail. Grâce à vous nos lecteurs préfèrent notre page 3 à toutes les autres. »

Cela valait toutefois mieux que de travailler à la rubrique des faits divers comme avant, de guetter le cliché choc devant la porte d'un foyer où un enfant avait été mutilé et tué par un tigre lors d'une visite à la réserve naturelle de Bannerghatta, de se presser avec la foule au portail du Golden Palms pour tenter d'apercevoir un acteur de Bollywood arrivant sur les lieux de ses noces ou de piéger un politicien en compagnie d'une actrice de la télé. Il avait décidé de changer de secteur le jour où la rédaction lui avait demandé une photo originale de la famille d'une ex-Miss India qui venait de se suicider. La honte avait été la plus forte. Il ne voulait plus traquer les personnes vulnérables, violer leur intimité, exhiber leurs émotions pour remplir sa page. Il préférait surprendre des gens habitués à se mettre en scène.

Samuel rêvait du confort de son lit alors qu'il quittait la route de l'aéroport pour s'engager dans Sathanur Cross.

Encore dix-huit kilomètres, et il serait chez lui. Le vent avait forci. La bruine s'était changée en pluie, mais sous son blouson, il avait chaud. Il n'aurait pas dû boire autant pendant ses heures de travail. Mais il avait eu terriblement envie de prendre un verre, d'autant que sa femme et sa fille n'étaient pas à Bangalore ces jours-ci. À présent, les excès de la soirée lui retournaient les boyaux et remontaient dans son œsophage tandis qu'il roulait sur la route déserte. Il se rangea sur le bas-côté et vomit. Il eut à peine le temps de voir du coin de l'œil démarrer une Scorpio immatriculée au Tamil Nadu. La nausée qui le reprenait envahit le champ de ses pensées.

Il s'essuya la bouche à l'aide d'un morceau de mouchoir en papier trouvé dans sa poche. Puis il s'assit sur le bord de la route et se laissa tremper par la pluie. Il espérait qu'aucune Hoysala de la police ne passerait par là. Il lui aurait été particulièrement déplaisant de devoir expliquer qu'il avait trop bu et de produire sa carte de presse pour être dispensé sur-le-champ de souffler dans un ballon.

À travers le rideau de pluie, il perçut un mouvement dans le bosquet d'eucalyptus de l'autre côté de la route. Une langue de flamme rampant au ras du sol, un éclair de lumière blanche. Samuel se frotta les yeux et se leva. Le phare de sa moto faiblissait. Il traversa en courant et saisit instinctivement son Nikon D700.

Un homme, ou plutôt ce qui restait de lui, gisait dans le fossé au bord du bois. De cette bouillie de chair et de tissu montait un gémissement ténu.

D'horreur, Samuel baissa les bras. Que s'était-il passé ? Que devait-il faire ?

Dans un réflexe, il leva son appareil et appuya sur le déclencheur. Clic, et d'un, clic, et de deux, sous cet angle et sous cet autre.

23 h 51

La nuit rendait les choses moins irréelles. La nuit est la même partout, se dit-il. C'est seulement là-haut, dans le ciel, qu'on voit des différences, d'autres étoiles, selon l'endroit d'où on regarde.

Il avait vécu durant quinze ans dans l'hémisphère sud. D'autres constellations avaient veillé sur lui, des astres étrangers avaient présidé à sa destinée. Michael Hunt, anglo-indien de naissance, australien par affinité, venait de sortir de l'aéroport et de prendre place dans un taxi Meru. Il se renversa contre le dossier, s'émerveillant de la conjonction des deux étoiles d'hémisphères différents qui l'avait ramené à Bangalore.

– C'est beaucoup mieux dans la journée, dit le chauffeur. Bangalore est une ville high-tech. Avez-vous entendu parler de Infosys ? Nous avons de grosses entreprises d'informatique Wipro, Dell, IBM... Sans compter la bière Kingfisher !

– Oui, je sais, sourit Michael.

– Vous êtes déjà venu ?

Le chauffeur, à la couleur de sa peau, le prenait pour un étranger. Le pinceau brun, en effet, n'avait pas effleuré Michael, ex-habitant de Whitefield et de Lingarajapuram.

– J'ai grandi ici, dit-il tranquillement en anglais, avant de répéter en kannada : *Nanu illi beldhidhuu.*

Le chauffeur, stupéfait, l'examina avec curiosité dans le rétroviseur. Il faillit dire quelque chose, mais se ravisa. Sachant que ses paroles avaient eu l'effet désiré, Michael ferma les yeux pour couper court à la conversation. Il avait commencé à pleuvoir. Il aurait bien voulu baisser les vitres pour éprouver sur sa peau la caresse du vent porteur de pluie. Aurait-il la même sensation que jadis, ou la pluie à Bangalore avait-elle changé, elle aussi ?

Le taxi s'engagea dans une petite avenue, laissant derrière lui la route du nouvel aéroport. Michael, qui venait de découvrir le site, pensait avec nostalgie à l'ancien, plus accordé à l'Inde dans laquelle il avait vécu et dont il se souvenait. Il rouvrit les yeux en quête de repères familiers. Il avait sans doute quadrillé toutes ces petites rues avec ses copains dans son enfance, mais il n'en reconnaissait aucune.

– Où va-t-on, par là ? demanda-t-il.

– Vers la Grande Ceinture par Kothanur, puis Hennur, dit le chauffeur. En continuant tout droit, on entrerait dans la ville par Lingarajapuram, mais on prendra à gauche vers Whitefield.

Michael hocha la tête. Un jour, il retournerait à Lingarajapuram. Un jour, quand il en trouverait la force. Pour le moment, cap sur Whitefield où l'attendait la maison de sa grand-tante décédée, maison qu'il pouvait vendre, garder ou utiliser à sa guise. Une grande lassitude l'envahissait. À l'âge qu'il avait, il aurait dû penser aux modalités de sa retraite plutôt que d'envisager de nouvelles perspectives. Mais Becky, son amour de jeunesse, puis son épouse pendant vingt-trois ans, avait quitté la vie en douce, ne laissant derrière elle que souvenirs, remords, chagrin, colère et une question angoissante qui se profilait à l'horizon de ses jours : par où recommencer ?

Il avait déjà fait le saut une fois, à trente-trois ans, quand il avait émigré en Australie. Comment pouvait-on demander à un homme de se plier plusieurs fois à de tels changements ? Où voulait-on qu'il puise l'énergie, l'élan, la nécessité ?

Devant eux, loin derrière l'essuie-glace en mouvement, il vit soudain un homme avancer sur la chaussée. Il agitait furieusement les bras en appelant à l'aide.

– S'arrêter à cette heure de la nuit, c'est trop dangereux, commenta le chauffeur.

Michael ne répondit pas. L'autre savait mieux que lui. Mais soudain il aperçut la moto.

– Si, si, insista-t-il, arrêtez-vous. Il y a quelque chose qui cloche.

Mercredi 3 août

Borei Gowda jeta un coup d'œil à l'agenda mural. En son absence, le commissariat n'avait pas chômé. Deux cambriolages. Une querelle domestique. Une noyade d'enfant accidentelle. Un homicide.

Il avait mal aux cheveux. Un vrombissement de quatre-temps Enfield lui pilonnait l'arrière du crâne, un moteur déréglé dont la trépidation accélérait sans cesse et qui s'emballait d'un seul coup.

Gowda se pressait les tempes de plus en plus fort, espérant écraser la douleur sous ses doigts. Pourquoi avait-il donc bu tout ce whisky la veille au soir ? Il aurait dû s'en tenir à son rhum habituel, son Old Monk dilué au Coca avec un zeste de citron vert. Du rhum, il pouvait en boire autant qu'il voulait sans jamais risquer la gueule de bois le lendemain matin. Le whisky n'offrait aucune garantie de cet ordre.

Il aurait voulu rentrer chez lui, s'allonger dans l'obscurité. Il aurait voulu que sa femme soit là, qu'elle s'asseye près de lui et lui masse le front au baume du tigre avec ses doigts doux et sûrs. Il aurait aimé qu'elle ait la peau soyeuse, pour nicher la tête au creux de sa chair.

Mais Mamtha, l'épouse de Gowda, habitait Hassan. C'était lui qui avait organisé son transfert dans cette ville de province l'année précédente, lorsque leur fils avait été admis au DGA Medical College. Son inscription leur avait coûté cinq *lakh*, en dépit d'une recommandation ministérielle et de la présence de nombreux Gowda au comité de direction. Il n'était pas prudent, avait dit sa femme, de laisser Roshan vivre seul à Hassan. Le garçon semblait cultiver l'art de s'attirer des ennuis. Gowda avait donc sollicité une faveur supplémentaire et son épouse était devenue médecin dans un des hôpitaux de l'ESI, le régime d'assistance aux fonctionnaires. Roshan vivait avec sa mère et Gowda allait devoir attendre qu'il ait passé son diplôme pour retrouver la compagnie des siens en dehors des quelques jours de vacances où il leur rendait visite et des rares occasions où Mamtha venait à Bangalore. Elle y mettait de plus en plus de réticence : elle s'ennuyait, disait-elle, toute la journée à la maison pendant que Gowda travaillait, mieux valait que ce soit son mari qui se déplace.

Il lui était toujours difficile de retrouver une maison vide après avoir passé du temps en famille. Il était arrivé à une heure beaucoup plus tardive que prévu, perdant ainsi une journée de congés payés, et il n'aurait pu se remettre d'emblée dans le rythme du travail. Au commissariat, il aurait été happé par les rouages de la machine qui se serait chargée de rentabiliser chaque minute, chaque seconde de sa présence. Dossiers en attente, réunions, chamailleries, paperasse et coups de fil : c'était quand il ne pouvait plus ancrer ses journées dans aucune de ces activités qu'un homme découvrait la valeur d'une journée de travail.

Arrivé chez lui vers dix-sept heures, Gowda avait traîné, se demandant quoi faire. Il y avait quelque chose de perturbant à se trouver chez soi l'après-midi. Il avait allumé la télé, zappé sans trouver de programme qui l'intéresse. La pile de magazines posée sur la table basse n'avait pas non plus retenu son attention. Que faisaient donc les autres, chez eux, à cette heure-là ?

– J'ai deux amis qui sont en ville aujourd'hui et nous dînons au restaurant. Tu veux venir avec nous ?, avait suggéré Nagaraj.

Passé un moment d'hésitation, accepter sa proposition lui avait paru une bonne façon de couper aux longues heures solitaires qui l'attendaient. Encore un jour ou deux, s'était-il dit, et il aurait retrouvé son équilibre, mais la première nuit était particulièrement dure, les piranhas de la solitude le grignotaient sans merci. S'il restait, il boirait en solo jusqu'à s'abrutir. Dehors, en compagnie, il serait plus raisonnable.

– Dieu sait combien de temps cet endroit sera encore là, avait dit Nagaraj en riant tandis qu'ils se garaient devant le nouveau restaurant près de Kothanur. Regardez, le *h* de Nandhini est déjà mort !

Gowda avait froncé les sourcils. Quelle salade Nagaraj était-il en train de raconter ? Cet idiot était-il déjà soûl ? Puis il avait remarqué les lettres de néon épelant Nandhini, le nom du restaurant. Le *d* clignotait, le *h* avait déjà abandonné la partie. Il avait souri. La Grande Ceinture et certaines artères de banlieue étaient parsemées de lieux de ce genre, restaurants prétendument destinés aux familles, mais fréquentés le plus souvent par des hommes en groupe qui s'alcoolisaient à mort tout en discutant de politique, de femmes, d'immobilier et de religion. Le Nandhini au *h* en berne ne s'annonçait pas différent des autres.

– Est-ce une succursale du véritable Nandhini ? avait demandé l'un des amis de Nagaraj.

Celui-ci avait haussé les épaules.

– J'en doute. Ces types sont malins, ils empruntent des noms de restaurants populaires, ajoutent un *i* ou un *e*, et les imbéciles de notre espèce viennent y manger en croyant qu'ils vont y trouver la qualité de l'original.

Ils étaient entrés. Nagaraj avait fait signe à un serveur qu'il connaissait de les rejoindre. Gowda s'était efforcé de masquer son étonnement lorsqu'ils avaient emprunté le petit pont japonais au-dessus du cours d'eau artificiel pavé de céramique bleue pour gagner un des belvédères. Nagaraj avait tiré une chaise pour le faire asseoir.

– En fait, c'est une construction temporaire qui risque de disparaître le jour où l'on élargira la route, avait-il commenté. Mais leur poulet au piment façon Andhra...

Et, portant les doigts réunis à sa bouche, il y avait déposé un baiser pour suggérer l'excellence du plat.

Gowda avait jeté autour de lui un regard neutre tout en observant le style de l'établissement. Nagaraj et ses amis s'accordaient tout à fait avec cet ensemble de pavillons, avec sa lumière avare, ses palmiers en pot, ses nappes de *gingham* déjà tachées de curcuma et de graisse, le tout imprégné d'une odeur de curry. Qu'est-ce que je fous là ? se demandait le policier. Ce lieu sentait les Alcooliques Anonymes à plein nez. Il allait pourtant devoir prendre son mal en patience. Certes, il avait un certain sens du bon et du beau, mais cela l'autorisait-il à se croire d'une étoffe supérieure ou différente de la leur, à regarder Nagaraj et ses amis de haut ?

Gowda tendit le bras vers la sonnette mécanique et appuya.

– Apportez-moi un thé, dit-il au policier subalterne qui, accouru en hâte, se retournait déjà pour lui obéir. Et augmentez la vitesse du ventilateur. Il n'est pas là pour la déco, que je sache. Qui l'a réglé si bas ?

– J'étais de congé, hier, monsieur, marmonna Byrappa.

De toute évidence, le patron était dans un de ses mauvais jours.

Gowda lui fit signe de disposer et plongea la tête entre ses mains. La réaction d'évitement de Byrappa lui rappelait quelqu'un, mais qui ? Ah oui, Roshan. Chaque fois que son fils devait répondre à une question, il prenait la tangente : « Je ne sais pas, je n'étais pas là, personne ne m'a dit... »

Les pulsations du quatre-temps déréglé s'étaient accélérées et déplacées de l'occiput aux tempes.

Gowda ne savait pas quoi penser de ce fils qui balançait entre la morosité et le désir de plaire. Père distant ou papa copain ? Gowda avait hésité sur l'attitude à adopter vis-à-vis de lui. Finalement, il n'avait choisi ni l'une ni l'autre et se comportait en invité de passage, présent sans s'impliquer. *« Bonjour, comment tu vas ? Et la fac ? Tu as vu de bons films récemment ? »*

Dur d'être parent, se dit-il en considérant les dossiers qui s'entassaient sur son bureau. Et tout ça pour quoi ? Ce petit con ne me dira même plus bonjour quand son cabinet de médecin aura pignon sur rue. Pourtant, il était un père et les pères n'éludaient pas leurs responsabilités sous prétexte qu'ils savaient à quoi s'attendre.

Pas plus que tu ne peux négliger ton travail, inspecteur principal Gowda, se morigéna-t-il en posant les yeux sur le rapport relatif à l'homicide de Horamavu.

Il prit connaissance de la chronologie des événements. Le meurtre avait eu lieu près de deux semaines plus tôt, le vendredi où il avait quitté Bangalore. Le mobile restait mystérieux. Il y avait des traces de rapport sexuel, mais entre l'acte et le moment où la victime avait été découverte sur le siège arrière de la Tata Sierra, elle avait été poignardée et étranglée.

Le défunt, propriétaire d'une pharmacie de taille moyenne, avait une quarantaine d'années. Selon les premiers résultats de l'enquête, on ne lui connaissait pas d'ennemis dans la profession, il n'avait pas de dettes, pas de liaisons, pas de rapports avec la pègre. Un monsieur-tout-le-monde qui avait sans doute payé de sa vie un moment d'abandon hors du lit conjugal. Le seul élément extraordinaire de son existence semblait bien être la façon dont celle-ci s'était terminée.

Gowda tentait de reconstituer mentalement le crime. Le pharmacien sur le siège arrière avec la femme. Tout au plaisir de se faire sucer, au point qu'il n'aperçoit pas la personne qui se glisse dans la voiture par l'arrière et qui l'assomme avec un marteau ou un objet du même genre. Il est étranglé tout de suite après, mais au moment où le criminel et sa complice s'apprêtent à le dépouiller, quelque chose les effraie et ils doivent s'enfuir sans rien emporter.

Le pharmacien avait sur lui un iPhone et dix mille roupies en liquide. Sa chaîne en or en valait bien le double, sans compter la bague en diamants et la montre de prix qu'il portait également.

Gowda pressa la sonnette de son bureau et un policier apparut.

– Je ne comprends pas la référence au fil *maña* là où il est question du lien qui l'a étranglé, dit Gowda en réponse à son salut, feignant d'ignorer qu'il n'avait encore jamais rencontré l'homme debout devant lui.

– Pardon, monsieur ? demanda l'autre en ouvrant des yeux ronds.

– Vous êtes bien l'inspecteur adjoint Santosh, n'est-ce pas ? s'enquit-il en scrutant l'insigne épinglé sur son uniforme.

Dieu merci, ce spécimen-là était un homme. La femme qui avait précédé Santosh dans ses fonctions avait foudroyé Gowda du regard lorsqu'il s'était avisé de regarder en direction de sa poitrine pour déchiffrer son nom. « Monsieur ? » avait dit sèchement la voix tandis que les yeux fulminaient. « Vous n'avez jamais entendu parler de harcèlement sexuel ? » semblaient-ils signifier.

Il avait détourné les siens, gêné, furieux contre lui-même. Pétrifié par l'intensité de sa réaction, il avait tout fait, trois mois durant, pour l'éviter, puis, heureusement, elle avait été mutée dans un commissariat de Bangalore sud.

– Monsieur !

La voix stridente du jeune homme le tira de sa rêverie. Gowda s'ébroua mentalement.

– Expliquez-moi ça, dit-il en montrant le dossier du doigt. L'affaire n° 84/2011. L'homicide de Horamavu. Le pharmacien Kothandraman. Je croyais qu'il était mort par strangulation.

Son nouvel adjoint se raidit, se racla la gorge, puis, voyant que son supérieur s'impatientait, il se hâta de réciter presque mot pour mot le contenu du dossier.

Les yeux de Gowda se plissèrent.

– Vous croyez que je ne sais pas lire ? Je vous ai demandé de m'expliquer un point précis. Vous semblez dire qu'un fil de cerf-volant a été utilisé pour étrangler la victime. Mais un *manja* se serait rompu, non ? Ça ne peut pas être ça !

Le jeune homme avala convulsivement sa salive avec un bruit qui exaspéra Gowda. Il se retint de lui sauter à la gorge. Avait-il le don d'attirer les crétins ? Ou était-ce un complot du service visant à lui attacher les éléments les plus débiles ?

– Monsieur, commença Santosh qui avait retrouvé sa voix, le rapport d'autopsie montre que l'objet utilisé était une corde. Le laboratoire médicolégal déduit de la décoloration des tissus...

– Le *laboratoire* ! s'esclaffa Gowda dans un rugissement. Le *laboratoire* se réduit pour moi au seul homme sur lequel on puisse compter, le docteur Shastri.

Santosh tourna les pages du rapport.

– La signature est d'un certain docteur Shastri...

– Dans ce cas, poursuivez, dit Gowda en se renversant sur son siège.

Santosh se racla la gorge pour la énième fois.

– Du fait de la décoloration des tissus, le laboratoire pense qu'il s'agit d'un lien d'un centimètre de diamètre, comparable au cordeau des maçons sur les chantiers. Mais les mains de la victime portaient des coupures, qu'il s'était faites en résistant. On a trouvé des éclats de verre dans ses doigts ainsi que dans les blessures de la gorge. Il y avait également des traces de coupure autour du cou. On dirait que la corde était recouverte de verre pilé, comme le fil d'un cerf-volant, pour lui donner les propriétés d'une lame, afin qu'elle égorge et étrangle en même temps.

– Vous avez découvert quelque chose sur la victime ? Un mobile éventuel ? Rivalité professionnelle ? Conflit familial ? N'importe quoi ?

– Non, monsieur. Son fils dit qu'il n'y comprend rien. Selon le commissaire, c'est une agression pour vol qui a mal tourné.

Gowda hocha la tête. Quelque chose lui disait que cette affaire finirait classée sans suite. Par manque de preuves, elle croupirait dans un dossier pendant des mois, voire des années, avant d'être reléguée aux oubliettes. À l'exception de ses proches, plus personne ne se rappellerait le sinistre vendredi soir où l'homme avait été assassiné sans raison apparente, plus personne ne se demanderait pourquoi.

Gowda referma le dossier.

– Qui l'a découvert ?

– C'est assez étrange, monsieur. Sa famille était inquiète, bien sûr, de ne pas le voir rentrer le soir comme à son habitude, d'autant qu'il ne répondait pas au téléphone. Ils se sont rendus à la pharmacie, mais elle était fermée. Un boutiquier d'en face l'avait vu, semble-t-il, partir aux environs de vingt et une heures. À deux heures du matin, le fils a reçu un coup de fil lui apprenant qu'il était mort. Effrayé, il a appelé son oncle qui dormait dans la chambre à côté. À cinq heures, un laitier a remarqué une voiture garée près du lac, à Horamavu. Il a jeté un coup d'œil à l'intérieur. Comme il ne voyait rien, il a tapé à la vitre, sans réponse. Alors il est venu nous prévenir. Le brigadier Gajendra était présent quand on a brisé la vitre pour accéder à l'intérieur.

Le regard de Gowda se perdit dans le lointain, signifiant que la conversation était terminée.

– Il y a autre chose, monsieur, reprit l'inspecteur adjoint.

– Quoi ? Encore un de ces litiges fonciers ?

– Non, dit Santosh, d'une voix qui trahissait son excitation, un rapport concernant un homme admis à l'hôpital hier soir. Il a d'abord été battu sauvagement, puis quelqu'un, un individu isolé ou une bande, a cherché à le brûler vif. Mais comme il pleuvait, le feu a dû s'éteindre et il était encore vivant quand on l'a trouvé. Ça s'est passé dans le bois d'eucalyptus, un peu avant Kannur. Il a été transporté à JJ Hospital, l'hôpital le plus proche, apparemment sur l'insistance d'un témoin.

Gowda soupira :

– Ce n'est pas du ressort du commissariat de Yelehanka ? demanda-t-il, incapable de retenir son irritation. Intéressés par le seul pouvoir de l'uniforme, les policiers alentour paraissaient de plus en plus réticents à mener des enquêtes criminelles.

– Non, l'affaire tombe dans notre juridiction. Heureusement pour nous, il y a deux témoins, même trois.

Mais la victime est morte avant de reprendre conscience. Le rapport du médecin légiste souligne un certain nombre de points obscurs. J'ai déjà signé l'autorisation de transfert du corps à la morgue. C'est notre enquête, monsieur.

« Nous », « notre »... Ce jeunot débordant de fierté, qui croyait encore à la mission d'une police intègre, découvrirait bientôt les dessous putrides des enquêtes judiciaires. Gowda ne donnait pas un an à son enthousiasme pour retomber.

Il ouvrit un tiroir de son bureau, trouva la plaquette de Brufen, en fit jaillir deux comprimés et les avala, accompagnés de longues goulées d'eau.

Santosh examinait un à un les traits de l'homme assis devant lui. Ainsi, Borei Gowda, c'était lui. Un mètre quatre-vingts, baraqué, un corps qu'on devinait avoir été musclé, mais un peu empâté par l'âge, la taille épaissie, les contours estompés. Ses cheveux grisonnants coupés court, en conformité avec le règlement, donnaient de la personnalité à un visage qui n'avait par ailleurs rien d'original. Des yeux ni petits ni grands, un nez droit, une mâchoire rasée de près, un menton à fossette. Dans sa jeunesse, Borei Gowda avait dû porter beau, mais aujourd'hui on aurait dit que l'énergie l'avait quitté, le laissant avec un corps avachi et des idéaux déçus.

Santosh, dans un réflexe, serra les abdominaux et dégagea les épaules. Gowda sentait le regard du jeune inspecteur sur lui.

– Qu'est-ce qu'il y a ? lança-t-il.

– Ne faut-il pas que nous nous rendions sur les lieux du crime, monsieur ?

– Ah oui, vraiment ? demanda Gowda d'un ton agressif.

– Mais, monsieur...

Le ton horrifié de Santosh ébranla Gowda. Ce jeune prenait les choses beaucoup trop à cœur. Il était temps de le soumettre à l'épreuve de la réalité.

– Allons-y, dit-il en se levant tout en chaussant ses lunettes d'aviateur.

– Je ne voulais pas vous presser, monsieur. Mais si nous tardons, la scène de crime sera contaminée, expliqua Santosh qui peinait à soutenir l'allure de son supérieur.

Gowda resta un instant silencieux. Cet imbécile se prenait pour un Sherlock Holmes doublé d'un Madhukar Zende !

– Depuis combien de temps êtes-vous en fonction ? demanda-t-il prudemment.

– Trois mois. Plus deux semaines dans ce commissariat. C'est moi qui ai demandé à être muté, monsieur.

– Pourquoi ? demanda Gowda en se tournant vers lui.

– Je voulais travailler avec vous. J'ai beaucoup entendu parler de vous. Je sais qu'en vous assistant, j'apprendrai bien mon métier.

Il ajouta après une pause :

– Et puis, je suis un Gowda, moi aussi, monsieur.

L'inspecteur sentit ses lèvres esquisser un rictus :

– Vous croyez que ça change quelque chose pour moi ?

– Je veux seulement vous assurer de ma loyauté la plus complète. Nous sommes de la même caste, après tout.

37

Santosh cherchait à capter la réaction de son supérieur, mais ses yeux étaient dissimulés derrière des verres fumés et son silence ne trahissait en rien l'effet produit par sa déclaration.

– Santosh Gowdare, pourquoi vous êtes-vous engagé dans la police ? demanda-t-il alors qu'ils s'approchaient de la jeep.

– J'ai toujours voulu y entrer. Alors j'ai passé un diplôme de techniques d'investigation criminelle à la faculté des sciences de Dharwad.

– Vous ne vouliez pas devenir ingénieur, ou médecin ?

– Au début, si, comme tout le monde, monsieur, mais je n'ai pas réussi les examens d'entrée. Alors j'ai décidé de me tourner vers la police.

– Vous ne m'avez toujours pas dit pourquoi, Santosh Gowdare, murmura gentiment l'inspecteur.

Le jeune homme piqua un fard. Son supérieur se moquait-il de lui ? Sinon, pourquoi lui donnait-il son nom de caste, avec, qui plus est, une particule de respect ? Il n'avait fait que suivre les conseils prodigués par le brigadier Muni Reddy lors de sa première affectation...

Il se passa les doigts dans les cheveux et répondit :

– Je voulais faire quelque chose qui ait un sens plutôt qu'un travail de routine, assis derrière un bureau. Je voulais pouvoir me dire à la fin de chaque journée que j'avais accompli quelque chose de valable.

– Dans ce cas, vous auriez pu aussi bien devenir enseignant.

– Non, monsieur. Je visais quelque chose de plus.

Gowda vit l'étincelle qui animait le regard du jeune homme, son désir fervent de faire le bien inscrit dans sa posture et sa démarche, ses joues lisses rasées de frais et la précision de ses mouvements, l'innocence de son esprit non corrompu, la naïveté de sa jeunesse. Le regret lui serra le cœur. Il avait été ce jeune homme, enthousiaste à l'idée de protéger le faible et le nécessiteux, prêt à éradiquer les fléaux du monde, impatient d'en avoir les moyens. Où était-il passé ?

Il se sentit gagné par une grande lassitude. Il ne manquait plus que ce blanc-bec zélé pour lui pourrir la vie. Enfin, il apprendra vite, se dit-il en regardant Santosh parler au chauffeur de la jeep.

– Où est Gajendra ? râla Gowda.

– Me voilà, monsieur ! s'écria le brigadier en accourant.

Dans la voiture arrêtée au feu rouge, Gowda sentait la chaleur de la journée l'oppresser, aggravée par le tintamarre de la circulation et des klaxons, la poussière, la gueule de bois persistante... Son regard fondit sur le reflet de Santosh dans le rétroviseur. Pour une raison obscure, il aurait voulu effacer l'autosatisfaction qu'il lisait sur les traits de l'inspecteur adjoint perdu dans ses pensées. Le visage dur, il se tourna vers lui.

– Dites-moi, avez-vous vu le corps ? demanda-t-il à brûle-pourpoint.

Santosh faillit décoller de son siège, puis, tentant éperdument de retrouver son sang-froid, il ne put énoncer qu'un « monsieur ? ».

L'embarras du jeune homme décuplait le mécontentement de Gowda.

– Qu'entendez-vous par là ? Oui ou non ? articula-t-il lentement, à voix très douce.

Gajendra pâlit. C'était toujours comme ça quand la tendance de Gowda à la méchanceté remontait à la surface. Il parlait sur un ton suave qui, au lieu de désamorcer la violence intérieure, l'amplifiait. Le brigadier éprouvait une grande sympathie pour Santosh. On avait vu des hommes plus endurcis retenir leur souffle quand Gowda optait pour la douceur.

– Oui... enfin, non, monsieur, je ne l'ai pas encore vu, bafouilla Santosh qui ne s'était jamais senti aussi intimidé de sa vie. J'ai pensé qu'il pouvait attendre, contrairement à la scène...

Son débit ralentit et il renonça à terminer sa phrase en découvrant l'expression de Gowda.

— C'est donc ce que vous pensez, dit celui-ci, puis, se tournant vers le chauffeur, il grommela : À la morgue.

Santosh ouvrit la bouche avant de se raviser. Gowda le vit tirer un petit calepin de sa poche et le feuilleter discrètement.

— Qu'est-ce qu'il y a ? Qu'est-ce qui vous tracasse ? demanda-t-il en détachant les syllabes.

Santosh s'humecta les lèvres de sa langue. Qu'est-ce qui pouvait les rendre aussi sèches ?

— Rien, monsieur, rien. Mais la scène de crime...

Gowda poussa un soupir.

— Si vous insistez, nous pouvons y aller tout de suite. Mais vous a-t-il traversé l'esprit qu'il avait plu toute la nuit ? Avez-vous une idée du nombre de pieds qui ont foulé le bois d'eucalyptus depuis hier ? Il y a même sans doute des gens qui sont venus chier sur votre scène de crime. Un tas de merde, voilà ce que vous y trouverez ! On en apprendra beaucoup plus du cadavre.

Santosh regardait ses mains sans rien dire. Tout ce qu'il entreprenait semblait voué à déplaire à son supérieur. Pourtant, il aurait tant aimé faire équipe avec lui.

— De toute façon, nous irons voir la scène du crime plus tard dans la journée, c'est la procédure, lui murmura Gajendra à l'oreille. On fera du porte-à-porte pour interroger les voisins et les commerçants du coin. Peut-être que quelqu'un aura vu quelque chose ou remarqué des déplacements suspects. Mais, croyez-moi, ce sera plus concluant comme ça.

Santosh avait entendu parler de Borei Gowda au commissariat de Mînakshipalaya, dans le district de Bangalore rural, sa première affectation.

Le brigadier Muni Reddy, voyant qu'il protestait contre certaines irrégularités, s'était mis en tête de former l'inspecteur adjoint aux réalités pratiques du métier. Peu après son arrivée, il avait regardé son supérieur avec sérieux, comme s'il voulait l'évaluer, avant de se lancer :

– Ne le prenez pas mal, monsieur, mais vous êtes jeune, et je suis là depuis un bon moment. Il faut oublier ce qu'on vous a appris à l'école de police. Dans la rue, c'est un tout autre monde.

Santosh oscillait entre l'amusement et l'irritation.

– Vous voulez dire que je dois me changer en criminel pour savoir comment prendre les criminels ?

Muni Reddy avait tortillé sa moustache, s'était plongé dans une réflexion profonde, puis avait déclaré tout à trac :

– Depuis que je vous vois, je me demande d'où me vient l'impression que vous m'êtes familier. Et ça y est, j'ai compris : vous me rappelez Borei Gowda.

– Qui ?

– Borei Gowda, un inspecteur adjoint qui travaillait ici il y a longtemps, quand ce n'était encore qu'un poste de police. Il réagissait comme vous. Il prenait les choses à cœur et il n'était qu'un bleu. Il croyait qu'il était du devoir de la police de protéger les citoyens.

Muni Reddy en secouait la tête d'incrédulité.

– Pourquoi, vous ne pensez pas qu'on est là pour ça ? avait demandé Santosh en regardant le brigadier se verser une louche de *sagu*.

Le village de Mînakshipalaya s'était transformé en gros bourg lorsqu'une firme automobile japonaise avait installé une usine dans les environs. Santosh habitait seul dans une petite maison de location et Muni Reddy avait pris l'habitude de venir le voir à l'improviste. Il lui apportait de temps à autre une boîte d'en-cas préparés par sa femme.

– Les repas maison doivent vous manquer. À force de manger dehors, les papilles deviennent aussi insensibles

41

qu'une queue de rat mort, avait-il expliqué la première fois pour se justifier, en réponse aux protestations de Santosh.

Il en avait bientôt profité pour abreuver le jeune homme de leçons sur les impératifs de l'existence selon Muni Reddy. Santosh était bien obligé de le subir, car l'épouse du brigadier était une cuisinière hors pair ; en échange de ses excellentes préparations, les enseignements de son collègue ne lui semblaient pas un prix exorbitant à payer.

Lors d'un de ces repas, Muni Reddy, reposant la cuillère dans le plat, avait expliqué :

– Nous protégeons les gens quand ils viennent nous trouver. Nous ne cherchons pas les ennuis, nous ne prenons pas les devants.

– Aussi longtemps qu'aucune plainte n'est déposée, vous regardez le criminel commettre son crime sans intervenir, c'est ce que vous voulez dire ? Comment pouvez-vous être comme ça, Muni Reddy ?

Le brigadier avait secoué tristement la tête :

– C'est exactement ce que Borei Gowda disait. Il ne m'écoutait pas, lui non plus. Et voyez ce qui lui est arrivé !

Santosh se demandait quelle latitude il avait pour interroger le brigadier sur ce Borei Gowda. Ses questions ne seraient-elles pas perçues comme une amorce de commérages avec un subordonné au sujet d'un supérieur ? Santosh avait eu le temps d'enfourner un morceau de *puri* avant que la curiosité en lui l'emporte sur la prudence.

Muni Reddy, heureusement, n'était pas homme à se taire.

– En fait, je n'ai jamais vu un officier de police comme lui. Courageux et intelligent. Réunir ces qualités, vous savez ce que ça signifie pour un enquêteur ? C'est une combinaison terrible, si vous voulez mon opinion. Elle le rend intrépide, ce qui veut dire qu'il s'attire des ennuis, voilà pourquoi je voudrais que vous écoutiez bien ce que j'ai à vous dire. Je porte cet uniforme depuis vingt-cinq ans, je sais quand un

42

inspecteur va faire carrière et quand il se prépare à être trimballé toute sa vie d'une affectation à l'autre, comme une âme perdue en quête de salut.

Durant les semaines suivantes, Santosh avait tenté de reconstituer les états de service de Borei Gowda. Apparemment, son passage à Mînakshipalaya avait coïncidé avec dix-sept mois d'âge d'or pour le commissariat. Le nombre de crimes avait chuté de façon significative et les récidivistes potentiels étaient tenus à l'œil. Une affaire de meurtre avait été résolue. Puis, sans crier gare, le glorieux inspecteur avait été muté à l'antenne de police de Bowring Hospital, ravalé aux fonctions de simple agent administratif.

– Que s'est-il passé, Muni Reddy ?

Son aîné avait détourné le regard.

– À quoi bon exhumer le passé ? Qu'est-ce que ça va changer ?

Alors Santosh s'était redressé de toute sa hauteur. Son visage exprimait une sévérité sans appel.

– Je suis votre supérieur et je vous ordonne de me raconter par le menu, sans rien omettre, les événements qui ont conduit à cette mutation.

Après avoir poussé un long soupir, Muni Reddy s'était exécuté.

– Un jour, un peu après neuf heures du matin, un homme du nom de Ramesh Rao s'est présenté au commissariat. Il ne semblait pas dans son état normal. Ramesh Rao travaillait à la State Bank de Mysore et Gowda, qui y avait un compte courant, le connaissait. À la façon dont ce type regardait partout autour de lui, j'ai bien vu qu'il pénétrait dans un commissariat pour la première fois. Il se comportait comme un coupable. Pourquoi est-ce que les gens ont toujours l'air d'avoir quelque chose à se reprocher quand ils entrent dans un commissariat, même quand ils n'ont rien fait de mal ?

– Venez-en aux faits, l'avait interrompu Santosh avec impatience.

– Selon ses dires, la veille au soir il avait entendu des voix s'élever dans la maison d'à côté. Il avait cru à une dispute, chose fréquente chez ses voisins. Mais le matin, quand leur servante était venue frapper chez lui pour dire que personne ne lui ouvrait, sa femme et lui étaient allés y voir de plus près. Le scooter était garé dehors, toutes les fenêtres étaient closes, mais à travers la fente d'un rideau, l'employé avait pu constater que le mobilier avait été bousculé.

« Gowda a pris le volant lui-même et s'est rendu sur les lieux. Moins d'une demi-heure plus tard, il avait fait forcer la porte et entrait dans la maison. Ramesh Rao avait dit vrai. Il y régnait un désordre indescriptible. Partout des meubles renversés, des ustensiles de cuisine éparpillés sur le sol. Dans une chambre du rez-de-chaussée, Shankar, le mari, gisait sans connaissance, assommé, une petite flaque de sang près de la tête. À l'étage, Suma, son épouse, était morte, sa chemise de nuit en lambeaux, la gorge tranchée.

« Entre ce moment et celui où Shankar est sorti de l'hôpital, avant même d'avoir reçu le rapport d'autopsie de Suma, Gowda avait résolu l'affaire. Les conclusions du légiste n'ont fait que valider ses déductions. Shankar avait tué sa femme et maquillé le meurtre en agression, prétendant qu'un intrus l'avait attaqué et mis hors d'état de se défendre avant de violer et tuer Suma.

« Gowda avait scrupuleusement consigné ses premières observations dans le compte rendu chronologique des faits. On avait trouvé une échelle appuyée contre le balcon de la chambre du premier. Il avait plu dans la nuit et des empreintes étaient clairement visibles. Cependant, aucune d'elles ne menait à l'échelle, toutes se dirigeaient vers la porte de derrière. Quant à l'entaille au front de Shankar, elle semblait être son œuvre plutôt que celle d'un agresseur potentiel, car aucune arme ni objet contondant susceptible de causer une blessure de cette sorte n'avait été trouvé dans la maison ou aux environs. Rien n'avait été volé, ni bijoux ni argent.

– Mais comment Gowda a-t-il compris que c'était le mari ? avait demandé Santosh, incrédule.

Muni Reddy avait souri.

– Gowda a trouvé une petite trace de sang, du même groupe que celui de Shankar, sur le montant de la porte de la pièce de prière. Il a vu qu'une paire de tongs appartenant à Shankar avait été abandonnée sous le robinet de l'arrière-cour. Plus tard, l'autopsie devait révéler que la morte avait eu un rapport sexuel. Mais l'élément concluant découvert par Gowda, c'est que *Shankar* avait eu un rapport sexuel avec sa femme cette nuit-là. On a trouvé des traces de sperme sur le *lunghi* qu'il portait et plusieurs poils de son pubis sur la chemise de nuit de sa femme. Gowda a envoyé le tout au laboratoire. L'autopsie a également révélé que Suma avait absorbé des somnifères avant de se coucher.

« Shankar lui avait tranché la gorge pendant son sommeil ; il avait déchiré sa chemise de nuit pour faire croire qu'on l'avait violentée, mais aucune trace de coup, aucune contusion ne l'attestait.

« Puis il avait mis la maison sens dessus dessous et s'était cogné la tête contre le chambranle de la porte pour faire croire qu'il avait été agressé. Le rapport du médecin concluait à une blessure sans gravité. Shankar avait pris trois somnifères afin qu'on le trouve inconscient et qu'il se sente abruti à son réveil, à la façon de quelqu'un qu'on a assommé. Il avait pensé à tout.

« L'affaire a été résolue en un temps record. Shankar est passé aux aveux et il a été déféré à la justice. Alors Gowda s'est senti infaillible. Il était Huli Gowda, Goda le Tigre. C'est ce qui l'a perdu.

« Un jour, il a eu vent de la séquestration d'un groupe de mineures dans une petite maison de Shanti Colony. Je faisais partie de l'équipe qui est arrivée sur les lieux. Nous avons arrêté deux hommes pour infraction aux articles 366/366A/376/349 du code pénal et aux articles 2, 3, 4, 5 et 7 de la loi de prévention contre la traite des êtres humains. L'un était le cousin d'un ministre, l'autre le beau-frère de Kolar Naga, un parrain de la pègre.

« Gowda n'a rien pu faire. Il a assisté, impuissant, à l'annulation des charges pour vice de procédure. Dans sa hâte, il avait négligé de se faire délivrer une commission rogatoire, se retrouvant du même coup du côté des contrevenants. Les mineures ont disparu du foyer auquel elles avaient été confiées. Aucune trace ne subsistait de leur admission, le registre avait été truqué. Gowda a reçu un blâme et on l'a affecté à la circulation. C'était le début de la fin. Il a eu des ennuis, là aussi, et au bout de cinq ans il a fini à l'antenne de police d'un hôpital. Tombé de *huli* à *ili*, du tigre au rat, un rat d'hôpital par-dessus le marché.

« Il a été muté douze fois depuis, et toutes les promotions lui sont passées sous le nez. C'est pour ça qu'il n'est pas monté en grade, qu'il végète toujours comme inspecteur. Pour blaguer, on lui a donné un surnom, on l'appelle Gowda-sans-suite, celui dont les affaires n'aboutissent jamais, avait conclu Muni Reddy dans un haussement d'épaules.

Santosh regardait son assiette, incapable de soutenir le regard de son aîné. C'était une mise en garde que le brigadier lui adressait.

Quelle drôle de voie il s'était choisie ! Était-il voué à devenir un deuxième Gowda-sans-suite ? Un tigre changé en rat ? Mais Santosh avait de la suite dans les idées. Son frère, écrivain d'une certaine notoriété et éditeur d'un hebdomadaire en kannada, savait à qui s'adresser. Il existait toujours un cousin, un oncle, l'ami d'un ami sur qui l'on pouvait compter pour tirer les bonnes ficelles.

Le jour où l'ordre de mutation de Santosh pour le commissariat de Gowda était arrivé, Muni Reddy lui avait dit, songeur :

46

– Ce n'est pas un patron facile. Mais, Dieu merci, quelque chose joue en votre faveur : vous appartenez à la même caste, non ? Il veillera sur vous, j'en suis sûr.

Une cigarette à la main, Gowda regardait Santosh vomir son petit déjeuner comme s'il voulait évacuer toute trace du spectacle qu'on lui avait mis sous les yeux. Quand il se redressa, blême et l'œil vitreux, le brigadier Gajendra lui tendit une bouteille d'eau.

Santosh la repoussa avec fureur.

– Il le savait, hein ! grommela-t-il.

Gowda lui adressa un regard sévère.

– Vous sentez le vomi. Rincez-vous avant de monter avec moi dans la voiture.

Santosh saisit la bouteille, se gargarisa et s'aspergea le visage. Un sanglot de rage impuissante se formait dans sa poitrine. Pour qui Gowda se prenait-il, ce putain de *boli maga* !

– Vous m'avez dit que vous étiez en fonction depuis trois mois. Comment pouvais-je deviner que c'était votre premier cadavre ?

Santosh scruta le visage de Gowda. Pas tout à fait des excuses, mais c'était tout ce qu'il pouvait espérer.

– Il en a déjà vu, mais pas dans cet état, intervint prudemment Gajendra pour empêcher le jeune homme d'aggraver la situation en répondant une bêtise, d'autant que Gowda paraissait éprouver un embryon de remords et n'aimait pas du tout cette impression.

– Les brûlures au troisième degré, ça peut être dur à voir, commenta ce dernier, confirmant ce que le brigadier pensait.

Santosh leva la tête. Il n'arrivait pas à croire qu'on puisse manquer de cœur à ce point, qu'on puisse rester insensible à cette horrible façon de mourir. Ce corps avait été un homme. « Dur à voir », je t'en foutrais !

– Quand je pense à ce qu'il a dû endurer…, murmura-t-il, et un frisson lui parcourut l'échine.

– Les brûlures du troisième degré ne sont pas doulou-
reuses, vous ne le saviez pas ? Qu'est-ce qu'on vous a donc
appris à l'école de police de Mysore ? Tous les nerfs sont
endommagés, incapables de relayer les signaux de douleur
au cerveau, expliqua Gowda en allumant une nouvelle cigarette. Il a dû perdre toute sensation dans les trente premières secondes...

Santosh sentait la bile affluer de nouveau dans sa gorge.

– Arrêtez-vous ! s'écria-t-il.

La jeep pila et il se précipita dehors en vomissant. Cette
fois, quand Gajendra lui tendit une bouteille, il ne fit aucun
commentaire.

– La prochaine fois, vous serez un peu moins bouleversé,
dit Gowda quand il se rassit dans la voiture. Au bout de
quelque temps, ça ne vous fera même plus tiquer. C'est une
évolution logique dans l'apprentissage d'un enquêteur.

L'agent de police David adressa un regard de commiséra-
tion à Santosh. Sans un mot. Il n'était que chauffeur, mais
il connaissait la règle : ne pas se mêler de ce qui ne vous
regarde pas. Il démarra en jetant un coup d'œil au visage de
Gowda. L'inspecteur était absorbé dans ses pensées.

La douleur qui martelait ses tempes n'avait fait qu'empirer
d'heure en heure. Il n'aspirait qu'à se mettre au lit et à
s'enfouir sous les couvertures. Il aurait dû rester au commissariat pour abattre un peu de travail, traiter la paperasse qui
s'était accumulée sur son bureau pendant son absence, mais
peu après six heures, n'y tenant plus, il demanda au chauffeur
de le raccompagner chez lui.

Quand il eut tiré les rideaux, que la pièce fut plongée dans
l'obscurité et le silence, il se glissa dans son lit comme un
animal blessé dans sa tanière et s'endormit aussitôt.

À son réveil, il était presque huit heures. Le mal de tête
avait disparu, laissant place à une terrible lassitude. Étendu
dans le noir, il sentait le vide de la maison et de son existence

le ronger. Peu après, pour échapper à la morsure de ses pensées, il sauta du lit et se précipita dans la salle de bains.

Il ouvrit le robinet de la douche, espérant que le dieu des tuyaux bouchés s'était enfin décidé à faire un miracle. Deux gargouillis et un sifflement, puis plus rien. Gowda poussa un soupir. Le dieu des tuyaux bouchés lui avait encore fait faux bond. Il allait devoir appeler un plombier le plus tôt possible.

Gowda remplit un seau et s'aspergea d'eau pour chasser cette somnolence qui le maintenait dans l'inertie.

Nu, encore mouillé, il regagna sa chambre sur la pointe des pieds et se regarda dans le grand miroir. Il passa les doigts sur son torse nu, tirant distraitement sur ses poils grisonnants. Il n'aimait pas beaucoup ce qu'il voyait, le ventre tombant, les poils pubiens poivre et sel, le pénis flasque qui semblait se satisfaire le plus souvent de cet état, au grand soulagement de Mamtha. Jusqu'à la texture de sa peau qui avait changé.

Au cinéma, les policiers de son âge, quand ils étaient de bons flics, avaient l'air distingué. L'embonpoint et la lenteur d'esprit étaient le lot des nuls. Les yeux plissés, il s'évaluait. En fait, il n'avait l'air ni d'un bon ni d'un nul. D'un raté, tout au plus.

En se retournant, il éprouva la première sensation de plaisir devant son corps. Sur son biceps droit s'affichait le résultat de son premier acte spontané en une bonne dizaine d'années. Un tatouage de huit centimètres sur cinq. Une roue ailée.

Gowda n'aurait jamais pu imaginer qu'il se ferait tatouer un jour, mais quelques mois auparavant, à l'atelier de mécanique Bullet, il avait vu un jeune homme, le dos couvert d'un gigantesque dessin de moto. Son maillot de corps dissimulait en grande partie le motif, mais il restait suffisamment visible pour éveiller l'intérêt de Gowda. Ayant surpris son regard se tourner plus d'une fois vers ce chef-d'œuvre d'art corporel, Kumar, le mécanicien, lui avait dit :

– Monsieur, il y a un endroit où l'on peut se faire tatouer à deux rues d'ici. C'est le meilleur artisan de tout Bangalore, à ce qu'il paraît. Vous devriez vous en faire faire un... un petit !

Sur un coup de tête, Gowda avait poussé la porte de l'atelier du tatoueur. Ce dernier, lisant son hésitation dans sa démarche et son regard, avait relevé le pari de le convertir. L'après-midi était calme, il avait tout le temps pour s'occuper de cet homme – un policier, de toute évidence. Or il n'avait encore jamais piqué la peau d'un flic. Il avait ouvert son album pour montrer à Gowda les divers motifs qu'il pouvait créer. Un seul avait retenu l'attention de l'inspecteur, qui s'était longuement attardé à l'examiner.

– C'est un choix super, monsieur. Un symbole des deux moyens dont on a besoin pour aller vite et planer...

Gowda avait acquiescé d'un hochement de tête.

– Vous aimez les motos ?

– C'est Kumar qui m'a envoyé ici.

– Alors vous avez dû voir le tatouage que j'ai fait pour Freddie, avait répondu l'artiste en souriant. Ce truc m'a pris pas mal d'heures et plusieurs séances.

– Combien de temps faut-il pour celui que je veux ?

– Trois heures maxi. Il coûte sept mille cinq cents roupies. Mais je vous le fais à cinq mille.

– Pourquoi ? s'était inquiété Gowda.

– Je suis un motard, moi aussi. J'ai une vieille Bullet que Kumar a remise en état pour moi. Et Kumar ne m'envoie jamais de clients. Vous devez être quelqu'un de spécial.

Gowda l'avait regardé décalquer le motif sur sa peau. Son œuvre terminée, le tatoueur lui avait pansé le bras avant de le raccompagner jusqu'à la porte en lui faisant les recommandations d'usage.

– N'ôtez le bandage qu'après une bonne heure. Le dessin ne doit pas être mouillé avant demain matin. Pas de douche.

Son tatouage lui donnait l'impression d'être spécial. Moins à cause du symbole de la moto elle-même que de la liberté qu'il suggérait. La route dégagée devant soi, le chant du vent, le bruit régulier du moteur, le rêve d'une vie entière en mouvement sans jamais s'arrêter.

Il suivit du doigt le tracé du dessin, encore impressionné d'avoir osé passer à l'acte. Mamtha aurait désapprouvé à coup sûr. Il avait donc décidé de garder le secret et s'assurait d'avoir toujours les bras couverts en sa présence. Il portait même un T-shirt pour dormir.

Il jeta un dernier regard à la roue ailée et s'habilla avant de gagner la cuisine.

Le plan de travail était vide à l'exception de quatre bouteilles d'eau debout en rang d'oignons. Une cinquième se trouvait dans la chambre, sur sa table de chevet. Le frigo contenait quatre boîtes en plastique et un bol en céramique dans lequel le yaourt avait pris sans aigrir. Dans l'une des boîtes, Gowda trouva des pommes de terre et des petits pois cuits exactement comme il les aimait. Dans une autre, un morceau de poulet au piment qu'il avait rapporté du restaurant la veille au soir. Sa femme n'aurait pas fait mieux, pensa-t-il avec ironie en sortant tour à tour le *rasam* et le riz. Il versa le premier dans une casserole, le mit à chauffer et le regarda bouillonner doucement.

Shanti, la servante, connaissait bien ses habitudes et ses goûts. Elle savait comment il préférait son café et sur quelle table il voulait que son journal l'attende chaque matin. Elle triait ses vêtements, recousait ses boutons, lui préparait quotidiennement son mouchoir et ses chaussettes, renouvelait les articles de toilette dans la salle de bains. Elle lui disait quelles denrées acheter chaque mois à l'épicerie et s'occupait personnellement des légumes et de la viande. Shanti parlait peu et passait sans bruit d'une pièce à l'autre telle une apparition qui veillait à ses besoins sans reproche ni plainte. En fait, à l'exception du lit qu'ils ne partageaient pas, elle remplaçait

51

sa femme en tout avec un naturel qui l'attristait plus qu'il ne le réjouissait.

L'idée lui avait traversé l'esprit que le mariage n'était vraiment pas grand-chose si son épouse lui manquait si peu.

Le micro-ondes émit un « ping ».

Rasam et riz, le repas le plus solitaire qui puisse s'inscrire dans la destinée d'un homme, pensait Gowda, touillant d'une main distraite la bouchée qu'il se préparait à engouffrer. Un repas par défaut, quand toute autre préparation aurait nécessité un trop grand effort. Un fétu de paille culinaire auquel on se raccrochait parce que son goût relevé, l'arôme familier et les épices ravivaient les souvenirs d'une époque où votre mère se tenait à vos côtés pour s'assurer que vous ne manquiez de rien. En l'avalant, vous vous disiez, avec un étrange serrement de cœur, que s'il y avait eu quelqu'un en face de vous, la table aurait été garnie de condiments et de légumes, animée de conversations. Que vous n'auriez pas baigné dans ce silence brisé par le seul bruit métallique du bracelet de votre montre heurtant le bord de l'assiette en inox.

Gowda déposa la vaisselle dans l'évier et la rinça. Il fixait l'unique assiette, la casserole où le *rasam* avait chauffé, la boîte en plastique du riz. Il ne s'était jamais senti aussi seul. Il avait presque cinquante ans et il n'y avait rien dans son passé qu'il puisse se rappeler avec bonheur, pas même un véritable souvenir auquel se rattacher.

Au premier étage, loué à un couple de jeunes avec un chien, il entendait l'animal gratter le sol dans un coin de la pièce.

Gowda, qui s'essuyait les mains dans un torchon, s'immobilisa. Il savait ce qu'il allait faire : prendre un chien. Pas un de ces stupides petits toutous jappeurs et floconneux dont sa femme aurait approuvé la présence, mais un vrai chien qui aboie fort. Il appellerait le maître de la Brigade canine pour lui demander conseil. Peut-être qu'ils avaient un chien inspecteur à la retraite à lui donner ? Deux officiers de police sur le retour cherchant à se consoler en se tenant compagnie… c'était à considérer.

Au salon, Gowda passa en revue les CD. Il choisit un album de Mukesh, le glissa dans le lecteur, alluma une cigarette et s'affala dans un fauteuil en rotin sur la véranda. Sa maison était la seule de cette allée. De chaque côté et en face, ce n'étaient que terrains vides, bordés de chênes argentés pour délimiter les parcelles. Au début le promoteur avait bien entretenu les extérieurs afin de satisfaire les acheteurs éventuels venus visiter. Mais la récession avait frappé, les travailleurs avaient été débauchés, le marché de l'immobilier s'était effondré et il avait cessé de faire tondre l'herbe et tailler les casuarinas qui bordaient les routes. Les herbes folles avaient pris le dessus, des taillis avaient poussé, les arbres étendaient leurs branches sans crainte d'être élagués chaque saison par les commandos de la compagnie d'électricité. La nature n'avait plus à redouter le vandalisme des constructeurs bien décidés à recouvrir de briques et de mortier chaque pouce de terrain acheté. Parfois Gowda, réveillé par des chants d'oiseaux, se croyait en plein milieu d'une forêt et, quand il pleuvait, le chœur des grenouilles ne se taisait pas de la nuit.

Quatre ans auparavant, quand Gowda avait fait part à Mamtha de son intention de construire sa maison à Greenview Residency, cette perspective l'avait atterrée. L'idée de quitter Jayanagar où ils vivaient dans la famille de son mari lui faisait horreur. Après Shimoga où elle avait grandi, ce quartier lui apportait tout ce qu'elle attendait d'une grande ville, la rue à leur porte, une foule de gens et de boutiques. En même temps, elle retrouvait ses repères familiers de Shimoga : une succursale de Suma Coffee Works, où elle achetait le mélange de café et de chicorée qu'elle aimait, Shenoy, où elle se procurait ses mixtures favorites d'épices et ses amuse-gueules, une pâtisserie qui vendait les meilleurs *obattu* et *chiroti*. Un Brahmins Café et un restaurant MTR se trouvaient à deux pas. Tout ce dont elle avait besoin était à sa portée. Mamtha aimait ce quartier, pratique au demeurant pour sa situation à un quart d'heure de route de Vanivilas, l'hôpital de Chamarajpet où elle travaillait. La perspective de déménager dans les zones perdues de Bangalore nord, de l'autre côté de la ville, lui faisait peur.

– C'est seulement un autre quartier de la ville. À t'entendre, on dirait que je veux t'emmener vivre en Mongolie-Extérieure, avait protesté Gowda.

– Pour moi, c'est tout comme. Qu'est-ce que je connais de cette partie de Bangalore ?

– On y construit le nouvel aéroport, avait dit Gowda, se raccrochant au premier argument qui se présentait.

– Ah oui, et combien de fois en dix ans est-ce que je suis censée aller à l'aéroport ?

Gowda s'était retranché derrière son journal, comme il avait vu son père le faire avec une efficacité stupéfiante chaque fois que sa mère cherchait à provoquer une dispute. Dissimulé par les feuilles, il retenait son souffle en se demandant si Mamtha allait lui arracher son quotidien des mains. Mais son épouse n'était guère encline à ces débordements. Elle avait regardé fixement le journal, puis elle était sortie.

Les semaines suivantes, elle s'était montrée taciturne. Gowda avait feint d'ignorer sa détresse et concrétisé son achat. Le promoteur lui avait consenti un rabais phénoménal sur les prix du marché.

– C'est tout ce que je pouvais débourser, avait-il plaidé à mesure que la maison prenait forme. Pour ce prix-là, nous n'aurions eu qu'un cube de béton ailleurs, alors qu'ici il y a cinq cents mètres carrés de terrain, de la place pour un jardin !

– Tu m'as déjà entendue réclamer un jardin ? Quant à toi, tu ne saurais pas distinguer une mangue d'un navet ! avait répliqué Mamtha en le fusillant du regard, avant de lui tourner le dos pour s'endormir.

Gowda avait si bien pris goût au calme de l'endroit qu'à l'arrivée du premier camion de caillasse destinée à la construction d'une maison au bout de la route, il s'était senti agressé dans sa vie personnelle. Mamtha, au contraire, s'était réjouie de la présence imminente de voisins.

– Il était temps ! Ça va faire du bien d'entendre des bruits et des voix au lieu des oiseaux toute la journée.

Gowda n'avait pas répondu. Insensible à ses fulminations quotidiennes, la maison s'était montée, on y avait pendu la crémaillère dans les règles de l'art. Ils s'étaient rendus tous deux à la *pûja*, Mamtha compensant la froideur réticente de Gowda par un enthousiasme exubérant. Mais quelques mois plus tard, les propriétaires avaient été mutés à Bombay. Gowda avait souri à l'arrivée du camion des déménageurs et, après leur départ, il s'était promené dans les environs d'une foulée légère.

Mamtha ne s'était pas beaucoup exprimée sur le sujet, mais quand l'admission de Roshan au collège de médecine s'était concrétisée, elle avait émis l'idée d'un déménagement à Hassan. Gowda avait refusé tout net. Alors elle avait abattu son dernier atout : Roshan avait besoin de quelqu'un pour le surveiller, elle ne lui faisait pas confiance. Elle avait chargé l'hôpital de lui trouver une maison à Hassan, dans le centre-ville.

– Peut-être que l'envie te viendra de quitter ce désert quand tu te retrouveras tout seul, avait-elle commenté en préparant ses bagages.

Gowda n'imaginait pas un seul instant pouvoir vivre ailleurs. Il aimait trop cet endroit. Mais devant l'insistance de Mamtha, il avait dû céder sur un point : louer le premier étage de leur maison.

– On a mis tout l'argent qu'on avait dans sa construction et dans l'admission de Roshan en médecine. C'est un couple de jeunes, ils ne t'embêteront pas. Et moi, je serai rassurée de savoir qu'il y a quelqu'un dans les parages au cas où tu aurais besoin d'aide.

La nuit était tombée. Gowda entendait au premier étage la conversation étouffée de ses locataires qui venaient de rentrer. Mamtha et lui s'étaient-ils comportés un jour en jeunes mariés ? se demandait-il. Au début de leur vie commune, il épuisait toute son énergie à fulminer contre le système, elle vivait le nez plongé dans ses livres de médecine. Le temps qu'il se soit calmé et qu'elle ait commencé à travailler, le bébé était arrivé. Ils s'étaient retrouvés parents du jour au lendemain, aux prises avec des problèmes de vaccins et d'inscriptions scolaires.

L'homme venait de dire quelque chose et la femme éclatait de rire. Ils riaient beaucoup, ces deux-là. Mamtha et lui avaient-ils jamais ri comme ça ?

Gowda tourna la tête vers le téléphone qui vibrait sur la table en verre. Il le saisit et scruta l'écran.

C'était l'inspecteur adjoint Santosh. Une grimace involontaire lui fit pincer les lèvres. Allons bon, quoi encore ?

Santosh avait tant de peine à contenir son excitation que les mots fusaient de sa bouche en rafales :

– Monsieur, je viens d'aller chercher le rapport d'autopsie à la morgue.

– Et alors ?

– Je vous le lis, monsieur ?

Avant que Gowda ait eu le temps de répondre que la chose pouvait attendre le lendemain, Santosh avait commencé.

– « Le corps est brûlé à quatre-vingts pour cent. Le tronc et la paroi abdominale antérieure sont presque entièrement calcinés. La trace rouge linéaire, les cloques de liquide séreux ainsi que la présence de mucopolysaccharides et d'enzymes acides attestent que la victime était vivante quand on a mis le feu à son corps. » À l'aide de kérosène ou de pétrole,

56

déduit le légiste de l'aspect fuligineux de la chair carbonisée et de son odeur caractéristique.

Gowda émit un grommellement d'impatience.

– Ils confirment ce qu'on savait déjà. Vous trouvez que c'est une raison suffisante pour m'appeler chez moi ? Qu'est-ce qui vous met dans cet état d'excitation ?

– Monsieur, il y a des traces de strangulation, mais la gorge a été tranchée en même temps jusqu'à la carotide.

Gowda se dressa sur son séant.

– Et... ?

– Des particules de verre ont été retrouvées dans la blessure et sous les ongles de la victime. C'est un fil de type *manja* dont on s'est servi. Il y a aussi des traces de lacération sur le visage, comme dans l'affaire de l'homicide de Horamavu.

Gowda sentit un léger frisson se propager le long de son échine, comme une explosion de vie. Peut-être que, à bien y regarder, tout n'était pas fini tant qu'on n'était pas mort.

Jeudi 4 août

Gowda arrêta sa Royal Enfield Bullet devant le poste de police plus tôt que d'habitude. C'était un endroit banal, mais en cinq ans il avait fini par s'attacher à ce bâtiment dressé au milieu d'un lopin d'une dizaine d'ares aux environs du village de Nîlagubbi.

C'était une location meublée. Un commissariat permanent était prévu, un terrain avait été affecté à sa construction, les appels d'offre étaient lancés. Un jour, il finirait bien par sortir de terre, mais en attendant, la bâtisse crépie de vert aux petites pièces exiguës restait le fief de Gowda.

En été, quand le lac était tari, une puanteur montait de la boue visqueuse qui le tapissait et, le soir, des nuées de moustiques fondaient sur tous les occupants des lieux. Le brigadier Gajendra ordonnait à un agent de brûler des feuilles d'eucalyptus pour « enfumer ces fils de pute ».

– On va tous mourir de la dengue, monsieur, commentait-il chaque été, lugubre. On devrait déménager.

– Ce sont seulement des moustiques, murmurait Gowda tandis qu'il en écrasait un d'une claque sur son bras.

– Les moustiques se fichent que vous soyez policier ou maquereau. Ils veulent du sang pour se remplir le ventre, comme nos politiciens pourris. Personne, grand ou petit, n'échappe à leur vampirisme.

Mais plus tard, quand les pluies tombaient, le marécage redevenait lac, des oiseaux migrateurs venus nidifier dans les environs s'y posaient. Gowda aimait marcher le long du grillage qui surplombait l'étendue d'eau. Parfois, le soir, il demandait qu'on lui apporte une chaise à sa place favorite, sous un manguier, près de la clôture. Il restait là à contempler les lis zéphyrs jaune et rouge qui pointillaient les talus herbeux de la rive, les sarcelles à ailes vertes et les foulques macroules qui glissaient au-dessus de l'eau, le mouvement de la brise dans les joncs. Aucun moment de son existence n'approchait d'aussi près ce qui aurait pu être une vie pleine de sens.

Le tonnerre gronda. Lorsque Gowda leva les yeux pour interroger le ciel, une goutte d'eau s'écrasa sur son visage. Dans la lumière grise et terne, le commissariat semblait encore plus morne. Après la mousson, il demanderait à ce qu'on le repeigne en blanc, quitte à solliciter la faveur d'un ou deux supérieurs pour cela.

Il gara sa moto. À présent, la pluie tombait dru. Il jura à voix basse et se précipita vers le bâtiment, une main au-dessus de la tête.

– Personne ne m'a prévenu, monsieur ! s'exclama l'agent David en le rejoignant. Je m'apprêtais à aller vous chercher à l'heure habituelle.

Gowda le congédia d'un geste. Le rapport d'autopsie lui avait trotté dans la tête toute la nuit. Comme il s'était réveillé aux aurores sans pouvoir se rendormir, il avait décidé de venir de bonne heure lire les conclusions du légiste, certain d'y trouver quelque chose que Santosh n'aurait pas détecté.

Un agent lui apporta du thé dans un gobelet en plastique. Il en avala une gorgée debout, puis ouvrit le dossier, tourna une page et rejeta aussitôt la chemise sur son bureau. L'inspecteur adjoint Santosh, qui s'affairait dans les parages, accourut.

— Venez, dit Gowda sans préambule.

Santosh se mordit la lèvre. Il n'était pas un chien, merde. Mais quelque chose dans l'expression de son supérieur retint toute protestation dans sa gorge.

— Où allons-nous, monsieur ? demanda l'agent David au volant de la jeep, avant de passer le portail.

— À Whitefield. Je veux voir ce M. Hunt.

— N'aurait-on pas pu le convoquer ? demanda Santosh.

— Si, mais ç'aurait été une erreur. Personne n'aime pénétrer dans un commissariat de police. Les témoins ont tendance à la boucler, parfois même à retourner leur veste. Mieux vaut leur parler en terrain familier.

Santosh n'était pas convaincu, Gowda le voyait bien. Il poussa un soupir. Il avait cru pouvoir faire profiter ce garçon de son expérience, mais visiblement cet idiot avait une autre vision des choses.

— Vous n'êtes pas obligé de m'accompagner. Vous pouvez retourner au commissariat et reprendre votre lecture...

Gowda se moquait-il de lui ? Santosh observa le visage de son supérieur à la recherche d'une expression railleuse ; il ne manifestait ni malice ni ruse.

— Non, monsieur, ça me va. Je viens avec vous.

L'inspecteur grommela.

Un peu plus tard, il ouvrit un paquet d'India Kings.

— Vous fumez ?

Santosh secoua la tête en signe de dénégation.

— C'est bien, admit Gowda.

Il frotta une allumette et, la flamme en coupe dans ses mains, alluma une cigarette. Puis, jetant un coup d'œil à son adjoint :

— Et l'alcool ?

— Je ne bois pas, monsieur.

— Vous croyez en Dieu, j'imagine ?

— Oui, monsieur. Je ne quitte jamais la maison sans avoir dit mes prières. Je récite le mantra d'Hanuman tous les jours.

Sous la protection de Dieu, rien de mal ne peut nous arriver, je le sais.

— Alors le pauvre type qu'on a vu hier avait dû oublier de dire ses prières, c'est ça ?

Santosh ne répondit pas. Gowda était-il naturellement odieux ou se forçait-il à l'être ?

Michael pencha le buste en avant et planta fermement les pieds par terre. La chaise à bascule s'immobilisa. Il fixait un point au loin, incapable de décider ce qu'il allait faire.

— Voulez-vous du thé ? demanda la femme debout sur le seuil.

— Non.

Puis, comme pour se faire pardonner la brièveté de sa réponse, il marmonna :

— Mais pouvez-vous m'apporter un verre d'eau avec de la glace ?

Lisant l'incompréhension dans son regard, Michael sourit. Elle ne s'était pas même rendu compte qu'il manquait de délicatesse à son égard. Il passa au tamoul. Il ne parlait plus cette langue depuis longtemps, mais il s'aperçut à mesure qu'elle lui revenait facilement.

Le verre d'eau dont il n'avait pas envie à la main, Michael se renversa dans la chaise à bascule qui se remit en mouvement. Il n'avait atteint la maison de tante Maggie qu'à l'aube. Narsamma avait ouvert la porte en lui demandant :

— Voulez-vous que je vous apporte du thé, monsieur ?

Il avait décliné son offre. Les trois tasses du breuvage aqueux et excessivement sucré qu'il avait bu à l'hôpital lui suffisaient.

À peine s'était-il endormi que Narsamma frappait à la porte de sa chambre.

— Le petit déjeuner, monsieur, avait-elle annoncé sur le seuil.

La domestique, implacablement, apparaissait à intervalles rapprochés pour lui proposer à manger. Au déjeuner, elle avait servi des boulettes de viande en sauce accompagnées de riz jaune et du curry Captain Chicken « juste comme Missy *Amma* m'a appris à le faire ».

Quand il s'était servi un verre dans la soirée, elle était arrivée avec un plateau de viande coupée en fines lamelles croustillantes.

– Qu'est-ce que c'est ? avait demandé Michael.

– Du *ding ding*. Missy *Amma* m'a dit que vous aimiez ça. Et pour dîner, j'ai préparé du porc *vindaloo*.

Michael grommela à l'idée d'avaler encore de la cuisine anglo-indienne. Quelle barbe ! Qu'est-ce qui faisait croire à Narsamma qu'il en rêvait ?

La vérité, c'était qu'il ne voulait rien de tout ce qu'on lui offrait, ni de la maison ni de la responsabilité qui lui avait été déléguée de subvenir aux besoins de Narsamma, dont il semblait avoir hérité en même temps que des murs. Et pour couronner le tout, voilà qu'il était devenu un témoin capital dans une affaire de meurtre.

Michael Hunt grogna de nouveau. La servante se matérialisa aussitôt devant lui.

– Vous avez mal à la tête, monsieur ? Je vous apporte un Saridon ? Avec un thé ?

Michael fit un effort pour sourire.

– Ça ira, dit-il en fermant les paupières.

Tire-toi, dégage, fous le camp d'ici, bordel. Laisse-moi tranquille.

Le ventilateur, un vieux GEC qu'oncle John avait installé après avoir construit la maison, vrombissait tranquillement. Tout était ancien dans cette bâtisse, les meubles comme les planchers, les portes, les plats. Tante Maggie avait conservé l'ensemble en parfait état jusqu'à sa mort. « Tout ça sera à vous, avait-elle dit quand Michael était venu la voir deux jours à peine avant son départ avec Becky pour l'Australie. Mon garçon, je garderai cet endroit pour vous. Juste au cas où... »

– Qu'est-ce que la vieille chouette veut dire par là, selon toi, vieux ? avait fulminé Becky en privé. Pourquoi « juste au cas où » ? Toujours à te mettre des idées négatives dans le crâne !

Michael s'était mordu la lèvre. Il savait ce que tante Maggie voulait dire et savait aussi que Becky n'avait pas envie de l'entendre.

Détournant les yeux, il avait répondu :

– Becky, il faut qu'on arrête de parler à la façon de chez nous. Ce sera déjà assez difficile de s'adapter à notre nouvelle vie à Melbourne sans donner l'impression qu'on a des difficultés en anglais !

Becky enseignait les sciences naturelles dans le primaire à l'école St François-Xavier. On lui demandait parfois de remplacer le professeur d'anglais absent, et chaque année elle organisait la journée musicale. Mais dès que Becky et Michael se retrouvaient ensemble, elle glissait dans le parler anglo-indien. Michael en faisait autant. Ils réservaient le *Queen's English* au monde extérieur et aux étrangers.

Becky avait lissé un mouchoir froissé qu'elle serrait dans sa main pour éponger la sueur qui baignait son front. Les effluves d'eau de Cologne dont elle avait parfumé le tissu avaient soulevé en Michael une vague d'émotion chargée de l'atmosphère de leur vie. En Australie, tout allait changer. Rien de ce qui faisait son univers familier n'aurait plus cours.

Quelle nécessité le poussait donc à émigrer à l'autre bout du monde avec armes et bagages ?

– Je dirais que tu es drôlement inquiet, Michael. Je dirais que tu te demandes comment on va faire quand on arrivera en Australie.

Il avait sorti un paquet de cigarettes de sa poche et rivé les yeux sur la marque, brusquement frappé par une pensée.

– Même les cigarettes ne seront plus les mêmes, là-bas. Il va falloir que j'en trouve qui me plaisent.

— Pourquoi tu craindrais le changement, vieux ? On est ensemble, toi, moi et les garçons.

Michael avait acquiescé et pris la main de Becky. Elle s'était penchée pour l'embrasser sur la joue. Après avoir allumé sa cigarette, il était allé réparer le loquet cassé d'une fenêtre dans la cuisine, comme il l'avait promis à tante Maggie. Becky avait effacé de son front le pli d'inquiétude qui le barrait, avant de sortir de la pièce pour aller aider la vieille dame à changer les rideaux.

— Qui va faire tout ça pour toi quand on sera en Australie, tante Maggie ? Moi, je te le dis, trouve une jeune fille pour vivre ici avec toi. Comme ça, il y aura quelqu'un pour nettoyer tes *dekchi* et tes *barthan*, toi, tu ne seras pas toute seule et nous, on s'inquiétera moins à ton sujet. Tu sais, Michael répète tout le temps : « Tante Maggie va rester toute seule dans cette grande maison en pleine cambrousse. »

Michael l'entendait parler depuis la cuisine. Becky était une femme bien, mais têtue. C'était elle qui avait voulu quitter l'Inde. Et Michael faisait ce que Becky voulait.

Ils s'étaient rencontrés lors d'un bal au Club catholique. Il avait vingt-trois ans. Ce soir-là, il avait vu son père se soûler, se déshonorer, humilier sa famille ; pendant ce temps sa mère se tordait les mains, puis, elle s'était mise à contrer par un verre chaque raillerie dont il l'accablait. Spectacle routinier, tout comme les taches croissantes de sueur aux aisselles de la robe en polyester bleue imitation soie que sa mère portait, le pli sournois qu'avait pris la mâchoire pendante de son père, leur dispute de retour à la maison, les relents de vomi et de sueur, la gêne et le mutisme le lendemain matin. La détermination de Michael s'en était trouvée renforcée : il s'engagerait dans l'armée ou dans la marine, il irait travailler quelque part aux chemins de fer, n'importe où pourvu qu'il mette une distance entre lui et cet enfer qu'était son foyer.

Jusqu'au moment où son regard s'était posé sur une jeune fille assise sur un *morah*, qui portait ses longs cheveux bruns comme un fourreau. Elle était ravissante dans sa robe jaune d'or, ses yeux gris clair étincelant de gaieté et d'espoir. Le père de Becky portait un costume convenable, sur mesure, et sa mère une robe de soie grise agrémentée d'un sautoir de perles au cou. Assis ensemble, ils échangeaient des sourires tout en bavardant. Michael avait eu une révélation. Voilà ce qu'il voulait : échapper à sa vie sordide et pénétrer dans leur cercle enchanté. Être eux.

Sans elle, Michael n'était rien. Becky l'avait entièrement défini. À présent, sans Becky, il lui fallait se recomposer de fond en comble.

Du marécage de la mémoire où il s'était englué, Michael entendit une jeep qui s'arrêtait sous le porche de la maison.

Narsamma lui avait appris qu'un promoteur immobilier désireux d'acheter des terrains pour y construire des appartements se présentait chaque jour depuis la mort de tante Maggie.

– Je ne veux voir personne, annonça-t-il sans attendre qu'elle ait parlé.

– Non, non, vous devez venir, insista-t-elle, les yeux ronds comme des soucoupes dans son visage émacié. C'est la police.

Michael s'extirpa de la gangue de ses pensées. Ils étaient venus recueillir sa déposition, se dit-il, comprenant avec un pincement au cœur, presque un regret, que le jeune homme devait être mort. Il ne le connaissait pas, il ne ressentait pas la douleur de la perte, mais personne ne méritait de connaître une telle fin.

Michael entra dans le salon où attendait un policier. Des deux étoiles à son épaulette, il déduisit qu'il était en présence d'un inspecteur adjoint. Était-il venu seul ? Puis il aperçut la silhouette d'un homme de forte carrure sous l'auvent, fumant une cigarette.

– Bonjour, inspecteur, dit Michael.

Santosh se présenta en serrant la main qu'il lui tendait. Sa poigne laissait à désirer, se dit Michael. Qu'est-ce qu'on leur enseignait donc dans la police, maintenant ?

– C'est votre collègue là-bas dehors ?

– Oui, l'inspecteur Gowda, répondit Santosh en baissant la voix. Il a plus de vingt ans d'expérience. Moi, je suis en poste depuis peu. C'est lui qui va vous interroger.

Michael sentait le regard du jeune homme posé sur lui.

– Vous êtes de quel pays, monsieur ? demanda celui-ci tout à trac.

– Je suis indien. J'ai grandi à Bangalore, mais j'ai vécu en Australie ces quinze dernières années.

Puis, cédant à l'espièglerie, Michael prit son expression la plus innocente :

– *Matthe Neenu ? Yaav ooru nendhuu ?*

Santosh se prit le pied dans le tapis et trébucha. Ce Blanc venait de lui demander dans un kannada impeccable d'où il venait lui-même ! Michael retint un sourire. Il commençait à s'amuser. D'abord le chauffeur de taxi, puis ce policier. Son observation du jeune inspecteur adjoint lui révélait un novice, mal à l'aise, maladroit, dont le supérieur semblait alimenter le désarroi.

Il se tourna vers l'autre homme. Et si c'était une grosse brute qui prenait plaisir à intimider les autres ? Michael poussa un soupir. Il n'avait pas du tout envie de vivre ce qui allait suivre. Il sortit sous l'auvent et se racla la gorge.

– Bonjour, inspecteur, je vous en prie, entrez. Je suis fumeur moi-même, l'odeur du tabac ne me gêne pas...

L'homme fit volte-face et Michael vit l'incrédulité agrandir son regard. « Nous nous connaissons, mais d'où ? » semblait-il demander.

Le connaissait-il ? Oui... Il lui semblait même extrêmement familier. Dans sa façon de pencher la tête sur le côté. Ses yeux, aussi. D'un coup, les pièces du puzzle s'emboîtèrent et il s'avança vers Gowda avec un petit rire :

– Ça alors, *Mudde*, c'est toi ! Je n'arrive pas à y croire !

– Bon Dieu ! M. Hunt, c'était toi ! *Macha*, je te croyais en Australie, qu'est-ce que tu fous ici ?

Santosh, le postérieur jusqu'alors en équilibre sur le bord du sofa, se renversa en arrière et s'aperçut trop tard que le meuble l'avalait. Il se retrouva coincé, plié en deux, les genoux presque au menton. Lorsqu'il tenta de s'extraire des coussins, le sofa le retint prisonnier. Il était en sueur. L'inspecteur Gowda aurait beau jeu de se moquer de lui en le voyant dans cette posture de tortue sur le dos ramant pour se redresser. Comme s'il n'avait pas déjà eu sa dose de ridicule, avec le Blanc qui parlait kannada.

Soudain, il entendit des rires et vit une chose ahurissante : son patron et l'étranger se congratulaient en s'étreignant comme de vieux copains. Se connaissaient-ils depuis qu'ils étaient jeunes ? Étaient-ils de véritables amis ? Santosh devait fournir un effort considérable pour imaginer que Gowda ait jamais eu une jeunesse, qui plus est un ami.

Son supérieur semblait être né avec une humeur qui oscillait entre lassitude, morosité et irritation. De fait, Santosh n'avait pas vu passer sur son visage une seule expression de plaisir depuis plus d'une journée. Et le voilà qui souriait, l'air joyeux, sincère. Ce fut un choc si grand qu'il se retrouva d'un bond sur ses pieds, échappant à l'emprise du sofa maléfique qui s'était évertué à le faire passer pour un lourdaud et un bon à rien.

– *Bob*, c'est bien toi ! s'écria Michael, détaillant son ami à distance de ses bras tendus.

– C'est bien toi, *Macha* ! répliqua Gowda dans un sourire adolescent qui effaçait de ses traits les années écoulées.

Bob, *Macha*. Ce langage de collégiens remontait à l'époque de leurs études, quand tout condisciple – proche camarade ou simple connaissance – était un *Bob* ou un *Macha*. Quand

Gowda avait-il prononcé ce mot pour la dernière fois ? Les temps avaient changé. Son fils Roshan semblait incapable d'adresser une phrase à ses amis sans la ponctuer par « *dude* » ou « *yaar* », qui avaient pris la relève.

– Nous sommes deux hommes d'âge mûr, à présent. Tu as de la bedaine et je suis presque chauve, dit Michael en souriant. Tu aurais pu imaginer que nous aurions cette allure, passé quarante ans ?

– Presque cinquante, le reprit Gowda en lui rendant son sourire. J'aurai cinquante ans en novembre.

Michael sentit que son accent soigneusement entretenu l'abandonnait d'un coup.

– C'est drôle qu'on se soit rencontrés dans ces circonstances. Sacrée destinée, *Bob*.

Gowda se raidit.

– Destinée ? C'est comme ça que tu vois les choses ? Tu sais pourquoi nous sommes ici, pas vrai ?

– *Mudde*..., commença Michael en acquiesçant.

Gowda tressaillit, puis sourit. *Mudde* Gowda, c'était son surnom à la fac, à l'époque où il était la vedette du terrain de basket, quand sa haute silhouette dégingandée fendait l'équipe adverse et semblait trancher l'air en bondissant. Il marquait des paniers avec une facilité dont il avait rêvé, plus tard, chaque matin avant le réveil. Le saut, l'extension, la grâce improbable.

« C'est à cause de ce foutu *ragi mudde* dont on l'a nourri étant petit », avait remarqué un jour en grommelant le capitaine d'une équipe invitée à jouer contre eux. Le nom lui était resté. *Mudde* Gowda. Gowda la Balle, Gowda les Balloches, le fonceur au ballon.

– Je n'ai jamais rien vu de plus horrible de toute ma vie, *Bob*. Et je croyais avoir fait l'expérience du pire pendant mes années de service chez les pompiers de Melbourne, confia Michael d'une voix mal assurée tandis qu'il retournait en pensée sur le bord de la route, près du bois d'eucalyptus.

– Il faut que nous fassions les choses dans les règles. Je vais demander à mon collègue de prendre ta déposition, dit Gowda d'une voix douce.

– Quand se voit-on ?

– Dès que tu veux. Passe-moi juste un coup de fil.

Le téléphone de Gowda se mit à sonner et Michael leva le sourcil en entendant la mélodie. C'était « Kabhi kabhi », une chanson dont Gowda avait fait un hymne à l'époque de la fac, quand tout son univers tournait autour du terrain de basket et d'Urmila.

Chaque jour après les cours, Gowda et sa bande, Michael inclus, se rendaient à pied jusqu'à Breeze, sur Brigade Road. Le juke-box était un de leurs points de ralliement et chacun d'eux avait ses chansons favorites. Pour Michael, c'étaient « Cracklin' Rosie » et « Song Sung Blue » de Neil Diamond, « Dancing Queen » de Satish ABBA, « M's Rasputin » d'Imitiaz Boney. Seul Gowda ne se lassait pas d'entendre « Kabhi kabhi », jour après jour. Plus tard, Gowda s'était souvent détaché de la bande pour aller retrouver Urmila qui l'attendait à Nilgiri's, au restaurant du premier étage.

Michael croyait que Gowda avait abandonné le basket et Urmila tout à la fois, mais peut-être se trompait-il...

– Tu sais qu'elle est de retour à Bangalore ? murmura-t-il.

Gowda se raidit, puis, insufflant à ses gestes et à sa voix une certaine désinvolture, il demanda :

– Qui ça ?

– Urmila. Ne me dis pas que tu l'as oubliée...

– Non, mais ça fait longtemps... Comment le sais-tu ?

– Facebook, sourit Michael. C'est comme ça que nous nous sommes trouvés.

– Oh ! s'exclama Gowda, trop honteux pour demander de quoi il s'agissait.

Il avait bien entendu parler du réseau social, mais il ignorait tout de son fonctionnement. Tous les gens autour de lui semblaient considérer leur ordinateur comme un esclave, un ani-

69

mal domestique, un compagnon ou un mignon qui leur facilitait la vie. Gowda, pour sa part, n'en avait pas un à lui. Il connaissait ces appareils de vue, au mieux.

– Tu n'es pas sur Facebook, toi, hein ? demanda Michael.

– Je n'ai pas le temps..., commença Gowda du ton mordant qu'il avait en service, faisant claquer chaque syllabe.

Il s'arrêta net. Qu'était-il en train de faire ? C'était à son ami qu'il parlait, pas à un subordonné, ni à un suspect. Il reprit tranquillement :

– Je suis un foutu dinosaure, tu sais. Comme si le monde avait changé pendant que je regardais ailleurs. Je ne sais plus par où commencer pour essayer de comprendre ses transformations. Facebook, je ne sais même pas ce que c'est que ce truc.

Dans le silence qui suivit, Santosh surgit et annonça :

– Le commissariat a appelé, monsieur...

Gowda, content d'échapper à cette conversation, se tourna vivement vers lui :

– Prenez sa déposition, s'il vous plaît.

Ce soir-là, assis sur sa véranda, Gowda évita soigneusement de se verser à boire. Il entendait rire au-dessus de lui. Mais qu'est-ce qui pouvait bien les amuser comme ça ?

Il se leva pour allumer la stéréo. Le CD de la veille était resté dans l'appareil, et comme sur un signal, la véranda se mit à résonner des premières notes de Mukesh chantant « Kabhi kabhi ». La mélodie lui emplit la tête en même temps qu'un poids se logeait dans sa poitrine. Il faisait tout son possible pour ne pas penser à elle, mais Michael avait réveillé tous ses souvenirs. Urmila... Leur première rencontre... Il avait dix-neuf ans... Il secoua la tête pour tenter de chasser ses pensées, quand un nouvel éclat de rire retentit.

Le silence retomba, emplissant Gowda d'inquiétude. C'était décidé, pensa-t-il soudain, il prendrait un chien. Tant pis si Mamtha n'était pas d'accord.

Il éclata de rire en pensant à la tête que ferait Michael quand il lui dirait : « Je te présente l'inspecteur Roby. Il était enquêteur de première classe aux Stups. »

Son ami sauterait sur l'occasion pour filer la plaisanterie.

Dieu qu'il regrettait ces plaisirs-là. Les jeux de mots idiots auxquels Michael et lui s'amusaient, pendant leurs années de fac. Les imbéciles qui l'entouraient à présent n'auraient pas reconnu un calembour, eût-il arboré un cache-théière sur la tête et agité les bras...

Durant toutes ces années, habiter un monde différent de celui qu'il avait envisagé ne lui avait pas pesé. Mais ce soir-là, depuis sa rencontre avec Michael, c'était comme si lui-même et toute sa vie, soumis à l'examen, se révélaient défaillants.

Son téléphone se mit à chanter. Gowda regarda sa montre, l'air mécontent. C'était un de ses informateurs de l'époque où il travaillait à la Criminelle. Pourquoi diable appelait-il si tard ?

– Oui, qu'est-ce qu'il y a ? demanda-t-il dans un murmure.

– Monsieur... monsieur Gowda...

La voix était hésitante.

– Allez-y, Mohammed, parlez...

Vendredi 5 août

Gowda avait poli et repoli le scénario dans ses moindres détails, jusqu'à la perfection. Le lieu – un coin – était important. Pas n'importe quel endroit le long d'un mur quelconque, mais une alcôve basse encadrée par deux placards. De préférence des Godrej acier vert olive. Ou même des caissons à dossiers en métal gris. Il s'agissait de créer un espace dans lequel l'homme serait obligé d'entrer accroupi et d'où il ne pourrait s'enfuir.

Sans oublier les bottes. Des bottes en cuir noir épais, luisantes comme un miroir, pourvues de pointes en lame de poignard. Elles épouseraient ses pieds et ses chevilles comme une peau. Au moment où il détendrait la jambe, quand il enverrait un coup de pied à la créature pour la renvoyer dans sa niche, il en sentirait l'impact à la base de son crâne.

L'impact de ses quatre-vingt-trois kilos, le craquement des os contre le métal. La peau et la chair lacérées. Vlam. Vlam. Vlam. Jusqu'à ce que la chose implore sa pitié.

Gowda se força à redresser les épaules et donna libre cours à son fantasme favori. Cette fois, l'homme du réduit avait un visage, celui du commissaire principal Vidyaprasad. Cadre supérieur de l'Indian Police Service.

Gowda avait connu quelques hauts gradés intègres, mais Vidyaprasad n'était pas homme à éveiller en lui la moindre

72

déférence, moins encore de l'admiration ou du respect. Ce type était bidon de A à Z. Et ce qui décuplait la fureur de Gowda, c'était de penser que ce crétin beaucoup plus jeune que lui n'avait pas la moitié de son expérience de terrain. Pourtant le commissaire le toisait et s'adressait à lui comme à un enfant récalcitrant qu'il faut remettre dans le droit chemin.

– Qu'est-ce que j'entends ? Vous êtes allé voir le témoin chez lui ? aboya Vidyaprasad, qui avait convoqué son subordonné dans son bureau pour lui administrer sa dose mensuelle de conseils, de récriminations et de menaces.

– Pourquoi ? Quel mal y a-t-il à cela ? J'ai toujours remarqué qu'un témoin baissait sa garde dans son propre contexte.

– Monsieur.

– Pardon ? demanda prudemment Gowda.

– Quand vous vous adressez à moi, vous devez ajouter « monsieur ». Dois-je vous rappeler que je suis votre supérieur ?

– Oh !

La bouche ensanglantée de Vidyaprasad cracha un hurlement de douleur tandis que les bottes lui martelaient les côtes. L'image qui traversait le cerveau de Gowda était un maigre réconfort, mais elle allait au moins lui permettre de prononcer la formule détestée. Une lueur diabolique dans le regard, il murmura :

– Monsieur, si c'est tout, monsieur, puis-je me retirer, monsieur ?

Le commissaire principal fronça les sourcils. Gowda se moquait-il de lui ? Ce type était un bon policier. Mais plutôt que de s'en tenir à la procédure et aux pratiques établies, il préférait n'en faire qu'à sa tête et se rendait la vie difficile. Après toutes ces années, il aurait dû apprendre à céder quand il le fallait.

La radio crépita. Vidyaprasad tendit l'oreille. Gowda poussa un soupir.

– Où en êtes-vous dans l'affaire du brûlé ? demanda le commissaire. Bouclez-moi ça dès que possible. Ne vous éternisez pas là-dessus, vous entendez ? Pas besoin de gaspiller le temps et l'argent du service pour de la racaille.

Il donna une chiquenaude au dossier qui se trouvait devant lui et y jeta un coup d'œil, en quête d'un nom.

– Vous ne savez même pas comment il s'appelle. La vie de ce minable n'a aucune importance.

– Un homme a été tué. Que ce soit un minable ou non ne devrait pas entrer en ligne de compte, rétorqua Gowda tranquillement.

– Vous ne niez donc pas que c'était un minable.

– De quoi avez-vous peur ?

Le commissaire plissa les paupières.

– Vous savez aussi bien que moi qu'il faudra classer cette affaire. Nous n'avons rien pour mener l'enquête. Pas même une plainte pour disparition. Ce que je redoute, si vous tenez à le savoir, c'est que le surintendant me tombe dessus. Je ne veux pas avoir à répondre de la façon dont vous gaspillez le temps et les ressources du service. En plus, c'est bientôt le festival de Ganesh. La moitié de Bangalore va descendre sur le bord des lacs, y compris près de votre commissariat, pour immerger des statues, vous en êtes conscient ?

Gowda fit la grimace. Les Ganesh géants, torse rose, bijoux en or et robe verte, montés sur une remorque, seraient acheminés par la route au milieu des chants et des danses jusqu'aux étendues d'eau des environs ; une fois plongées dedans, les statues se dissoudraient en tas de boue, de carcinogènes et de polluants fatals aux poissons. Et il était censé veiller à ce que tout cela se déroule dans les meilleures conditions.

– Je veux que vous vous concentriez sur le maintien de l'ordre en vue de cette semaine de festivités, reprit le commissaire.

– Il reste presque un mois, murmura Gowda.

– Peut-être, mais ce n'est pas tout : la fête de l'Indépendance approche... et on a reçu des informations concernant des paris illégaux dans votre juridiction. Vous allez avoir beaucoup à faire, Gowda.

L'inspecteur fixait le mur du fond, derrière le fauteuil de Vidyaprasad. Plusieurs photographies y étaient accrochées qui représentaient les premiers dirigeants de l'Inde indépendante dans toute leur bienveillance.

– Je voulais vous demander quelque chose...

– Quoi donc ? fit le commissaire principal, sondant l'expression de Gowda.

– Pourquoi gardez-vous ces photographies dans votre bureau ?

Vidyaprasad compta mentalement jusqu'à dix pour ne pas exploser.

– Partez, Gowda, sortez, je vous prie.

Quand il eut quitté la pièce, le commissaire tira de sa poche une plaquette de Deanxit et en avala un. Ce type avait le don de lui taper sur les nerfs avec trois fois rien.

Gowda jeta un coup d'œil à sa montre. Le souvenir de l'expression enragée du commissaire principal le fit sourire. Il était tombé dans le panneau en le congédiant, car c'était exactement la réaction que Gowda avait cherché à provoquer, voyant que l'autre était parti pour le garder toute la matinée. Il ne voulait pas arriver en retard au rendez-vous qu'il avait donné à Mohammed chez Chandrika, au carrefour de Cunningham et de Millers Road.

Dans ce restaurant, on ne les reconnaîtrait pas, Mohammed et lui. Personne ne regardait un indic avec sympathie, pas même sa propre famille. Et Mohammed craignait, s'il était découvert, d'attirer les foudres des caïds de Shivaji Nagar non seulement sur lui mais aussi sur sa *bibi* et ses enfants.

Gowda vit Mohammed entrer, puis, posté à l'entrée, près de la caisse, jeter des regards dans toutes les directions, s'arrêter sur un visage, le sonder, passer à un autre. Durant les douze années de leur association, Gowda et lui ne s'étaient rencontrés que cinq fois, chaque fois pour un quart d'heure à peine. Gowda sirotait son café en l'attendant. L'indic finirait par le repérer.

— Je ne vous avais pas reconnu, mon..., commença-t-il une fois arrivé près de sa table quelques minutes plus tard.

— Asseyez-vous, Mohammed.

Il hésita un moment puis, lisant l'impatience dans les yeux de l'inspecteur, il tira une chaise et s'y posa avec précaution.

— Quand a-t-il disparu ? demanda Gowda calmement.

Un serveur se glissa auprès d'eux pour prendre la nouvelle commande.

— Rien pour moi, dit Mohammed en secouant la tête.

— Apportez-lui un lait d'amandes. Si vous aimez, bien sûr, ajouta Gowda en se tournant vers son interlocuteur.

— Je...

— Notre *badam milk* est fameux, précisa le garçon en glissant son stylo derrière l'oreille. Et à manger ?

Gowda l'aurait giflé.

— Juste le lait, gronda-t-il.

Mohammed, tête baissée, regardait ses mains posées sur le bord de la table.

— Je suis le jeûne, monsieur... C'est le Ramadan...

— Je sais. Pas de problème, je le boirai. Alors, dites-moi, quand ce garçon a-t-il disparu ?

— J'ai vu Liaquat pour la dernière fois lundi soir. Il était tard, je lui ai demandé de venir dormir chez moi. Il s'était piqué, il avait l'air déjanté, j'avais peur qu'il lui arrive quelque chose. Et il n'est toujours pas revenu.

Gowda hocha la tête.

— Mais ce n'est pas tout, n'est-ce pas ?

— Quelqu'un m'a dit qu'on l'avait vu entrer dans l'allée qui jouxte le garage de Siddiq. C'est une venelle en impasse. Je ne sais pas pourquoi, mais j'y suis allé, et j'ai trouvé ça, dit Mohammed en posant sur la table un talisman en argent enfilé sur un cordon noir. C'est le sien. Je l'ai fait bénir par le mollah au *dargah* près de chez moi à Bijapur. Liaquat vient de là-bas. C'est pourquoi je me sens responsable de lui. Il n'a que dix-neuf ans.

Gowda posa un doigt pensif sur le talisman.

– Vous allez devoir m'accompagner. Un corps a été découvert, celui d'un jeune homme approximativement de cet âge. Personne n'est venu le réclamer. J'espère que ce n'est pas votre Liaquat, mais il faut bien démarrer par quelque chose.

Mohammed enfouit sa tête dans ses mains.

– Marchez jusqu'à Millers Road et attendez-moi près de Carmel College. Je vous emmènerai en voiture.

Le visage gris cendre, Mohammed fut d'abord incapable de parler. Il cherchait à contrôler ses émotions, mais rien ne semblait pouvoir retenir sa lèvre inférieure de trembloter. Puis, dans un souffle, il murmura :

– Pourquoi, monsieur ? Comment peut-on faire subir ça à qui que ce soit ?

Gowda haussa les épaules.

– Vous êtes sûr que c'est Liaquat ?

– Liaquat avait un sixième doigt à la main gauche, confirma Mohammed en hochant la tête. Attaché au pouce. Et un sixième orteil au pied gauche, aussi. Il avait la même taille, la même carrure que ce..., ajouta-t-il en indiquant le cadavre presque entièrement calciné qui gisait à la morgue.

– Personne ne s'est présenté pour récupérer le corps, dit Gowda calmement.

– Personne ne le fera, marmonna Mohammed. Liaquat est orphelin et Razak est en prison.

– Qui ? Razak-le-Poulet ?

L'indic détourna le regard et sa voix se fit encore plus basse.

– Oui. Liaquat était le giton de Razak.

Gowda fronça les sourcils. Voilà qui changeait tout. Guerre des gangs ? L'homicide semblait l'indiquer jusque dans la façon dont on avait cherché à se débarrasser du corps. Mais la corde incrustée de verre ? Kothandraman en avait été victime lui aussi. Qu'est-ce que le pharmacien avait à voir avec la pègre ? Sans doute rien, mais vingt-quatre années passées dans la police avaient conforté Gowda dans son penchant à suivre ses intuitions. Ce lien entre l'affaire Liaquat et celle de Kothandraman, c'était tout ce qu'il avait pour le moment.

— Que se passe-t-il si personne ne vient chercher le corps ? demanda Mohammed à brûle-pourpoint.

— Il sera envoyé au crématorium, soupira l'inspecteur.

— Est-ce que je pourrai le réclamer, moi ? Nous sommes du même village, et il est musulman, monsieur, il doit être inhumé selon nos coutumes. Il faut l'enterrer rapidement, avant la nuit. Notre religion nous le commande.

Dix-neuf ans, un enfant, l'âge de son fils. Et si le corps avait été celui de Roshan ? Gowda frissonna en se demandant comment il l'aurait supporté.

— Vous devez invoquer une parenté avec lui. Dites à tout le monde qu'il est votre cousin germain et je m'occuperai du reste. L'assistant à la morgue est musulman. Je lui demanderai d'envelopper le corps dans un linceul blanc qui fera office de *kafan* afin que vous puissiez procéder directement au *ghusl*.

Il tira son portefeuille de sa poche et en sortit deux billets de mille roupies.

— Tenez. Je sais que ça ne suffira pas, mais c'est tout ce que j'ai sur moi.

Les yeux de Mohammed s'emplirent de larmes.

— Vous êtes un homme bon, monsieur. Notre religion nous enseigne de prendre soin des orphelins, elle nous promet en échange la compagnie du Prophète au paradis. Mais vous...

— Croyez-vous qu'il y ait un paradis pour les hindous et un autre pour les musulmans, Mohammed ?

– Je vous ai mis dans l'embarras, monsieur, fit Mohammed avec une tristesse lasse. Je veux seulement que vous sachiez une chose : Dieu, le vôtre ou le mien, où qu'il se trouve, dans mon paradis ou dans le vôtre, se rappellera votre geste. De même qu'il n'épargnera pas le démon qui a fait ça à Liaquat. Liaquat était un garnement, il pouvait se montrer idiot et sans scrupule. Mais ce n'était qu'un jeune garçon. Personne ne mérite de mourir de cette façon. Qui sont-ils, ceux qui l'ont tué, des hommes ou des bêtes sauvages ?

Gowda lui tapota l'épaule.

– Il faudra que quelqu'un prévienne Razak, avança Mohammed quand ils en eurent terminé avec les formalités.

Gowda se passa les doigts dans les cheveux.

– Je m'en occuperai, déclara-t-il sur un coup de tête. Mohammed, interrogez les gens autour de vous, s'il vous plaît. Essayez de trouver quelqu'un qui se rappelle avoir vu ou entendu quelque chose ce soir-là.

Il suivit des yeux le corbillard qui emportait l'indic et les restes de Liaquat, submergé par un étrange désespoir. Il regarda sa montre. Bientôt seize heures. Santosh devait être de retour avec la déposition du photographe. Laquelle, tout comme celle de Michael, n'apporterait sans doute aucune piste nouvelle. Gowda fit défiler ses contacts sur l'écran de son téléphone.

– Ashok, je voudrais que vous fassiez une recherche pour moi.

– Et si vous commenciez par dire bonjour ? protesta l'autre, piqué au vif.

– Bonjour, Ashok. Comment allez-vous ? Comment vont les enfants et votre dame ? Et votre grand-mère ? Oh, j'allais oublier, et sa vache ? Et le facteur, et le vendeur de légumes ?

– Ça ira comme ça, Gowda. Qu'est-ce que vous voulez ?

– Dites-moi tout ce que vous savez, et une fois que vous vous serez renseigné, tout ce que vous aurez pu trouver sur Razak-le-Poulet.

– Il est en prison. Pourquoi ?

– À vrai dire, Ashok, je n'en sais rien. Il se peut que je vous fasse perdre votre temps comme le mien. Mais avant de pouvoir le dire, j'ai besoin de toutes les informations que vous pourrez me donner.

– La semaine prochaine.

– Demain.

– Quoi ? jappa Ashok.

– Je serai là à quatre heures, ajouta Gowda en se dirigeant vers sa moto.

Il adressa un petit sourire à son engin. Quand tout allait de travers et que rien n'aboutissait, quand il se sentait vieux et lessivé, un regard à sa Bullet l'aidait à tenir le coup. Bon Dieu comme il l'aimait, cette bécane.

Il abandonnait volontiers aux autres toutes les Harley et les Yamaha R1 de la planète. Seule la Bullet lui faisait cet effet. Des courbes fluides du réservoir à l'œil de tigre infaillible qui illuminait les ruelles dans tous leurs recoins, en passant par le grondement léonin du moteur de cinq cents centimètres cubes et 41,3 Nm de torsion, elle lui donnait l'impression d'être un prolongement de sa personne.

Quand il sillonnait les rues de la ville sur sa Bullet, le bruit sourd du moteur, reconnaissable entre tous, faisait vibrer tout son être, l'emplissant d'un sentiment de puissance, de force et de la certitude irréfutable qu'il était comme son bolide farouche, sans entraves, sans crainte d'aller de l'avant.

Lorsqu'elle gagna sa place, à deux sièges de lui, ses cuisses frôlèrent les genoux de l'homme. Il la suivait des yeux, elle en avait la certitude, même dans l'obscurité de la salle de cinéma. Un frisson d'excitation. Un battement de cœur suspendu. Toutes ses fibres féminines lui disaient qu'un regard s'attardait sur elle et la caressait. Un sourire entendu, familier et secret étira ses lèvres.

Elle s'assit dans le fauteuil à dossier presque droit et posa les mains sur les appuis de bois. Une odeur de renfermé enveloppait les lieux, les haut-parleurs de mauvaise qualité étouffaient les dialogues, mais personne n'aurait songé à s'en plaindre. Le pouvoir d'attraction du Kalinga était si grand que les habitués auraient continué à le fréquenter même puant aussi fort que les latrines de la gare routière.

Le cinéma n'était qu'à moitié plein. D'hommes en majorité et de quelques femmes par-ci par-là. Toujours souriant, elle rabattit autour de son cou le *dupatta* qui lui couvrait la tête, ajusta un peu plus bas sur sa poitrine le pan qui retombait sur son épaule droite, puis dégagea légèrement sa chevelure pour faire ressortir son profil, le rendre plus frappant. Elle cherchait à ressembler à la chanteuse d'un tableau de Ravi Varma. Non pas à celle du centre, qui tient le *tampura*, mais à la femme debout dans le coin gauche de la toile, mystérieuse, séduisante, une expression énigmatique dans le regard.

Le lundi précédent avait été un désastre. Elle avait pourtant mis beaucoup d'espoir dans sa soirée au moment de sortir. Mais tout était allé horriblement de travers. Réprobatrice du début à la fin, *Akka* ne l'avait pas quittée d'une semelle sur le chemin du retour. Elle était même restée à la regarder se démaquiller, dissolvant peu à peu le personnage de Bhuvana pour lui substituer un homme dans le miroir.

– Je te suggère de ne pas te manifester pendant quelques semaines, lui avait-elle dit.

L'homme en elle avait hoché la tête, feignant d'acquiescer.

– Tu ne peux vraiment pas prendre ce genre de risque, avait insisté *Akka*.

Nouveau signe de tête. Mieux valait lui laisser croire que Bhuvana ne referait pas surface dans les jours qui allaient suivre.

Akka aurait été furieuse de savoir qu'elle s'était encore éclipsée. Elle mordit le gras de son pouce pour étouffer le rire qui lui venait. Bhuvana avait des idées bien à elle, et Bhuvana n'en faisait qu'à sa tête.

Elle toucha le lobe de son oreille auquel pendait un nouveau bijou, serti de rubis. Les boucles aux perles lui manquaient, mais elle en avait perdu une des deux dans l'effervescence, peut-être derrière le garage de Siddiq. Ou peut-être était-elle tombée ailleurs, car le crochet n'était pas assez long pour supporter son poids. Elle ferait copier la boucle restante, pour le plaisir d'éprouver de nouveau le contact frais de la perle contre sa peau en bougeant la tête. Elle releva le nez avec coquetterie, imaginant son apparence quand ses bijoux favoris pareraient de nouveau ses oreilles.

Elle accordait à l'homme quinze minutes. C'était un film X à budget minimal. Le scénario variait rarement. La belle-sœur frustrée qui n'y tenait plus. La ménagère désespérée. L'écolière encore vierge et pure. Elle fut saisie de dégoût dès les premières images. Comment ces péquenots pouvaient-ils être excités par des pipes et des pénétrations aussi mécaniques, par ces grognements, grommellements et bruits de succion… Elle en avait la nausée.

Tout autour d'elle, comme en réponse à un signal, les mains s'étaient mises à tâtonner et à farfouiller. Que faisait-elle là ? se demanda-t-elle en voyant l'homme assis de l'autre côté de l'allée tripoter la braguette de son voisin. Ils ne se connaissaient pas, elle en était sûre. Ces putains d'homos pompeurs de bites étaient entrés séparément en même temps qu'elle.

Cependant, quand la déesse lui parlait, elle était bien obligée de faire ce qu'elle lui demandait. Or elle lui avait désigné ce cinéma. Elle avait donc obéi et s'était éclipsée.

L'avant-veille au soir, la déesse lui était apparue en rêve et lui avait dit que le moment était venu. Bhuvana devrait désormais attendre sa visite chaque vendredi ; la déesse lui donnerait des instructions sur l'endroit où se rendre. Elle se garderait de mettre les pieds dehors les autres jours, apparemment peu propices. Pour le reste, avait-elle ajouté, écoute ta voix intérieure.

Mais ce cinéma semblait peuplé d'animaux en rut. Pourquoi la déesse l'y avait-elle envoyée ?

Elle se leva et se glissa devant les sièges de la rangée pour sortir. Une main la retint.

– Si tôt ? Pourquoi ? Où allez-vous ?

Un oiseau s'envola dans son cœur, le frou-frou de ses ailes bruissant à ses oreilles. Elle capta les effluves d'un après-rasage coûteux... Elle avait la gorge sèche.

– Je...

– Ne partez pas, s'il vous plaît.

La prière exprimée et la douceur de sa peau la retinrent. Et tandis qu'elle plongeait son regard dans le sien, elle comprit pourquoi la déesse l'avait guidée vers le Kalinga. C'est dans la boue noire de l'étang que s'épanouit le lotus.

Samedi 6 août

Gowda s'éveilla à la sonnerie insistante de la porte. Il glissa les pieds dans ses sandales et alla ouvrir en se frottant les yeux. La pendule marquait six heures. Quel abruti venait le tirer de son sommeil à cette heure indue ?

Roshan attendait sur la véranda, martelant les touches de son portable. Gowda fronça les sourcils :

– Qu'est-ce que tu fais là ? Tu ne peux pas te décoller une seconde de ce foutu téléphone ?

– Waouh ! Depuis quand tu l'as ? s'exclama le garçon devant le tatouage de son père.

Gowda posa les yeux, un peu gêné, sur son avant-bras. Il s'était couché en maillot de corps.

– Euh... depuis quelques mois.

– Pourquoi tu ne nous as rien dit, à maman et à moi ? Ça alors, je n'arrive pas à y croire, mon père avec un tatouage de motard ! Cool !

Roshan franchit le seuil en lui souriant.

– Tu es seul ? demanda-t-il en parcourant des yeux le salon impeccablement tenu.

– Tu espionnes pour le compte de ta mère ou quoi ? Si c'est le cas, tu peux lui dire que tu m'as trouvé en train de m'ébattre avec une demi-douzaine de... Allez, ça va. Tu veux un thé ?

Le garçon fit oui de la tête en s'effondrant sur le sofa, puis étendit les pieds sur la table basse. Gowda se retint juste à temps de le lui interdire. C'était son fils. Il avait autant que lui le droit de se trouver là.

Tout en versant la poudre brune dans l'eau bouillante, il mettait en question l'homme qu'il était devenu. La police changeait-elle ses représentants, y compris les types les plus fades, en tyrans jaloux qui défendaient leur fief avec passion par l'injure et la violence ?

Il but son thé sans dire un mot. En moins d'un quart d'heure, Roshan avait mis la pièce sens dessus dessous. Son sac à dos dégorgeait son contenu sur le sol ; après avoir abandonné ses baskets et une paire de chaussettes roulées en boule près de la porte, éparpillé les magazines sur la table basse et jeté sa veste en tas sur une chaise, il farfouillait dans ce qui avait été une pile de CD avant son arrivée.

– Qu'est-ce que... ? commença Gowda.

Allons, se reprit-il, quelle mouche me pique ? Est-ce que je suis en train de prendre des manies de vieille femme ? Bientôt, à ce rythme, il se surprendrait à repasser son journal !

Le chien, oui, le chien, il fallait qu'il se le procure. Le chien lui apprendrait à prendre les choses du bon côté.

– Tu disais quelque chose, *Appa* ? demanda Roshan en glissant un CD dans l'appareil.

– Non, rien, répondit-il, emporté par un courant de gentillesse (ou était-ce de la tendresse ?), en ébouriffant les cheveux de son fils. Shanti arrive vers sept heures. Dis-lui de quoi tu as envie pour le petit déjeuner. C'est une bonne cuisinière.

– Je sais, *Appa*, répondit Roshan avec un regard surpris, puis un sourire. J'ai vécu ici un bon bout de temps.

– Bien sûr, acquiesça Gowda d'une voix curieusement calme. Bon, je retourne au lit. Tu devrais aller dormir, toi aussi.

Son fils hocha la tête, sortit le CD et le remplaça par un autre.

Gowda ne parvenait pas à trouver le sommeil. Chaque pas de Roshan lui résonnait dans la tête. Il l'entendit marcher un moment, puis un bruit sourd lui annonça qu'il avait jeté son sac à dos sur le lit. Des boutons sautèrent, une fermeture éclair crissa. Le garçon poussa un soupir, fredonna des phrases sans mélodie. Un jet d'urine frappa la cuvette des toilettes... S'amusait-il à pisser en zigzag ? Son estomac grondait d'être depuis longtemps vide, l'air circulait de ses cavités nasales dans la trachée puis la cage thoracique, son diaphragme se soulevait et s'abaissait, les poumons se dilataient et se creusaient selon que les alvéoles s'emplissaient d'air ou se vidaient pour expirer...

Ce n'est pas possible, se disait-il, je ne peux pas entendre tout ça, j'hallucine. À moins que... Une pensée dérangeante lui traversait l'esprit : est-ce qu'il en voulait à l'adolescent d'investir son territoire ? De devoir partager son espace avec lui ?

Gowda tira le drap par-dessus sa tête. Combien de temps Roshan allait-il rester ? Il crut l'entendre fermer les paupières pour s'endormir et grommela. Non, je dois me rappeler qu'il est mon fils et que je suis son père. Je ne peux pas lui en vouloir d'être ici. Qu'est-ce qui me prend ?

Gowda était plongé dans la lecture de la déposition de Samuel, le photographe, quand Mohammed l'appela.

– J'espère que je ne vous dérange pas, monsieur.

– Non, Mohammed, allez-y. Je sais que vous n'appelleriez pas sans raison, répondit l'inspecteur tandis que ses yeux s'arrêtaient sur une phrase : « Une Scorpio noire immatriculée au Tamil Nadu a fait marche arrière dans l'allée et s'est éloignée au moment où je m'arrêtais. »

– L'assistant de la morgue m'a remis un petit paquet que l'hôpital lui avait donné, commença l'indic, un paquet contenant les affaires de Liaquat, plus exactement ce qu'il en restait. Il y avait une petite feuille plate en or enfilée sur une chaîne qu'il portait autour du ventre. C'était un cadeau de Razak, pour lui prouver son amour. Mais j'y ai trouvé aussi une boucle d'oreille en perle. Une perle assez grosse et qui semble valoir cher. Je me demande ce que Liaquat faisait avec.

– Je vous rappelle dans une heure. Pouvez-vous me l'apporter au quartier des orfèvres ? Ce n'est pas très loin de chez vous, dit Gowda tout en feuilletant son carnet d'adresses en quête des coordonnées d'un joaillier de sa connaissance.

Gowda regardait Narayan Rao essuyer la perle à l'aide d'un chiffon doux pour mieux l'examiner. La scène lui rappelait ses sorties au marché en compagnie de sa mère quand il était petit. Les yeux de celle-ci se plissaient et se dilataient tour à tour, ses lèvres se pinçaient tandis qu'elle soupesait une aubergine ou équeutait une gousse de haricot pour estimer sa fraîcheur. « Vous voyez, je sais exactement ce que je veux », signifiaient ses expressions. Soudain, Gowda se rendit compte qu'elle lui manquait cruellement et il fut frappé par la rareté avec laquelle elle lui revenait en mémoire.

– Elle est authentique. C'est bien une perle des mers du Sud.

– Comment savez-vous qu'elle est naturelle ? demanda Gowda, stupéfié par la capacité des bijoutiers et des femmes à distinguer le vrai du faux, à évaluer la maturité d'une mangue, l'âge de l'or et des courges anguleuses…

– Vous m'avez dit l'avoir trouvée dans les restes du feu. Elle portait des traces de brûlure qui ont disparu quand je l'ai astiquée. Si vous la frottez contre vos dents, vous sentirez qu'elle est rêche, alors qu'une fausse serait lisse, conclut le joaillier en lui tendant la perle.

Gowda regarda l'objet un moment. Dieu seul savait quelles zones corporelles cette perle avait frôlées. Il n'allait sûrement pas la mettre dans sa bouche.

– Un spécimen de cette taille a dû coûter au minimum huit mille roupies. Pour l'or de la chaînette et du crochet, comptez quatre mille roupies. Plus la main-d'œuvre. La paire revient à vingt-cinq mille roupies.

Gowda le fixa en écarquillant les yeux :

– Si cher !

Narayan Rao hocha la tête.

– Je ne connais pas beaucoup de gens qui mettraient autant d'argent dans des perles. Elles ne valent presque rien à la revente, vous savez. Et le travail de ce bijou est peu courant, c'est sans doute la copie d'un motif ancien. Voyez comment elle a été montée, dit-il en pointant du doigt un détail.

Gowda émit un grognement d'approbation, bien qu'il n'ait vu aucune différence entre celle-ci et les quarante autres perles présentées en vitrine.

– Sauriez-vous me dire qui a travaillé sur ce bijou et s'il a été fabriqué à Bangalore ? demanda-t-il prudemment, ne voulant pas en dire trop.

– Je peux demander autour de moi. Mieux encore, j'interrogerai l'orfèvre qui travaille pour moi. Il connaît tout le monde dans le quartier et même au-delà.

Gowda reposa la perle sur le plateau de velours. Le commerçant la prit et la tint dans la lumière.

– Une vraie beauté, commenta-t-il en la rangeant dans la pochette que l'inspecteur lui tendait. Si vous plongez une perle fine dans un verre d'eau levé face à la pleine lune, vous verrez l'astre se refléter dans la perle. C'est au clair de lune qu'elles sont les plus belles, vous le saviez ?

Le joaillier caressait du bout du doigt le petit globe à travers le tissu de la pochette, comme s'il s'agissait de la joue d'une femme.

– Par une nuit de pleine lune, avec des perles de cette qualité aux oreilles, même une vieille à la peau hideuse ressemblerait à une nymphe.

À ce moment, le portable de Gowda fit retentir sa chanson. Santosh.

– Où êtes-vous, monsieur ? Le commissaire principal vous demande. Un paquet est arrivé pour vous, envoyé par l'inspecteur Ashok. Et...

– Je vous rappelle, coupa Gowda avec rudesse.

Des pièces du puzzle s'accumulaient autour de lui : Liaquat, une boucle d'oreille en perle, Razak-le-Poulet – repris de justice notoire et, pour l'heure, taulard –, un 4 × 4 immatriculé au Tamil Nadu, un pharmacien d'âge mûr. Et un seul lien entre les deux affaires – un lien incrusté de verre pilé.

Où tout cela le mènerait-il ?

C'était une rue étroite que croisaient deux grandes artères, Seppings Road d'un côté, OPH Road de l'autre. Jadis, c'était un bidonville occupé par les petits commerces de récupération. Stephens Square, le *gujri* proprement dit, faisait même dans la récup' de seconde main, un sous-*gujri*, en quelque sorte. On l'appelait Gujri Gunta, le « trou aux occases ». À Gujri Gunta, on trouvait de tout, des écrous aux pièces détachées automobiles en passant par des vieux journaux, des bouteilles en plastique, des récipients en aluminium cabossés et des torches électriques défaillantes.

La rue était bordée de part et d'autre de portes dont personne ne soupçonnait ce qu'elles pouvaient dissimuler : le couloir étroit débouchant sur une petite cour carrée, le labyrinthe de petits logis qui s'étendait tout autour. Leurs habitants avaient appris à s'accommoder de peu. On avait tendu des cordes à linge à travers la cour, fabriqué quelques foyers en brique qui permettaient à tous de chauffer l'eau destinée à la toilette dans l'un des deux espaces de douche que devaient se partager les huit maisonnées de l'endroit. Les jours de pluie, la rue se transformait en un ruisseau torrentueux charriant une eau sale et brune où flottaient des ordures. Il devenait dangereux d'ouvrir la porte : Dieu sait ce qui aurait pu entrer avec le courant, un vieux pneu, une sandale dépareillée, un gros rat mort, n'importe quoi.

Puis, vers la fin des années quatre-vingt-dix, l'épuration avait commencé. Du jour au lendemain, le bidonville avait été détruit, les décombres et les détritus évacués. Un côté de la rue avait accueilli une enfilade de boutiques qui n'avaient plus rien à voir avec la récupération : un atelier de rechapage, un entrepôt, un soudeur, un menuisier, une échoppe de thé, un marchand de riz en gros. De l'autre côté, on avait construit des habitations. Mais le nom de Gujri Gunta était resté. C'était là que Ravikumar, député municipal de la circonscription, avait décidé de faire édifier la maison de ses rêves.

Le député suivait des yeux l'homme qui s'avançait. Le nouveau venu découvrait tout autour de lui les sols en marbre, la fontaine bruissante, le lustre monumental, les psychés dans leurs cadres dorés. Il vit son regard plonger par la porte qui ouvrait de la cour sur la pièce où il se trouvait et embrasser les rideaux de soie épaisse drapés aux fenêtres, les sofas en cuir, la table basse en verre et la gigantesque lampe en cuivre, autant de signes extérieurs de richesse – une richesse que leur propriétaire savait faire fructifier.

L'autre, le député le sentait, évaluait l'opulence, la grandeur du lieu. C'était exactement la réaction qu'il avait souhaité déclencher en faisant construire la maison. Chacun de ses aspects avait été conçu dans une intention bien particulière, du mur d'enceinte haut de deux mètres, hérissé de tessons de verre et surmonté de deux lignes de barbelé, à la courbe majestueuse de l'escalier menant à l'entrée du bâtiment, en passant par la véranda fermée qui courait sur toute la largeur de la façade.

L'escalier, situé au fond d'une cour imposante, était flanqué de part et d'autre d'une aile en saillie constituant une maison dans la maison, indépendante, pourvue de ses propres entrées et de sa cuisine. Personne n'était censé savoir qui arrivait ou partait d'un côté ou de l'autre. Au milieu de la cour, un fauteuil, presque un trône, attendait le député. C'était là qu'il recevait ses invités.

Dans un coin, une cascade joyeuse se déversait dans un bassin où des poissons nageaient en rond. Parfois, au milieu d'une discussion, le député se levait pour prendre une poignée de riz soufflé et la lancer à la surface de l'eau. Puis il regardait ses poissons manger pendant que la conversation vacillait, comme suspendue en équilibre instable dans l'atmosphère.

On entrait au premier étage dans le domaine privé de Ravikumar, divisé en deux moitiés occupées l'une par ses appartements, l'autre par son bureau. Ce dernier était une grande salle en longueur qui pouvait contenir deux cents personnes. Des rangées de chaises pliantes en acier étaient entreposées contre les murs. Tout nouvel arrivant devait en déplier une pour s'asseoir s'il était prié de le faire, ce qui le mettait d'emblée en position d'infériorité.

Pour l'heure, le bureau était vide à l'exception d'une chaise et d'une table submergée de téléphones. Seuls les combinés blanc et rouge fonctionnaient ; les autres assistaient, mutiques, aux tractations du député. La pièce avait elle aussi un escalier privé qui permettait d'aller et venir sans entrer dans le bâtiment principal.

Voyant le regard de l'homme s'arrêter sur Tiger, le député tendit la main pour caresser la tête du chien. L'animal se retourna pour lui lécher les doigts. Les yeux de l'homme semblèrent sortir de leurs orbites lorsqu'il soupesa des yeux le collier de l'animal, une chaîne dorée à maillons plats de presque un pouce de large.

– Ce n'est pas de l'or, si c'est ce que vous vous demandez, seulement du plaqué, dit Ravikumar.

L'autre ne répondit pas.

Le député continuait de flatter le chien distraitement.

– Je ne représente qu'une circonscription, et Bangalore n'en compte pas moins de cent quatre-vingt-dix-huit, le saviez-vous ? Alors n'allez pas croire des choses extravagantes à mon sujet ! Soyons clairs, je suis votre délégué, un homme simple, avec des goûts simples. Un homme du peuple.

Ravikumar semblait mettre son interlocuteur au défi de le contredire d'un mot ou d'un geste. L'autre baissa la tête :

– Je sais, *Anna*, murmura-t-il. C'est pour ça que je suis ici. Vous êtes des nôtres. Vous seul pouvez m'aider.

Personne n'appelait jamais le député par son nom. Pour tous, il était *Anna*, « grand frère », le tout-puissant et omniprésent administrateur de la circonscription dont il avait brigué la députation. *Anna* pour ses proches et ses hommes de main, *Anna* pour ses électeurs et pour les solliciteurs qui venaient le trouver, paumes ouvertes, l'implorant du regard. Quel besoin avait-il d'un nom ?

D'un geste du menton, le député passa le relais à Chikka, debout auprès de lui. Son frère, comparse et porte-parole quand il préférait garder le silence, demanda :

– Quel est ton problème ?

L'homme prit une grande inspiration et se lança :

– J'ai acheté une petite maison sur Obaidullah Street, près de Shivaji Nagar Road, à quelques pas de la mosquée. Mais Razak y vit depuis dix ans et personne ne me l'avait dit...

– Razak-le-Poulet ?

L'homme hocha la tête. Contrarié, Chikka siffla entre ses dents. Tiger se gratta. Le député restait impassible.

– Et alors ? finit-il par demander.

– Il a refusé de partir quand je lui ai demandé de le faire. Il m'a éclaté de rire à la figure. J'ai mis tout mon argent dans cette acquisition et le bail du logement où nous habitons en ce moment expire le mois prochain. Où vais-je emmener vivre ma famille ?

– Je le croyais en prison, remarqua Chikka.

– Oui, mais son giton habite la maison.

– Qui est-ce ? demanda Chikka.

– Liaquat. Il se fait appeler Leïla.

– Leïla ? Et tu n'es pas assez viril pour le jeter dehors ?

– Tout seul, je ne peux pas, répondit l'homme. Et personne ne veut venir avec moi. Razak est peut-être en prison, mais ses acolytes sont dehors et si Razak est contrarié, ils ne m'épargneront pas, ni moi ni ma famille.

Le député secoua la main négligemment pour le congédier. Le solitaire qu'il portait au doigt dessina un arc de lumière dans l'air. Agréablement surpris, il répéta son geste. Plaisir et rejet, rejet et plaisir. Le monde, quoi qu'il choisisse de faire, lui obéissait au doigt et à l'œil.

– Partez, à présent, traduisit Chikka au solliciteur. *Anna* fera ce qu'il pourra.

L'autre restait immobile.

– Quoi encore ?

– Quand est-ce que je vais récupérer ma maison ?

Chikka se contenta de le fixer et l'homme pâlit, puis il quitta les lieux sans insister.

Le député se leva. Dans quelques minutes, il allait devoir partir en tournée dans sa circonscription.

– Qu'est-ce que tu vas faire ? demanda son frère.

– Prendre une douche.

– Non, je veux dire pour ce type.

– Est-ce qu'il peut nous servir ?

– Il travaille aux Travaux publics, dans les bureaux. C'est un simple employé, mais il peut éventuellement rendre service. Difficile à dire d'avance...

– Alors, on s'en occupera, murmura le député. C'est par nos relations que nous sommes arrivés ici. Où est King Kong ?

À la mention de la créature simiesque qui assurait les fonctions de chauffeur et de garde du corps, Chikka fit la grimace.

– Il est en train de laver la voiture.

– À force de l'astiquer, ce foutu primate va finir par user le brillant de ma belle voiture neuve, grommela Ravikumar.

Chikka sourit.

– Il la traite comme son animal de compagnie. Tu devrais lui dire un mot.

Le député s'étira.

– Quoi qu'on puisse dire de lui, il est loyal. Si je lui demandais de se flinguer pour moi, il le ferait. La loyauté inconditionnelle, c'est plutôt rare.

– Est-ce que tu entends par là que je ne suis pas assez loyal, *Anna* ? répliqua son cadet, les traits soudain tendus.

– Tu es mon frère, ta loyauté va de soi, mais lui, il est étranger à la famille. C'est mon employé... Allez, ça suffit. Maintenant, dresse une liste de tout ce qui se passe dans ma circonscription. De ce que je dois savoir avant de commencer ma tournée, ordonna le député en montant l'escalier.

L'aile gauche, qui s'étendait sur plus de deux cent cinquante mètres carrés, était à son entière disposition. Personne n'était autorisé à y entrer, à moins d'être accompagné d'une des dames de la maison. C'était là qu'il se lavait, s'habillait, dormait et élaborait tous les plans grâce auxquels il devenait plus riche et plus puissant de jour en jour. Les deux cents mètres carrés restants de la maison étaient dévolus à l'hébergement de ses autres occupants : son frère, des parents en visite de Vellore et d'Ambur, le personnel, les dames. Tiger y avait lui aussi une chambre, avec lit en teck et bol en argent.

Chaque fois que le député devait porter son masque de bienfaiteur public, il se sentait vaguement sale, contaminé par l'odeur nauséabonde de la peur et de la faiblesse qu'il était censé soulager. Un peu comme s'il voyageait toutes vitres closes dans une voiture avec un chauffeur soûl et négligé.

– *Anna*, appela Chikka.

– Quoi ?

– On démarre dans une demi-heure.

– Qui a décidé ça ?

– La réunion est prévue à onze heures. Avec la circulation...

– Ils attendront. J'ai ma douche à prendre.

– Oui, *Anna*, murmura Chikka.

Le député s'arrêta et regarda en bas des marches.

– Dis à *Akka* d'envoyer Rupali et Lîna dans ma chambre.

Immobile au pied de l'escalier, Chikka s'émerveillait une fois de plus de l'esprit qui avait conçu cette habitation. C'est une drôle de maison, et nous faisons une drôle de maisonnée, se dit-il en entrant dans l'aile droite qui abritait les dames chaque fois qu'elles descendaient chez eux.

Au brouhaha de voix qui l'accueillit à la porte, il eut un mouvement de recul. Il aurait dû y être habitué, au bout de quatre ans, mais ce bourdonnement de baryton lui restait difficile à supporter.

– *Akka*, appela-t-il du seuil.

– *Akka* n'est pas là, s'écria l'un d'eux.

Chikka pénétra dans la pièce.

– Hé, voyez un peu qui arrive ! minauda Nalini. Chikka Master, notre maître à nous ! Que pouvons-nous faire pour vous ?

Chikka feignit de ne pas entendre la raillerie. Il n'était ni ne serait jamais le maître de quiconque. Personne ne le prenait au sérieux. Même pas ces putains d'eunuques, se dit-il.

Comme il était né minuscule, prématuré et faible, sa mère l'avait surnommé Chikka, le Petit. Le sobriquet lui était resté. Quand Chikka, haut d'un mètre cinquante, avait cessé de grandir, personne n'y avait fait vraiment attention. Il connaîtrait une poussée de croissance plus tard, disait-on. Mais il n'avait jamais dépassé cette taille, trop grand pour être un nain à qui le gouvernement aurait fourni un travail dans le quota des handicapés, trop petit pour être un homme normal.

Anna lui-même le traitait plutôt en animal de compagnie.

« Mon Chikka a plus d'intelligence dans son petit doigt que tous les scientifiques de l'Institut national de recherche, avait dit un jour son aîné en lui ébouriffant les cheveux de la main négligente qui caressait la tête de Tiger. Demandez-lui de vous dire combien font 1 298 765,35 x 409 878, vous allez voir. » L'inspecteur médical à qui il s'adressait avait cligné des yeux sans comprendre. « Allez, demandez-le-lui ! » L'homme s'était exécuté et Chikka, qui savait ce qu'on attendait de lui, avait répondu 532 335 344 127,3. « Regardez ! » Le député, radieux, brandissait son téléphone portable : la calculatrice donnait la même réponse. « Il a fait l'opération dans sa tête en moins de trois secondes. Mon Chikka est stupéfiant ! »

Chikka sentait une rage muette bouillonner en lui. Tiger et lui étaient semblables ; le chien serrait des mains, le cadet pratiquait le calcul mental : ils étaient tous deux des bêtes de cirque.

— Vous aussi, salopes, murmura-t-il entre ses dents en considérant la nuée d'eunuques qui s'étendait sous le toit de son frère.

Il annonça d'une voix atone :

— *Anna* demande que Rupali et Lîna montent le voir.

— Pourquoi pas moi ? fit Nalini. C'est mon tour, aujourd'hui !

— Non, geignit Mîna, c'est le mien !

— Je n'ai pas le temps de vous écouter. Vous seriez bien avisées de ne pas le faire attendre, conclut Chikka en leur tournant le dos.

— Si *Anna* ne veut pas de nous, nous pourrions vous tenir compagnie, suggéra Nalini avec une timidité feinte en jouant avec sa tresse.

Chikka fit volte-face et adressa un regard dur à la créature de haute taille et tout en muscles qui se tenait devant lui. Mâchoire carrée, nez droit. Elle pouvait bien s'injecter toutes les hormones du monde et laisser pousser ses cheveux jusqu'à terre, jamais Nalini ne pourrait dissimuler qu'elle était née homme.

– Je ne crois pas, répondit-il.

Nalini fit la grimace.

– Nous ne satisfaisons pas à vos critères exigeants, c'est ça ? Pour un petit homme, vous avez une bien haute idée de vous-même.

Chikka crispa les poings.

– Moi, au moins, je sais que je suis un homme, mais vous, qu'est-ce que vous êtes ?

Gowda envoya valser ses chaussures et glissa les pieds dans une paire de tongs qu'il laissait sous son bureau en partant. Il desserra sa ceinture, ouvrit quelques boutons au col de sa chemise. Quand il devait travailler, toute contrainte entravait le processus de ses pensées. Santosh l'observait, plus atterré qu'amusé. Et si le commissaire principal faisait irruption sans prévenir ? Si un député du Parlement ou de la municipalité passait la porte ?

Gowda sentait le regard du jeune policier attaché à ses moindres mouvements.

– Quelque chose vous tracasse ? demanda-t-il.

– Oui... enfin... non, monsieur, rien, bégaya Santosh.

Puis, rassemblant tout son courage, il compléta :

– Votre uniforme...

Gowda plissa les paupières. C'était toujours la même chose : censure des supérieurs, réprobation des subordonnés. Personne n'évaluait un policier à l'acuité de son esprit. Tout ce qui comptait, c'étaient le nombre d'étoiles à ses épaulettes et le brillant de ses chaussures.

– « Il devra à tout moment arborer l'uniforme de la police et ses accessoires, et présenter une apparence propre et soignée. » Si nous suivons ces instructions, c'est pour avoir l'air nets et compétents, revêtus de l'autorité de notre institution dans nos rapports avec le public. Mais le manuel du policier ne m'enjoint pas de garder mon col boutonné à toute heure du jour et de serrer ma ceinture jusqu'à m'étouffer, dit Gowda en tournant une page du rapport d'Ashok. Pour le moment, j'ai besoin de vous comme assistant, pas pour me gendarmer sur mon élégance.

Santosh piqua un fard. À l'école de police, on avait vu en lui un élément prometteur, dynamique, intelligent. Avec Gowda, à l'inverse, il se sentait aussi impotent qu'une vieille femme stupide. Mais un jour, se promettait-il, un jour...

Deux heures plus tard, quand ils levèrent les yeux de leur lecture, l'inspecteur demanda :

– Alors ?

– Je..., commença Santosh qui aussitôt retint sa langue, de peur de se faire chapitrer.

– Vous quoi ? Parlez !

– Je ne crois pas que Razak ait quelque chose à voir avec le meurtre de Liaquat. Il n'a pas d'ennemis parmi les rois de la pègre. Ce n'est qu'un vulgaire voyou, condamné pour délits mineurs.

– On dit « homicide » dans notre jargon d'enquêteurs. Laissez « meurtre » aux agents de police.

Santosh avala sa salive avec difficulté.

– Mais cela mis à part, vous avez raison. La piste Razak est une impasse. Donc, inspecteur adjoint Santosh, retour à la case départ. Faites travailler vos méninges, allez, réfléchissez. Je suis sûr que vous pouvez débusquer quelque chose que j'aurai omis. Vous en avez l'étoffe...

L'éloge eut sur le jeune policier l'effet d'une pluie de pétales déversant sur lui la douceur caressante de leurs milliers de lèvres roses.

– ... à condition de rester sur le terrain de l'enquête et de ne pas perdre bêtement votre temps à compter les boutons ouverts et les crans de ceinture, compléta Gowda, muant le plaisir de Santosh en douche froide.

Le frère de Santosh, qui se piquait d'être sociologue, appelait ce procédé la « péroraison qui tue », qu'il tenait pour le trait le plus typique des Indiens, incapables d'adresser un compliment à quelqu'un sans l'assortir d'une critique cinglante. Défaut congénital, affirmait-il, très répandu parmi leurs compatriotes. À cet instant, Santosh fut tenté de souscrire à sa théorie.

Gowda rentra chez lui de bonne heure. Il commanderait une pizza, décida-t-il. Une nouvelle pizzeria s'était ouverte dans Hennur Road et elle livrait à domicile, même aussi loin. Il n'était pas particulièrement friand de la pizza – trop de pâte, pas assez de goût –, mais Roshan n'en ferait qu'une bouchée, comme s'il n'avait pas mangé de la semaine.

Quand la jeep prit le virage pour passer le portail, Gowda s'aperçut qu'on avait déplacé sa Bullet et son humeur s'assombrit.

Il sonna à la porte. À l'intérieur hurlait un groupe heavy metal cherchant à tirer ses ancêtres du sommeil de la mort.

– Dois-je attendre, monsieur ? demanda l'agent David, retenant sa curiosité sur l'origine des décibels et des vibrations qui se déversaient dans la cour.

– Non, vous pouvez y aller, dit Gowda en secouant la tête.

Il tira sa clé de sa poche et l'introduisit dans la serrure. La porte résista, fermée au loquet de l'intérieur. Il martela le battant à coups redoublés. Pas de réponse. Il fit le tour de la maison et jeta un coup d'œil par la fenêtre dans la chambre de Roshan. Le garçon y avait apporté la stéréo et arpentait la pièce en slip, hochant la tête à se décrocher les vertèbres.

Il lui fallut taper à la vitre à plusieurs reprises avant que son fils remarque sa présence. Son énervement tournait à la fureur.

Gowda ne sut jamais ce qui l'avait motivé : la frustration de ne pas avancer sur l'affaire du fil *manja*, la rage à l'idée de ne pas pouvoir pénétrer chez lui, l'irritation devant le fait que son fils avait déplacé et utilisé sa moto sans lui en demander la permission, même formelle, ou ses sinus bloqués, son ventre grondant de faim, la pensée de la nouvelle soirée insipide qui l'attendait, son lit vide, l'ennui d'une routine quotidienne qui semblait ne jamais lâcher prise ? Ou peut-être était-ce l'association simultanée de tous ces éléments ? Toujours est-il que sa tension artérielle monta d'un coup et pulvérisa ses derniers vestiges de sang-froid.

Quand Roshan ouvrit la porte, Gowda passa le seuil et le gifla à toute volée en grondant entre ses dents :

– Quand est-ce que tu retournes à Hassan ?

Dimanche 7 août

Gowda considéra longtemps le faux col de sa bière. Quand il leva la tête, il chercha le regard de Michael, attablé face à lui.

— Je n'arrive pas à croire que je lui aie parlé de cette façon, dit-il, honteux. Quel genre de père suis-je donc ?

— Ne sois pas trop dur envers toi-même, répondit tranquillement Michael tout en s'amusant à faire tourner un sous-verre. Nos pères nous en ont dit autant, à peu de chose près. Et ça nous est sorti de la tête, pas vrai ?

Gowda acquiesça. Il avait eu avec son père une relation mouvementée. Pendant toutes ses années d'étudiant, il avait subi son regard de reproche et même, un jour, les coups cinglants de sa ceinture sur le dos. Le basket, ses amis, le forum scientifique, ses projets de s'engager dans la police, rien de ce qu'il faisait ou projetait de faire ne paraissait le satisfaire. Son père voulait qu'il passe les examens qui lui permettraient de devenir banquier. « Tu auras une vie bien organisée », disait-il chaque fois que Gowda lui parlait de son rêve de faire carrière dans la police.

Il s'était inscrit en thèse de troisième cycle tout en préparant le concours d'entrée au fonctionnariat. Sa première tentative s'était soldée par un échec. La seconde fois, il avait réussi à l'écrit, mais échoué à l'oral.

101

Finalement, il avait cédé. Après avoir obtenu son doctorat, il avait complètement cessé de pratiquer le basket et passé l'examen d'entrée pour travailler dans une banque.

Trois ans plus tard, il avait connu un réveil des plus rudes. Une ancienne camarade de fac, glissant la main le long de la grille du guichet derrière lequel il était employé comme caissier, s'était exclamée en riant :

– Ça alors ! Gowda ! Ils ont fini par te mettre en cage ! Moi qui croyais que c'était toi qui collerais les autres derrière les barreaux !

Il avait rougi. Il avait soigneusement feuilleté les liasses de billets à lui remettre, mouillant son doigt de temps à autre sur une éponge.

Le soir même, Gowda s'était mis à la recherche d'un endroit pour recommencer à jouer au basket. Et sans rien dire à qui que ce soit, lorsque l'État du Karnataka avait fait paraître ses annonces de recrutement, il avait passé l'examen d'entrée dans la police.

Une fois tout en place, il avait annoncé son changement de vie à ses parents.

– Je suis entré dans la police du Karnataka, avait-il déclaré au milieu du dîner en déchirant une galette d'*akki roti* et en la plongeant dans un petit bol de *koli sâru*.

Il était prêt à en découdre avec son père. Après tout, c'était de sa vie qu'il s'agissait. Or son père, levant la tête du bol d'épinards *mossoppu* qu'il exigeait en accompagnement du riz, des *roti* ou des *mudde*, avait simplement murmuré :

– Tu as toujours voulu être policier, n'est-ce pas ? Pourquoi t'es-tu décidé aussi tard ? Ça t'a fait perdre des années entières de carrière.

– Quand commences-tu ? avait demandé sa mère en lui resservant un *akki roti* sur son assiette et une louche de curry de poulet dans son bol.

Gowda n'en revenait pas. Il s'était attendu à des étincelles et des récriminations de la part de son père, à voir sa mère pleurer et se tordre les mains. Pas du tout. Ils restaient tranquilles et lisses comme du yaourt compact ; son changement d'orientation professionnelle ne les perturbait nullement.

– Ça ne t'ennuie pas ? avait-il demandé à son père, curieux de savoir pourquoi il prenait sa déclaration avec autant de flegme.

– Non, pourquoi ? avait répondu ce dernier en haussant les sourcils. C'est aussi un poste de fonctionnaire qui te garantit une retraite. Tu y acquerras plus de pouvoir dès le début qu'un employé de banque dans toute sa vie. Et comme Nagendra travaille à la State Bank of India, nous sommes déjà sûrs d'obtenir des prêts bancaires en cas de besoin.

– Il faudra que tu te fasses prendre en photo en uniforme. Je l'enverrai à ta tante de Pune, lui avait dit sa mère dans un sourire.

Gowda avait secoué la tête, incrédule. Il avait fichu en l'air trois années de sa vie à bosser dans cette putain de banque pour leur faire plaisir, et voilà qu'ils avaient l'air tout aussi contents de le voir intégrer la police !

Il était impossible de savoir ce que vos parents attendaient réellement de vous. Il s'était juré qu'il ne serait jamais le genre de père qui réclame de la compréhension, de la patience, qu'il faut excuser à l'occasion.

Gowda fit la grimace et but à longues gorgées.

– Je vois rarement mes fils, tu sais, Borei, dit Michael en souriant. Alors profite de la présence de Roshan pendant qu'il habite avec vous. Une fois parti, ce sera pour de bon.

– Où sont-ils, tes fils ? demanda Gowda.

Michael pinça les lèvres.

– L'aîné est en Nouvelle-Zélande, l'autre à Melbourne, là où je vivais, mais je ne le voyais pas plus souvent que son frère. La dernière fois qu'ils sont venus, c'est quand Becky est morte.

Gowda secoua la tête avec un air de compréhension attristée, cherchant à faire dévier la conversation vers un sujet qui contournerait les zones sensibles, les blessures encore fraîches. Il n'était pas si facile de renouer avec l'histoire de son ami. Trop de temps s'était écoulé. En fonction des hommes qu'ils étaient devenus, leurs vies avaient pris des orientations différentes.

— Tu te rappelles le Variety, dans Residency Road, où on allait souvent ? demanda-t-il à brûle-pourpoint, s'emparant de la vision qui lui traversait l'esprit et ne pouvait susciter que des souvenirs pleins de gaieté.

Michael sourit. La bière la moins chère de la ville. Un rhum qui vous brûlait la gorge et l'œsophage, ivresse immédiate garantie. Le lieu des plus grandes tentations pour les étudiants qu'ils étaient. Gowda, Michael et quelques autres étaient des habitués. Habitués du week-end, auraient-ils précisé.

Leur vie d'alors s'articulait autour de leurs multiples repaires. Chaque heure, chaque jour possédait son atmosphère et son rythme propres. Ils convergeaient à midi vers la cantine de *Mamu*, hébergée dans une bicoque au toit de tuiles rouges dans l'enceinte de leur collège, derrière le bâtiment des toilettes des hommes, pour croquer des *samosa* au mouton. L'après-midi, ils se réunissaient du côté de Rest House Crescent, dans Ayah Park – surnommé par eux Ganja Park –, où ils fumaient de l'herbe, assis à l'orifice d'un énorme conduit en ciment, dans l'espace de jeux aménagé pour les enfants.

Il y avait aussi le coin des machines à sous dans Brigade Road, entre les deux portes du Rex, les films anglais au Blue Diamond, Bascos et ses spectacles de cabaret, où ils tombaient en arrêt, bouche bée, devant les photos en noir et blanc des danseuses. Ruby, Suzy, Lily...

— Tu te rappelles le jour où on a emmené Urmila au Bascos ? demanda Michael en souriant jusqu'aux oreilles.

Le visage de Gowda se figea en un masque sans expression.

Urmila avait insisté pour venir avec eux. Elle avait été furieuse de le voir béat, comme les autres, devant les photos. Ses remarques teintées d'aigreur les avaient fait bien rire.

— Elle a dit qu'elle avait essayé plusieurs fois de t'appeler, dit Michael, l'air soucieux. Mais tu n'as pas décroché.

Gowda haussa les épaules.

— C'est bien possible. Parfois, quand je vois s'afficher un numéro inconnu, je ne prends pas l'appel. Le plus souvent, c'est une banque ou une agence de crédit qui veut me proposer un prêt.

Michael éclusa sa bière et se versa un verre d'eau à la carafe. Puis, extirpant de son portefeuille un morceau de papier :

— Eh bien, voilà son numéro.

Gowda tira la petite feuille vers lui sans la prendre.

— Appelle-la, *Mudde*. Allez, appelle-la. On était tous amis avant, tu te rappelles ? Ce qui s'est passé entre vous, c'est de l'histoire ancienne...

Réticent, l'estomac serré, Gowda se résolut à composer le numéro.

Au bout de plusieurs sonneries, une voix de femme murmura :

— Allô ?

Le cœur de Gowda s'arrêta de battre. Vingt-sept ans plus tard, le timbre était le même.

— Allô, qui est à l'appareil ?... Borei, c'est toi ? Tu sais que ça fait deux jours que j'essaie de te joindre ?

— Bonjour, Urmila, dit-il avec douceur.

— Demande-lui de nous rejoindre, souffla Michael en face de lui.

— Je suis à Pecos avec Michael, tu sais, ce pub dans Rest House Road ?

Gowda écouta la réponse et dessina sur ses lèvres silencieuses à l'attention de Michael : « Elle ne peut pas venir. »

– Bien sûr que je comprends. Demain ? Je ne suis pas sûr. Je te rappelle, d'accord ?

Il referma son portable.

– Alors, satisfait ?

Michael plongea le nez dans sa chope de bière.

– Quel mal y aurait-il à la revoir ? Vous étiez inséparables avant.

– Oui, avant.

Les traits de Gowda avaient pris une expression lugubre. « Avant », le mot qui faisait toute la différence.

Il était presque une heure et demie quand Gowda gara sa moto devant la demeure familiale de deux étages sise au 7, Cinquième bloc, Jayanagar. Les deux cocotiers étaient chargés de noix prêtes à être cueillies. Il haussa les épaules. Ce n'était plus son affaire. Il avait coupé les ponts avec cette maison et ses exigences. Il ne pouvait plus y être qu'un invité.

Une pensée le frappa soudain : était-ce le sentiment de Roshan quand il revenait chez eux ? Son fils avait-il l'impression que les liens qui l'avaient attaché à son ancien foyer n'existaient plus ? Son cœur se serra à cette idée.

Quand Roshan était un nourrisson, puis un bébé encore hésitant sur ses jambes, Gowda le prenait dans ses bras pendant qu'il dormait. Il éprouvait pour son enfant un amour farouche et une grande tendresse. Il se penchait, posait son nez contre sa joue et l'odeur lactée, sucrée de sa peau lui faisait monter les larmes aux yeux. Il aurait fait n'importe quoi pour le garder à l'abri de tout mal, détruit tout ce qui aurait pu constituer une menace pour lui. Il s'était juré de ne rien négliger pour le bonheur de son enfant, cet enfant qu'il venait de gifler. La vision de Roshan chancelant sous la force du coup le fit tressaillir.

– Qu'est-ce qu'il y a ? Pourquoi tu fronces les sourcils ? Après qui tu en as ? demanda Nagendra qui le regardait du seuil.

Gowda, cherchant à se donner une contenance, adressa à son frère un sourire tiède.

– J'ai cru reconnaître le bruit de ta moto…, reprit Nagendra en l'examinant. Qu'est-ce que tu as ? Ça va ?

Gowda fit signe que oui.

– Il faut faire venir quelqu'un pour cueillir les noix de coco. Tu veux que je m'en occupe ?

Nagendra pencha la tête d'un air contrit.

– Oui, je veux bien. Mîna ne trouve personne. Elle en est à menacer de faire couper le jaquier… Ici, sans toi, ce n'est plus comme avant, Borei.

Gowda traversa le salon vers la salle à manger. Ses yeux firent le tour de la pièce. Il n'était pas venu depuis un peu plus d'un mois. La télé et le meuble qui la contenait avaient disparu, remplacés par un énorme écran fixé au mur. Il y avait aussi des rideaux neufs.

Nagendra vit son regard se poser de nouveau sur l'écran plat.

– L'ancienne ne marchait plus très bien, et l'offre d'échange était avantageuse. Ensuite, Mîna a déclaré qu'il fallait changer les rideaux, qu'ils commençaient à avoir l'air défraîchi.

Gowda sourit en s'efforçant de masquer le trouble que ces aménagements provoquaient en lui.

– Bonne initiative, fit-il, la tête basse. Moi aussi, je voulais me procurer un LCD, mais avec Mamtha et Roshan qui vivent à Hassan, ça ne vaut pas le coup d'investir une grosse somme dans une nouvelle télé.

– Vous ne venez pas à table ? appela sa belle-sœur de la salle à manger.

La famille avait déjà commencé à déjeuner.

– Tu es en retard, grommela son père tandis qu'il s'asseyait.

– Je croyais que tu ne viendrais plus, dit sa belle-sœur en déposant une assiette devant lui.

Gowda se servit une louche de *bisibela bâth* sans répondre. Son frère poussa vers lui un bol de *raita* à la tomate et à l'oignon. Gowda lui adressa un sourire reconnaissant et mordit dans une croustille de banane.

– Comment va Roshan ? demanda son père.

– Il est à Bangalore. Il est arrivé hier matin.

– Pourquoi ne l'as-tu pas amené ? demanda Mîna.

– Ce n'est pas grave... il doit avoir des milliers de choses importantes à faire, intervint son frère. Ce n'est plus un enfant de quatre ans, pour que ses parents le traînent partout où ils vont.

Gowda lança à Nagendra un regard de gratitude. Comment aurait-il pu leur expliquer que le visage meurtri de Roshan était venu le hanter à plusieurs reprises au cours de la nuit et qu'il s'était esquivé comme un voleur après avoir demandé à Shanti de rester pour s'assurer que le jeune homme avait tout ce qu'il désirait.

– Moi, j'aurais aimé voir mon petit-fils, mais de nos jours, rien n'est jamais « grave », grogna leur père. C'est bien le problème, avec votre génération : partout où l'on va, tout le monde laisse faire. L'employé de banque sort fumer une cigarette et se moque de faire attendre les retraités à son guichet pendant ce temps. Le médecin de l'hôpital téléphone tout en vérifiant ma tension... Quand je proteste, on me répond : « *Aja*, détendez-vous, ce n'est pas grave ! » À force de ne rien prendre au sérieux, nous laissons le monde se désintégrer sous nos yeux. Et vous deux, vous ne valez pas mieux. Il n'y a qu'à voir les cocotiers et l'état de cette maison...

Les deux frères échangèrent un regard. Leur père presque octogénaire les morigénait toujours comme s'ils étaient des gamins irresponsables.

Et c'est exactement ce que je fais moi aussi avec Roshan, pensa Gowda avec un pincement de remords.

Après le déjeuner et la vaisselle, la maisonnée s'installa dans sa routine dominicale. Son père descendit en clopinant l'escalier qui menait à sa chambre pour faire une sieste, son frère monta chez lui lire le journal. Sa belle-sœur, qui désirait voir le film de l'après-midi, s'en fut allumer la télé dans le salon. Gowda, quant à lui, retrouva le chemin de sa chambre, libérée par son neveu qui l'avait occupée un temps jusqu'à son entrée à l'institut Birla des sciences et technologies à Pilani.

Le placard contenait toujours les livres de Gowda et quelques-uns de ses certificats obtenus à l'université. Il s'étendit sur le lit, les yeux au plafond. Il aurait dû proposer à Roshan de venir. Mais il n'avait pu affronter son regard de toute la soirée. Que pensait-il de lui ?

Ce jour-là, son père était rentré furieux. Quelqu'un lui ayant raconté avoir vu Borei à Bascos, il avait dégrafé sa ceinture et cinglé de coups un adolescent qui ne savait toujours pas ce qui lui valait cette raclée.

– Espèce de voyou, *badvaa*, qu'est-ce que tu faisais dans cet endroit ?

– Quel endroit ? avait répété Gowda à maintes reprises tandis que la lanière lui lacérait la peau.

Il ne savait quoi penser, il éprouvait seulement un profond sentiment d'indignation et de blessure. Pourquoi son père lui faisait-il ça ? Qu'avait-il commis de si grave ?

Roshan avait la même expression quand je l'ai giflé, pensa-t-il, envahi de honte. Il allait lui présenter ses excuses, lui demander pardon pour sa brutalité. Pardon d'être un aussi lamentable père.

Gowda s'endormit d'un profond sommeil. À son réveil, il était presque cinq heures. Il avait la bouche sèche et une soif terrible. Il se dressa sur son séant, désorienté, fixant les lieux qui l'entouraient. Où était-il ? Puis il aperçut le placard familier et la mémoire lui revint.

Il laissa couler le robinet sur son visage et se peigna. De retour dans sa chambre, il ouvrit le placard. Le manuel de zoologie était toujours là et, dans l'enveloppe de papier brun, il trouva un cliché qu'il y avait déposé vingt-sept ans auparavant. Il le sortit de sa cachette pour regarder le visage d'Urmila photographié juste avant qu'ils rompent. Puis il remit tout en place et prit le livre pour l'emporter, se ravisa, en ôta la photo pour la glisser dans son portefeuille et rangea le manuel. Qu'est-ce que je suis en train de fabriquer ? se dit-il.

Un brouhaha de voix lui parvenait. Sa belle-sœur appela :
– Borei ! Ton café va être froid !

Assis à table, Borei Gowda regardait sa famille boire le café dominical en grignotant des *nipattu*. Peu après, son père allait passer des chants dévotionnels de Purânanda Dâsa et de Vyâsatîrtha, ses compositeurs kannada favoris. Mîna et Nagendra se rendraient comme presque chaque dimanche à une réunion de *bhajan*. C'était sa famille, mais ils auraient tout aussi bien pu être des inconnus tant il se sentait éloigné d'eux et de leur mode de vie. Ils ne m'ont pas demandé une seule fois comment j'allais ni ce que je faisais en ce moment, se dit-il tristement. Par contre, si je m'avisais de sauter une visite, ils seraient en colère, et même blessés.

Après leur avoir marmonné ses adieux, il démarra sa Bullet. Au moins, quand il la chevauchait, il avait l'impression d'appartenir au monde.

Dans la maison, la musique était lancée à plein volume. Il reconnut Rajkumar Bharathi chantant « Krishna nî begane baro », un morceau de l'album *Daasara Padagalu*, le favori de son père.

Il prit la fuite.

Chikka était assis à l'avant à côté de King Kong. Non qu'*Anna* le lui ait demandé, mais il avait senti que ce soir-là le député municipal souhaitait être seul sur la banquette arrière. S'il y avait eu d'autres passagers, Chikka se serait assis à côté de lui.

C'était une nouvelle voiture, achetée quelques semaines plus tôt par le député. L'intérieur dégageait encore l'odeur particulière du neuf, mêlée aux effluves de rose du désodorisant, à la senteur de deux bâtonnets d'encens et au parfum de la guirlande de jasmin enroulée autour de la statuette de Ganesh sur le tableau de bord. Ce bouquet d'émanations, ajouté à l'eau de Cologne avec laquelle le député semblait avoir pris sa douche et aux relents de spray dont King Kong s'était littéralement inondé, donnait la nausée à Chikka. S'il n'ouvrait pas immédiatement la fenêtre, il allait vomir.

Au feu rouge, il ordonna à King Kong de baisser les vitres fumées dans l'espoir que l'air venu du dehors atténuerait la touffeur de l'habitacle.

— Je veux acheter un journal, dit-il en aspirant avidement par la fenêtre.

Il se remplit une dernière fois les poumons tandis que la vitre remontait.

— Qu'est-ce qu'il y a dedans ? demanda le député.

— Quelqu'un m'a parlé d'un article sur un député de Bangalore sud. Je voulais voir ce qu'il racontait, répondit Chikka en se tournant vers lui. C'est dans le cadre d'une série qui a pour titre « Apprenez à connaître votre député ». Ce sera ton tour, un jour, ajouta-t-il avec douceur en essayant de déchiffrer l'expression de son frère.

— Lis-le-moi, ordonna le député en jetant un coup d'œil à sa montre. Je voudrais faire un détour par Palace Cross Road. J'ai quelque chose à voir. Tu te rappelles l'immeuble dans lequel *Amma* travaillait ? Il y a un appartement qui vient d'être mis en vente au premier étage. King Kong, on y va avant de rejoindre la mairie.

La gorge de Chikka se contracta. Il sentait une goutte de sueur descendre à la verticale de son front.

— Mais, *Anna*, la réunion…

— Non, je veux d'abord voir cet endroit. La réunion attendra. Ce sont des bons à rien, tous autant qu'ils sont. Tu crois

111

vraiment qu'ils vont commencer à six heures pile ? Avant qu'ils soient tous arrivés, il sera sept heures passées. Mais... tu n'as pas entendu un mot de ce que je viens de dire. À quoi tu penses, Chikka ?

– À rien.

– Tu n'es pas censé ne penser à rien, rétorqua le député avec irritation. Où en est-on de la menace canine que des crétins vont brandir à la prochaine réunion hebdomadaire de la circonscription ?

– Quelle menace canine ?

– Mais enfin, qu'est-ce que tu as ?

Chikka sentit le regard de King Kong s'attarder sur lui. L'homme ne parlait pas beaucoup, mais rien ne lui échappait. Ses petits yeux fendus passaient en revue chaque élément de l'entourage d'*Anna* et l'évaluaient en fonction du danger qu'il était susceptible de représenter pour son bien-être.

– Pourquoi tu me dévisages comme ça ? aboya Chikka.

– Ne lui parle pas sur ce ton ! gronda le député. Il est comme moi, il voit bien que tu as l'esprit ailleurs.

Chikka secoua l'étrange torpeur qui semblait l'étouffer dans ses anneaux.

– Désolé, *Anna*, dit-il simplement. J'ai mal à la tête. Il faudra veiller à ce problème de chiens. Les défenseurs des animaux peuvent nous mettre en difficulté. Le mieux serait de nous les concilier. Peut-être qu'en demandant à un des leurs de nous accompagner à la réunion...

– Voilà qui me plaît ! exulta le député, puis, les yeux plissés, il ajouta : Je ne veux pas que la presse nous éreinte pour ça. Il ne manque pas de fouille-merdes parmi les journalistes qui visent des places au sommet. Libres à eux de servir leurs ambitions comme ils l'entendent, mais je ne laisserai personne me marcher sur la tête pour arriver à ses fins.

Chikka se taisait. À la façon dont King Kong regardait droit devant lui, il comprit qu'il pensait à la même chose que lui.

Après l'élection du député, un journaliste avait divulgué une période de son passé, les années qu'*Anna* avait passées collecté les ordures pour le pâté de maisons où ils habitaient, ses fonctions au *gujri*, son association avec la pègre, son aisance matérielle subite. Il avait même découvert qu'on le surnommait alors Caddie Ravi en exhumant une vieille histoire.

Tout avait commencé par une amitié entre deux adolescents. L'un brandissait un cric de voiture de façon très convaincante, l'autre était apprenti caddie au Bangalore Golf Club auprès d'Ijas *Mamu*, un ami de son père qui les avait persuadés qu'il n'existait pas de meilleur métier au monde.

– Tous ces richards ne pourraient même pas viser un trou sans nous. Le pouvoir, c'est ça, c'est de les aider à décider quel fer utiliser, le 8 ou le 2.

Anna n'avait pas poussé plus loin, jusqu'au jour où une balle avait volé par-dessus la clôture et fracassé le crâne d'un passant en scooter. Le lendemain, il en avait dissimulé une dans son sac. Plus tard, dans la pièce exiguë qui lui tenait lieu de chez-soi, il avait fourré l'objet au fond d'un sac en toile qu'il avait fait tournoyer pour lui donner de l'élan avant de le projeter contre le mur. Quand il avait vu des fissures craqueler la paroi, il avait décrété que là résidait le pouvoir véritable, et non pas dans la routine servile consistant à déposer une crosse de golf dans la main d'un nanti.

Il avait montré sa nouvelle arme à Cric Kumar, son meilleur ami. De deux ans son cadet, Kumar vivait dans la rue depuis l'âge de neuf ans. Il avait applaudi à sa trouvaille et lui avait aussitôt proposé de l'accompagner dans sa prochaine expédition. Il lui avait également donné un nom de guerre : Caddie Ravi.

Ils avaient mis au point un protocole : Caddie Ravi assommait ses victimes d'un moulinet de sa chaussette plombée et Cric Kumar faisait le reste, le travail de finition en quelque sorte. Mais c'était lui, Caddie Ravi, qui portait le coup décisif.

La chaussette permettait une plus grande économie de mouvement que le sac et produisait un impact plus violent. Il avait répété son geste sur le terrain de golf. Ce n'était pas un simple tour du poignet, mais du bras entier, comme s'il brandissait une crosse de 6 devant la victime. Lorsque la balle entrait en contact avec la tête, il revoyait le mur se fissurer, sentait la couche supérieure de la boîte crânienne s'enfoncer, la couche profonde se fracturer en deux ou plusieurs morceaux.

Les ennuis avaient commencé le jour où *Anna* avait voulu troquer la balle contre le fer. Cric Kumar avait refusé.

– Tu ne comprends pas. Jusqu'ici, la police n'a toujours pas trouvé de quelle arme tu te sers. Le jour où tu passeras à la crosse de golf, ils remonteront jusqu'à toi, évidemment. Combien de types ont accès à ce genre d'outil ?

Anna avait commencé par céder, mais, un jour, il avait utilisé un fer anguleux, son favori, le *sand wedge*, pour jouer dans le sable. Puis il en avait soigneusement essuyé la semelle à l'aide du mouchoir trouvé dans la poche de leur victime.

– Regarde comment il est profilé, avait-il dit à Cric Kumar en suivant du doigt les contours du fer. Il peut glisser à travers la boue, l'herbe rêche et bien entendu le sable, tout en faisant décoller la balle d'un seul mouvement coulé. Et comme le métal est beaucoup plus compact à cet endroit, son poids est plus grand et le choc plus violent. C'est beau, non ?

Cric Kumar ne répondait pas. Il observait l'homme terrassé en se disant qu'il ne lui restait pas grand-chose à faire.

– Tu n'aurais pas dû, on était d'accord, avait-il fini par conclure en s'efforçant de masquer son mécontentement.

Anna voyait qu'il était contrarié. Mais il avait pris goût à la sensation de triomphe éprouvée quand le fer était entré en contact avec le crâne de l'homme, quand il avait senti la puissance et la perfection de son coup décrivant un arc très pur entre l'épaule, le poignet et la crosse, et entendu l'air siffler, comme tranché net, autour de lui. Il avait recommencé.

La police l'avait arrêté, placé en garde à vue, puis relâché après qu'il l'eut orientée vers Cric Kumar.

— Tu es encore mineur, toi, lui avait-il expliqué, on t'enverra en maison de redressement. Moi, j'ai dix-neuf ans, je serais allé en prison, tu comprends ?

Non, Cric Kumar n'avait pas compris et il n'avait jamais pardonné à *Anna*. Ils n'avaient jamais eu de confrontation, mais c'en était fini de leur amitié. *Anna* s'était recyclé dans la politique, tandis que Cric Kumar était resté un homme de la rue. Chaque fois que ce dernier parvenait à lui arracher une victoire, il avait l'impression de se rapprocher d'*Anna*, qui ne ripostait jamais. Il attendait son heure. Patience. C'était la deuxième leçon du terrain de golf : savoir patienter était primordial.

Toute cette histoire était pratiquement tombée dans l'oubli quand le journaliste l'avait exhumée pour en faire le sujet d'un papier : « L'ascension d'un caddie. Parcours d'un député. »

La feuille de chou pour laquelle il travaillait faisait recette en divulguant des épisodes scandaleux. Elle n'épargnait personne ; le député n'était qu'une des nombreuses personnalités dont elle avait fouillé le passé. Mais un employé de l'imprimerie avait prévenu *Anna*, qui avait fait acheter et détruire l'ensemble du tirage. Le journaliste, victime d'un accident, était privé à jamais de l'usage de ses jambes.

— Je m'arrangerai pour que les défenseurs des animaux publient un article, reprit Chikka.

— Un article favorable, précisa le député, sinon c'est inutile. Et fais-leur comprendre à quel point j'aime les chiens.

— Le problème de ce type des Travaux publics, qu'est-ce qu'on en fait ?

— C'est maintenant que tu m'en parles ? s'irrita le député.

– Mais, *Anna*, je te l'ai rappelé hier soir !

– Quand ça ?

– Juste après dîner, quand tu étais avec les... (Chikka se ravisa à temps) avec Chandini, Rupali et Nandini.

Le député se renversa contre son dossier.

– Qu'est-ce que tu as contre elles ? Je sais ce que tu allais dire. Tu t'apprêtais à les traiter de *chakka*, c'est ça ? Les filles m'ont raconté que tu les injuriais derrière leur dos. Tu leur fais de la peine.

– Ce ne sont pas des filles, *Anna*, répondit son frère, lugubre. Ce sont des putains d'eunuques, des monstres, des erreurs de la nature !

– Alors laisse-moi te rappeler une petite chose que tu sembles avoir oubliée : quand la bande de Muthu la Gare m'a laissé pour mort, en bouillie, devant la gare de Byppanahalli, c'est une de ces « erreurs de la nature » qui m'a sauvé la vie. Avant qu'elle intervienne, un nombre incalculable de gens sont passés devant moi sans même s'arrêter pour voir si je respirais encore. C'est un de ces « monstres » qui m'a emmené chez elle, qui a appelé un médecin, qui m'a soigné jusqu'à ce que je puisse m'asseoir dans le lit. Rien de ce que tu vois en ce moment n'existerait si une de ces « putains de *chakka* », comme tu les appelles, n'avait...

– Je ne parlais pas d'*Akka*, se hâta de dire Chikka en joignant les mains. Mais les autres... ils te font une mauvaise réputation.

– Je m'en moque.

– Mais peux-tu vraiment leur faire confiance ? Est-ce que tu sais s'ils ne bavardent pas à notre sujet ? demanda Chikka d'une voix calme.

Tout en parlant, il se demandait ce que King Kong comprenait à leur conversation. Le chauffeur, originaire du Bihar, parlait quelques mots de kannada. Chikka et le député s'exprimaient en tamoul. Néanmoins...

– Rien à craindre. Elles redoutent la colère de la déesse

116

autant qu'elles me redoutent. Elles savent que je peux la susciter à volonté. Maintenant, assez sur ce sujet.

– Le type des Travaux publics...

Le député avait fermé les yeux.

– Plus tard, Chikka, plus tard.

Comme s'il en avait pris bonne note, King Kong tourna le bouton de l'autoradio et lança la musique.

Lundi 8 août

C'était exactement comme il l'avait imaginé. Le cuir des canapés profonds et celui des tabourets de bar cerclés de chrome, les sols rutilants, les comptoirs en verre derrière lesquels s'alignaient des gâteaux qu'on aurait dits faits en grande proportion de mousse à raser, l'odeur de café, les jeunes serveurs et serveuses vêtus avec élégance, affairés à servir avec une aisance et une adresse remarquables. L'inspecteur adjoint Santosh regardait autour de lui en se mordant la lèvre : comment devenait-on comme ça ? Était-ce un phénomène urbain ou naissait-on avec la certitude que la seule raison d'exister du monde était de vous rendre la vie plus belle ?

Il jeta un coup d'œil à la carte que l'un des jeunes dieux, souriant, avait déposée sur sa table d'un tour de poignet habile. Il se sentit pâlir. Un express coûtait cent cinquante roupies. Avec cette somme, il aurait pu s'acheter un mois de son mélange de café fraîchement torréfié et de chicorée à vingt pour cent. Quel genre de personnes fréquentaient donc ces endroits ?

Il balaya les lieux du regard. Un brouhaha de voix s'élevait par-dessus la musique. Une musique qui, avec son tempo rapide, évoquait la vivacité de la jeunesse. Une musique que l'inspecteur adjoint Santosh n'avait jamais entendue. Une musique que devaient comprendre et même apprécier ces filles en petits hauts riquiqui et pantalons bouffants, ces garçons aux silhouettes squelettiques en T-shirt moulant, et aux oreilles parées d'étranges objets promus au statut de boucles. Gowda lui donnait déjà le sentiment d'être stupide, mais dans cet endroit, Santosh perdait pied, il se sentait complètement inadapté.

Il était entré là sur un coup de tête. Parti porter un document au bureau du surintendant de police, il avait décidé de visiter un peu le quartier sur le chemin du retour. Il ne connaissait pas encore bien Bangalore, à l'exception de ce qu'il avait pu voir au cinéma. Alors qu'il marchait sur MG Road, sorte d'épine dorsale le long de laquelle, disait-on, un métro circulerait sous peu, il avait aperçu un café et cédé à l'attraction du verre et du chic.

Le gardien du parking l'avait immédiatement identifié en tant que policier, bien qu'il soit en civil. Sa moto avait trouvé une place où se garer comme par miracle. Pourtant, à l'intérieur, il aurait pu tout aussi bien être invisible. Il s'apprêtait à claquer dans ses doigts en s'écriant « Garçon » à l'adresse d'un des jeunes dieux, mais à peine avait-il levé la main qu'un jeune homme apparut à ses côtés.

– Vous avez choisi, monsieur ?

Il parcourut de nouveau la carte.

– Tout est terriblement cher ! ne put-il s'empêcher de commenter.

– C'est le même prix dans tous nos établissements, répondit le serveur en souriant sous cape. Si vous préférez, vous trouverez moins cher à l'Indian Coffee House, dans Church Street, à quelques minutes d'ici..., ajouta-t-il, goguenard.

Le sang de l'inspecteur adjoint Santosh ne fit qu'un tour. Il scruta le visage du jeune homme d'un regard sévère, cherchant à déchiffrer l'insulte sous les mots inoffensifs.

– Je connais Church Street. Ça ira. Apportez-moi un... comment prononcez-vous ce mot, « frappé » noisette ? demanda-t-il, le doigt sous l'intitulé de sa commande.

119

– Un frappé noisette, nota le serveur.

Santosh fit la grimace en se demandant ce qu'on allait lui servir.

– Vous voulez un nappage supplémentaire ? Sirop de framboise ? Chocolat ? Crème fouettée ?

– Non, rien d'autre. Le « frappé » et un verre d'eau, s'il vous plaît.

– Eau plate ou eau gazeuse ?

Encore choisir, quelle barbe ! Pourquoi cette vie urbaine vous réclamait-elle à chaque instant, chaque jour, de prendre des décisions personnelles ?

– Plate, dit-il en regardant le bout de ses doigts.

– Bonjour, monsieur.

D'une table voisine, Samuel lui souriait. Santosh le regarda s'approcher de lui et s'asseoir, hésitant sur le comportement à adopter devant la familiarité du photographe. Il était policier, après tout.

– L'affaire avance ? demanda Samuel.

Devait-il lui répondre qu'ils semblaient aller d'impasse en impasse et que l'homicide finirait sans doute aux affaires classées sans suite ? Personne ne réclamait la peau du meurtrier de Liaquat. Mais l'inspecteur adjoint ravala sa frustration et répondit avec toute la gravité dont il était capable :

– L'enquête progresse. Nous sommes probablement en bonne voie d'aboutir.

Samuel sourit en voyant le serveur apporter un verre de haute taille garni d'une paille tarabiscotée et d'une longue cuillère. L'inspecteur adjoint Santosh, lui, se demandait avec lequel des deux instruments il était censé boire son frappé noisette. Quel bazar ! Il aurait dû suivre le conseil du jeune homme et aller à l'India Coffee House.

Le photographe tendit la main pour retirer la paille du verre.

– Je peux ?

Santosh haussa les épaules.

– Ma fille les adore. Je les récupère partout où je peux,

expliqua Samuel en essuyant l'objet à l'aide d'une serviette en papier.

Puis, poussé par une pensée subite :

– C'est plutôt rare de voir un policier dans un endroit de ce genre.

– Je suis en service, dit Santosh prudemment en enfonçant la cuillère dans un verre qui semblait rempli pour l'essentiel de glace... pour la modique somme de cent cinquante-neuf roupies.

– Oui, je l'ai entendu dire, murmura Samuel.

Les yeux de Santosh s'arrondirent.

– Ils se présentent comme des étudiants, mais ce ne sont que des salauds sanguinaires. Tous autant qu'ils sont.

De quoi cet abruti était-il en train de parler ? Santosh but une gorgée et croqua bruyamment un glaçon.

– Mais ils ne viennent pas dans des endroits comme celui-ci. Trop exposés. J'ai entendu parler de deux ou trois cafés, plus proches de votre commissariat. C'est plutôt là que j'irais si j'étais vous, ajouta le photographe en tirant un bloc-notes de sa poche.

Il gribouilla quelques mots et tendit la feuille à Santosh. Gamal, Nirvana, lut l'inspecteur, bouche bée.

– Le premier est sur A Cross dans le complexe HRBR, l'autre sur Eighty Feet Road. Ils sont beaucoup à se retrouver là-bas, précisa Samuel en se levant pour partir.

Puis, après une pause :

– Le mort était peut-être impliqué là-dedans, après tout. Est-ce que vous avez envisagé cette éventualité ?

Santosh lui décocha un regard qui signifiait : « On n'apprend pas à un vieux singe à faire des grimaces. » Ce regard, Gowda le pratiquait plusieurs fois par jour.

– Comme je le disais, l'enquête est en cours, dit-il, sonnant la fin de la discussion.

Encore un truc qu'il avait appris de Gowda.

Au feu rouge, Santosh vit avec effroi un eunuque se frayer un chemin vers sa voiture, taper à une vitre, s'accrocher aux barres d'un autorickshaw, envoyer un baiser à un motard et marmonner quelque chose au conducteur d'une camionnette ouverte chargée de plateaux d'œufs. Deux autres traversèrent rapidement en zigzags parmi les véhicules à l'arrêt pour le rejoindre. Mais le feu passa au vert et leur proie leur échappa.

Non, je ne me laisserai pas terroriser par eux, non, je ne les laisserai pas me mettre mal à l'aise, je n'ouvrirai pas mon portefeuille pour leur donner une pièce afin qu'ils s'en aillent, criait une voix dans la tête de Santosh. Comment une ville pouvait-elle sécréter autant de turpitudes pendant la minute qu'il fallait à un feu pour changer de couleur ? Des jeunes hommes en cravate, tongs aux pieds, vendant des puzzles, des boules Quiès et des boîtes de mouchoirs en papier avec un baratin vide de sens, des petits enfants, une moustache dessinée au-dessus de la lèvre, exécutant des sauts périlleux à travers des cerceaux...

Dans le grand bourg où il avait grandi, la vie débordait à tous les coins de rue. Mais rien ne ressemblait à ça. On y trouvait bien des vendeurs de fleurs ou de fruits ambulants, des mendiants aux yeux morts, amputés de leurs membres, mais ici, c'était autre chose. Des gosses désespérés se contorsionnaient pour de l'argent, sans plaisir ; l'apparence minable et la cravate en bataille des marchands à la sauvette disaient leur misère ; les eunuques, dans leur rage muette, exigeaient de la ville qu'elle paie pour ce qu'ils étaient devenus.

En fait, Bangalore commençait à l'effrayer et son travail lui semblait de plus en plus dépasser ses capacités. Tout inspecteur adjoint qu'il était, Santosh aurait voulu pleurer et beugler, la tête sur les genoux de sa mère. Rompant brutalement avec cette désolation, il exécuta un demi-tour interdit au milieu des crissements de freins stridents et des voix furieuses des conducteurs. Le café Gamal était quelque part dans les environs, il allait vérifier les allusions de Samuel quant à sa fréquentation. Il espérait ainsi retrouver la foi qui l'avait guidé jusqu'alors, la croyance selon laquelle le monde pouvait être redressé, que tout n'était pas perdu dans cette cité sans cœur.

Ce que l'inspecteur adjoint Santosh découvrit au Gamal, c'est la Bullet de Gowda sur le parking. L'inspecteur savait-il quelque chose ? Santosh, planté à côté de la moto, hésitait à entrer. Et s'il dérangeait Gowda, peut-être en planque pour observer les cibles d'une enquête ? Mais, déjà, une petite boule de rébellion se formait au fond de lui. Si c'était le cas, il aurait dû être mis au courant. Et de toute façon, c'était un café, point barre, tout le monde pouvait y entrer. Allons, inspecteur adjoint Santosh, lui murmura railleusement sa voix intérieure qui depuis quelques jours avait pris les intonations de Gowda, montre que tu as des couilles, qu'elles ne te servent pas seulement à gonfler ton slip ! Allez, vas-y, bouge-toi.

L'inspecteur adjoint Santosh ajusta son pantalon : la couture de ce foutu vêtement s'était encore logée dans la raie des fesses. Achète-t'en un neuf, souffla le double de Gowda, un qui t'aille.

Il franchit les portes de verre, ouvertes en permanence. L'arôme puissant et plaisant du café mêlé à des effluves sucrés l'accueillit, le poussa vers la salle ombreuse. Là, ses yeux s'arrondirent en découvrant, parmi plusieurs jeunes couples indiens et étrangers, son supérieur attablé en compagnie d'une femme.

Gowda touillait machinalement son café. Il sentait les yeux d'Urmila posés sur lui, sur ce qu'ils découvraient de nouveau dans son apparence. Le liquide déborda d'un côté de la tasse. Gowda avala une gorgée. De l'eau chaude, à peu de chose près. Il recommença à faire tourner la cuillère lentement pour combattre le malaise qui les paralysait, après tant d'années de silence. Elle n'avait pas attendu le texto promis, elle l'avait rappelé. Ils étaient convenus de se rencontrer dans un café à vingt minutes du commissariat. « Parfait. J'ai justement besoin de faire des courses dans ton quartier. Je pourrai combiner les deux. »

Il avait répondu à Urmila par un grommellement. Après avoir raccroché, il s'était aperçu, en expirant, qu'il avait retenu son souffle pendant toute la communication.

Borei Gowda tentait de déchiffrer son expression. Que voyait-elle ? Un policier entre deux âges, sans qualité particulière. L'athlète de la fac s'était décati, il avait les muscles avachis, le ventre mou, proéminent. Il n'était même pas une illustration spectaculaire de la déchéance, mais seulement un homme ordinaire au charme plutôt discret et à la conversation plus que rare. Mû par cette image de lui-même, il demanda :

— Est-ce que tu essuies toujours les feuilles de tes plantes ?

Les yeux d'Urmila s'agrandirent ; un frémissement anima ses lèvres.

— Qu'est-ce qu'il y a ? J'ai dit quelque chose de drôle ?

— Je te revois après, combien déjà – vingt-sept ans ? –, et toi, tout ce que tu veux savoir, c'est si j'essuie toujours les feuilles de mes plantes ? Oui, Borei, oui, je les essuie ! dit-elle en éclatant de rire. Tu n'as pas changé d'un iota, conclut-elle, secouant la tête dans une expression de résignation.

— Tu aurais préféré que je change ? Que je sois complètement différent de celui que j'étais ? Il avait posé la question d'un ton neutre. Elle le sonda du regard.

— Toujours sur la défensive... Borei, pourquoi voudrais-tu que je souhaite une chose pareille ? Quand Michael m'a appelée pour me dire qu'il t'avait rencontré, tu sais ce que je lui ai demandé ?

Gowda examinait ses ongles. Elle attendait qu'il lui réponde « Quoi ? », bien sûr, mais son esprit de contradiction – « ce foutu défaut qui t'aliénera tout le monde », disait son père – lui clouait le bec.

— Je lui ai demandé si j'allais te reconnaître en te voyant, si tu avais changé. L'effet du temps, personne ne peut y échapper. Et toi encore moins, étant donné la nature de ton boulot. Mais quelque chose en moi voulait croire que tu étais resté le même, le Borei que j'avais connu et dont j'étais tombée amoureuse.

Le cœur de Gowda battait à tout rompre. Comme il lui était facile, à elle, de parler d'amour ! Quand avait-il prononcé ce mot pour la dernière fois ? Il retrouvait subitement ses dix-neuf ans.

– J'étais si jeune à l'époque, reprit Urmila en voyant qu'il levait les yeux vers elle, si malléable, et je voulais plaire à tout le monde. Est-ce que tu m'en veux encore de la façon dont je t'ai traité, de l'insouciance avec laquelle j'ai rompu avec toi ? Mon comportement est revenu me hanter chaque jour de mon mariage et plus tard, quand mon mari et moi avons... J'ai cru que mes fautes m'avaient rattrapée.

– Arrête, dit Gowda. J'ai survécu. Tu n'as pas à te torturer en pensant que tu avais anéanti ma vie. Ce n'était pas le cas.

« Je l'ai fait tout seul », ajouta-t-il par-devers lui.

– Es-tu heureux de la façon dont ta vie a changé ? demanda-t-elle.

– Je n'ai pas à me plaindre, répondit-il en haussant les épaules.

– Rien à regretter ?

Gowda prit une longue inspiration :

– Qu'est-ce que tu cherches à savoir, Urmila ?

Il vit sa lèvre trembler. Ses doigts lacéraient la serviette en papier. Il poursuivit :

– Si tu m'as manqué toutes ces années ? C'est non.

– Borei, je..., commença Urmila.

– Non, dit-il doucement, laisse-moi finir. Subitement, de temps à autre, mon cœur se serrait, pressé comme par une main aux doigts de fer, et je me demandais où tu étais, comment tu allais, et si nos vies auraient été différentes, vécues ensemble.

La serviette était en lambeaux.

— Tu es déçue ?

— Un peu. Je t'imaginais entretenant la flamme d'une nostalgie éternelle... Mais je suis aussi soulagée que ta vie ne se soit pas arrêtée à cause de moi.

Gowda sourit. D'un sourire dénué de toute gaieté. Il ne voulait pourtant pas revenir sur ses propos, prendre l'expression lugubre qui aurait laissé deviner à Urmila la fréquence des accès de douleur qui le secouaient tout entier. « Si seulement... » La résonance douloureuse de ces mots s'était encore amplifiée depuis qu'il avait accepté de la revoir.

— Ta famille ? demanda-t-elle.

— Ma femme est médecin. Elle vit à Hassan. J'ai un fils, Roshan. Il fait des études de médecine. Et toi ? Tu as des enfants ?

— Non, fit-elle en secouant la tête. Mon mari n'en voulait pas. Un refus catégorique.

Gowda vit les lignes de défaite qui striaient son visage. Il brûlait de se pencher vers elle pour lisser ses traits d'une caresse.

— Je suis contente d'avoir décroché le téléphone pour t'appeler ce matin, reprit-elle avec candeur. L'aurais-tu fait, sinon ?

Gowda étendit les mains devant lui. Ses yeux sondaient le regard d'Urmila.

— Moi aussi, je suis content de ton initiative. Non, je n'aurais pas appelé de moi-même, j'avais trop peur. Nous ne sommes plus ceux que nous étions, et je redoutais que tu sois devenue distante, dédaigneuse...

— Dédaigneuse ? s'exclama-t-elle en tendant le bras pour prendre sa main entre les siennes. Il ne s'est pas passé un jour sans que je pense à toi depuis que...

En un éclair, Gowda retira sa grosse patte et se rua dehors avec une vélocité étonnante pour sa taille, laissant Santosh stupéfait et Urmila sans voix.

Son cœur battait si fort qu'il avait l'impression à chaque pas d'être au bord d'une attaque. Il ahanait, sa respiration tirait de plus en plus fort sur le muscle cardiaque. Un essaim d'abeilles bourdonnait dans sa tête, martelait l'arrière de ses globes oculaires, embrumait sa vision, cherchait à s'échapper par ses oreilles dans un vrombissement torride. Mais il continuait à courir, tentant de se figurer de quel côté s'étaient enfuis son fils et l'Africain.

Quand Urmila lui avait pris la main, il n'avait su où poser les yeux. Peut-être était-ce l'anxiété qui avait éparpillé son regard dans toutes les directions, la peur que quelqu'un les observe, elle et lui, deux adultes d'âge mûr se tenant la main en plein jour et en public, au son des Dire Straits chantant « So Far Away ».

Ou était-ce une déformation professionnelle, l'œil froid, clinique du policier qui transforme tout ce qu'il rencontre en comportement potentiellement louche, condamné au doute à perpétuité.

Ou encore n'était-ce que le regard ordinaire, congénital du mâle humain programmé pour fondre sur tout ce qui bouge, traquant la gent féminine même quand il en a un spécimen auprès de lui.

À moins que ça n'ait été qu'une simple coïncidence ? Quoi qu'il en soit, il avait tourné la tête vers un profil qui lui avait semblé familier. Roshan !

D'abord, il avait éprouvé une vague de panique à l'idée que son fils ait pu le voir en compagnie d'Urmila. Puis il avait constaté que Roshan était très absorbé dans sa conversation avec un jeune homme, un Africain. On aurait dit qu'il le suppliait. L'autre restait de marbre devant le désespoir, le regard implorant qui trahissait un besoin abject. L'Africain s'était léché les lèvres et avait reculé le buste en croisant les bras, marquant la distance. C'est alors que ses yeux avaient rencontré ceux de Gowda. Une lueur les avait traversés. Il venait de reconnaître en lui un flic. Criminels et policiers ont en commun ce don de se repérer mutuellement, même au milieu d'une foule.

L'Africain s'était levé en hâte et, après une seconde d'hésitation, avait saisi le bras de l'adolescent pour l'entraîner, presque de force. Roshan, ce triple imbécile, l'avait suivi sans protester. Et tandis qu'Urmila lui parlait de Dieu sait quoi, Gowda avait dégagé sa main de la sienne. Sans perdre un instant en excuses polies, il s'était élancé derrière les deux compères qui avaient pris leurs jambes à leur cou. Mais ils avaient une longueur d'avance sur lui, ils étaient jeunes et ils devaient à tout prix lui échapper, autant de bonnes raisons pour le semer. Ils avaient disparu au tournant d'une ruelle, le laissant pantelant, furieux d'être en si médiocre forme et en proie à l'épouvante : dans quel bourbier son fils s'était-il fourré ?

Plié en deux, mains aux genoux au beau milieu de la rue, Gowda aspirait l'air à longues goulées. Le sang qui menaçait, sous la pression, de jaillir en geyser de son crâne reprenait peu à peu son cours normal dans son corps. Il s'aperçut brusquement que Santosh, debout à ses côtés, s'adressait à lui depuis un moment avec insistance :

– Qu'est-ce qui se passe, monsieur ? Est-ce que ça va ? Pourquoi poursuiviez-vous ces garçons ?

Gowda se redressa lentement.

– Qu'est-ce que vous faites ici ?

Cet idiot l'avait-il vu en compagnie d'Urmila ? Avait-il reconnu Roshan ? Des signaux de panique se déclenchèrent à l'arrière du crâne encore bourdonnant de Gowda. Puis, exhumant du tréfonds de lui-même un ton d'autorité, il aboya :

– Je vais vous le dire. Une minute. Attendez-moi ici.

Mais Urmila était déjà partie et avait payé sa consommation pour marquer son mécontentement. Gowda poussa un soupir. Rien n'avait changé. Le scénario n'était pas nouveau, il s'était déroulé souvent de la même façon à l'époque où ils étaient ensemble. Il paya son café, ignorant les regards curieux posés sur lui, et sortit rejoindre Santosh qui l'attendait, piaffant d'impatience.

Il allait devoir appeler Urmila, bien sûr, pour s'expliquer. Et ensuite ? Il leur faudrait repartir de là où elle en était restée, de ce qu'elle avait essayé de lui dire. Il voulait de nouveau l'entendre, sentir la chaleur de sa peau contre la sienne. La revoir lui avait fait du bien. Une part de lui-même aurait souhaité revivre tout ce qu'ils avaient partagé. Une autre, plus insistante, renâclait à cette idée. Il avait connu d'autres femmes, certes. Une chargée de cours à la fac, pendant quelque temps, puis une réceptionniste d'hôtel. Ces aventures – sexe et conversations, mais aucun échange fondamental – n'étaient jamais allées beaucoup plus loin que la satisfaction d'un besoin physique. Il n'avait jamais eu à affronter ni culpabilité ni remords.

Urmila, c'était une autre affaire. Elle n'accepterait jamais une histoire de cul sans lendemain. Elle exigerait davantage. Était-il capable de lui apporter ce dont elle avait besoin ? « Kabhi kabhi... » Tandis qu'il s'interrogeait sur la suite à apporter à leurs retrouvailles, son téléphone se manifesta brutalement. Merde ! Dès qu'il serait tranquille, il lui faudrait changer cette sonnerie stupide qui lui avait valu de se trouver dans cette situation.

– Oui... Et soudain il se redressa, rentra le ventre, ses émotions sous contrôle, l'attention en éveil.

Sous les yeux de Santosh, le Gowda incohérent, englué dans ses pensées, se mua au rythme implacable d'un cerveau en ébullition en un tout autre homme, alerte, actif, qui fit claquer son portable en le refermant.

– On a un nouvel homicide sur les bras. Un jeune homme. On a repêché son corps dans le lac Yellamma. Il a eu la gorge tranchée, lui aussi.

Il était presque minuit quand il arriva chez lui. Ils étaient d'abord passés par la morgue. « On ira au lac demain, avait-il dit à Santosh qui mourait d'envie de voir la scène de crime. Je n'y suis pas retourné depuis des années, j'ai envie de revoir

129

cet endroit. Mais d'abord, le cadavre. J'ai besoin de confirmer que le mode opératoire est bien le même que dans les affaires précédentes. Juste un coup d'œil. Puis je dois rentrer chez moi, j'ai quelque chose à faire », avait-il conclu en plissant les yeux.

Finalement, sa journée avait été plus longue que prévu, car il avait dû assister à la mise en œuvre de plusieurs procédures. Apparemment, la victime était le fils d'un secrétaire d'État adjoint au gouvernement de l'Haryana. L'avant-veille au soir, le père avait reçu un coup de fil lui annonçant que son fils était mort. Comme il avait parlé à ce dernier quelques heures auparavant, il avait cru à une mauvaise plaisanterie. Mais au bout de quarante-huit heures sans nouvelles de lui, il avait commencé à s'inquiéter et déclaré sa disparition. Le corps avait été identifié grâce au permis de conduire trouvé dans le portefeuille qu'il avait sur lui.

Aussitôt, les administrations respectives de l'Haryana et du Karnataka s'étaient mises en branle. Gowda, impuissant à faire accélérer les choses, avait dû prendre son mal en patience.

Roshan, de toute évidence, faisait semblant de dormir. Mais Gowda, fatigué, affamé et furieux, n'était pas disposé à céder à cette feinte, pas plus qu'au désir de respecter la trêve qu'il avait négociée la veille avec son fils en s'excusant de l'avoir giflé. Tant pis si elle tournait court. Les yeux du garçon étaient fermés, trop bien fermés.

– Je sais que tu ne dors pas, déclara Gowda en s'approchant du lit. Lève-toi !

Roshan se dressa en sursaut sur son séant, clignant furieusement des paupières.

– Qui c'était ? Qu'est-ce que tu faisais avec lui ?

– De quoi tu parles ? demanda Roshan, opposant à l'agressivité de son père une indignation d'homme blessé.

– Arrête de faire semblant, Roshan, je t'ai vu. Je t'ai vu au Gamal avec l'Africain.

– Osagie, marmonna Roshan.

– Quoi ?

– C'est son nom. Ça veut dire « envoyé de Dieu » en nigérian.

Gowda saisit le portefeuille de son fils sur la table de chevet et l'ouvrit.

– Qu'est-ce que tu fais, *Appa* ?

– À ton avis ? Je cherche de la drogue, gronda Gowda entre ses dents.

– Dans ce cas, tu devrais aussi me fouiller à corps, répliqua Roshan en se mettant debout, bras en croix.

Gowda considéra le garçon qui soutenait son regard sans émotion. Il était aussi grand, sinon plus grand que lui.

Gowda jeta le portefeuille sur le lit en soupirant.

– Alors, qu'est-ce que tu faisais avec ton « envoyé de Dieu » ?

– Rien, *Appa*. C'est l'ami d'un ami. On bavardait... de choses qui nous regardent, ajouta l'adolescent sur la défensive.

– Dans ce cas, pourquoi a-t-il pris la fuite en me voyant ?

Roshan se mordit la lèvre.

– Il a des problèmes de visa. Je n'ai pas eu le temps de le rassurer. Il m'a saisi par le bras et je l'ai suivi sans savoir pourquoi. Plus tard, je lui ai dit que j'aurais pu vous présenter, mais il a vraiment peur, *Appa*. Ces gens dépensent jusqu'à leur dernier sou pour venir étudier ici, et s'ils sont expulsés, c'est fini pour eux.

La voix de Roshan avait faibli. Gowda se laissa tomber sur le lit.

– Soit tu es un menteur de première, soit tu es le roi des naïfs. Alors, soit, je t'accorde le bénéfice du doute, je vais faire comme si tu disais vrai. Mais écoute-moi bien. Le Gamal est sous surveillance, c'est un lieu de trafic de drogue. C'est avec ta vie et ta liberté que tu joues. Si tu as deux sous de bon sens, évite de te faire impliquer là-dedans malgré toi.

Il se leva et se dirigea vers la porte.

– *Appa*..., commença prudemment Roshan, qui était la femme attablée avec toi ?

Gowda eut un temps d'arrêt. Il fallait gagner du temps. « Si tu ne dis rien à *Amma* de ce que tu as vu, j'en ferai autant pour ce qui te concerne. Affaire conclue. » Le garçon avait quelque chose à cacher.

– Urmila, une ancienne camarade de fac, de passage à Bangalore, répondit-il d'un ton tranquille.

Mardi 9 août

Le commissaire principal Vidyaprasad fulminait. L'inspecteur adjoint Santosh regardait sa montre, l'air malheureux. Les autres se trémoussaient sur leur chaise dont chaque craquement trahissait leur impatience.

– Où est Gowda ? gronda le commissaire, retournant sa colère sur Santosh. Vous n'êtes pas arrivés ensemble ?

– Non, monsieur, il m'a dit qu'il viendrait de son côté, marmonna le jeune inspecteur.

Mais où diable était-il allé ?

– Il ne va pas tarder, monsieur, conclut-il après coup, pour essayer de pacifier l'autre.

Des voix retentirent au-dehors et Santosh se détendit. L'une d'elles, au timbre grave, était indubitablement celle de Gowda. Quand la porte s'ouvrit, les yeux de Santosh s'arrondirent. Gowda était accompagné de Sainuddin Mirza, surintendant de la police de Bangalore, « le seul homme de la Criminelle pourvu d'intelligence et d'éthique à proportions égales », lui avait-il expliqué.

Le commissaire principal pinça les lèvres. C'était lui qui avait convoqué cette assemblée. Que faisait le surintendant ici ? Et Gowda semblait entretenir de très bons rapports avec lui, première nouvelle ! Il se leva sèchement pour saluer son supérieur, à l'instar des autres officiers qui formaient l'assistance.

133

Le surintendant hocha la tête.

– Messieurs, il semble que nous ayons à résoudre une affaire bien singulière.

– C'est pourquoi j'ai pensé qu'il était utile d'impliquer la Police criminelle, dont nous avons deux représentants avec nous aujourd'hui, commença Vidyaprasad. Avec leur expérience...

Sainuddin Mirza fit un petit signe de tête aux deux hommes assis au fond de la salle et s'adressa à l'un d'eux :

– Selon vous, Stanley, s'agit-il d'un tueur en série ? C'est apparemment l'avis de Gowda...

Le commissaire principal Stanley Sagayaraj se gratta la gorge.

– C'est aussi ma première impression, monsieur. Mais jusqu'à...

– *Mais*, coupa brutalement Vidyaprasad. C'est exactement ce que je pense. Trois homicides en trois points différents de la ville. Le premier, un homme d'âge mûr, classe moyenne. Le deuxième, un minable de Shivaji Nagar. Et le troisième qui travaillait dans un centre d'appels du Haryana. Rien ne suggère un motif commun. De fait, le deuxième est mort de brûlures. On se raccroche à des fétus de paille.

– C'est presque toujours le cas au début d'une enquête. Un vague soupçon et un fil ténu, marmonna Gowda en tapant du bout de son crayon sur la table.

Sagayaraj tiqua. Santosh regardait ses mains. Une boule s'était formée dans son estomac. Pourquoi Gowda leur donnait-il des verges pour se faire fouetter ?

Sainuddin Mirza jeta un regard coléreux à l'inspecteur rebelle. Parfois Gowda aurait mérité qu'on lui scotche la bouche. On ne savait jamais ce qu'il allait dire. Une calamité pour le service... Le pire était que cet imbécile possédait d'indiscutables qualités, mais il ne savait pas en faire usage. Sur le terrain, il n'avait jamais vu un officier pourvu d'un tel flair et d'une telle acuité.

– Monsieur, avec votre respect, nous sommes en Inde. Nous n'avons pas de tueurs en série chez nous. L'inspecteur Gowda fait preuve d'une imagination débordante, dit Vidyaprasad.

Gowda leva les yeux :

– Vous voulez dire que des types comme Auto Shankar, Surender Koli et Umesh Reddy n'étaient pas des tueurs en série ?

– Oh, eux ! De toute façon, s'il s'agit de l'œuvre d'un tueur en série dans l'affaire qui nous occupe, la Criminelle est en meilleure position que nous pour l'établir.

Vidyaprasad jeta un coup d'œil à Gowda, s'attendant à lire de la déception sur ses traits. Mais celui qu'il cherchait à atteindre étouffait un bâillement derrière sa main. Une veine se mit à battre à la tempe du commissaire principal ; il se sentait au bord de l'infarctus.

– Le commissariat de Gowda n'est pas équipé pour s'occuper d'enquêtes de ce genre, ajouta-t-il.

Le surintendant lui-même ne pouvait en disconvenir.

Gowda était une épine dans le pied de Vidyaprasad, mais aussi d'un groupe de policiers qui avaient tous contribué à pousser l'inspecteur au fond du trou à rat où il végétait à présent.

Le surintendant croisa les mains devant lui et garda le silence quelques secondes.

– C'est exact, commença-t-il après réflexion, mais je pense que nous serions mal inspirés de ne pas inclure l'inspecteur dans notre enquête. Nous sommes réunis ici aujourd'hui parce qu'il a établi un lien entre trois homicides qui semblaient n'entretenir aucun rapport entre eux. Voici ce que je propose : Stanley et son équipe peuvent commencer à enquêter de leur côté, et Gowda du sien. Ce que nous cherchons, c'est à coincer l'auteur ou les auteurs des crimes. Qu'il s'agisse d'homicides sans lien entre eux ou en série, peu importe, en l'occurrence. J'espère que vous le comprenez, commissaire, dit-il en s'adressant à Vidyaprasad, qui piqua un fard.

— Peut-être l'inspecteur Gowda pourra-t-il nous faire part de ses impressions au fur et à mesure, ajouta Stanley d'un ton neutre.

— Parfait, dit le surintendant en se levant. Tenez-moi au courant. Je veux pouvoir suivre chaque étape de l'enquête.

Il regardait Gowda et Santosh sortir en compagnie des officiers de la Criminelle quand Vidyaprasad le rattrapa.

— Je ne vois vraiment pas l'utilité d'associer Gowda à cette affaire, monsieur, commença-t-il.

— Je ne l'y ai pas associé. Il enquête depuis le début sur deux de ces trois affaires. Les confier exclusivement aux hommes de la Criminelle serait démoralisant pour lui. Les policiers ont besoin d'être encouragés et non l'inverse.

— Tout cela est bien beau, monsieur, mais Gowda sera livré à lui-même...

— Pourquoi ? Vous partez ? Où ?

— Je prends dix jours de congé à partir de jeudi prochain, monsieur.

— Eh bien, annulez. Vos vacances peuvent bien attendre..., trancha le surintendant en prenant son portable sur la table où il l'avait posé.

— Très bien, monsieur, soupira le commissaire.

Vidyaprasad n'avait pas l'intention de se mettre à dos le surintendant, ce gland pontifiant, mais s'il croyait qu'il allait annuler son petit voyage à l'étranger... Il se ferait fournir un certificat médical établissant qu'il avait la grippe aviaire, il tuerait sa belle-mère, il invoquerait une urgence familiale, n'importe quoi.

Il jeta un coup d'œil à son bloc-notes. Il lui restait quelques courses à faire en vue de ses vacances. Un agent immobilier avait arrangé ce voyage pour sa femme et lui : cinq jours à Bangkok, trois à Singapour... Son bienfaiteur avait dit en lui tendant une enveloppe : « J'ai tout prévu, billets d'avion, transport vers les aéroports, hôtels... et de quoi vous acheter des chocolats. Mon intermédiaire vous emmènera voir quelques endroits intéressants pendant que votre femme se reposera », avait-il ajouté avec un sourire entendu.

Le commissaire principal tapota sa liste. Son projet connaîtrait un « heureux dénouement », que le surintendant le veuille ou non.

– Alors, dites-moi, commença Stanley en se renversant, bras croisés, contre le dossier de son siège.

Santosh retint son souffle. Gowda allait-il exploser ? Il supportait difficilement la condescendance, et l'homme de la Criminelle s'adressait à lui comme à un enfant difficile qu'on cherche à apprivoiser.

L'inspecteur lui jeta un coup d'œil furibond. Puis, dans un rictus :

– J'ai bien aimé ton « Peut-être l'inspecteur Gowda pourra-t-il nous faire part de ses impressions ». Où tu as appris à parler comme ça ?

Stanley rugit de rire.

– J'ai bien vu que notre commissaire principal ne pouvait pas te saquer. Je voulais en rajouter une couche...

Le regard de Santosh allait de l'un à l'autre. Ainsi, ils se connaissaient et semblaient bons amis. L'étape suivante n'en serait que plus aisée. Santosh soupira d'aise. Il commençait à se comporter avec Gowda comme une vieille tante célibataire à qui son neveu aurait été confié. Il s'inquiétait à tout bout de champ pour lui et redoutait tout ce qu'il s'apprêtait à dire ou à faire.

– Le commissaire principal Stanley Sagayaraj était à la fac en même temps que moi, dans une classe supérieure. Il était aussi le capitaine de mon équipe de basket, jusqu'à ce qu'il jette l'éponge, murmura Gowda à l'oreille de son second tout en gagnant son bureau.

Gowda s'assit en face de son collègue de la Criminelle et sortit ses notes.

– L'inspecteur adjoint Santosh, dit-il, a effectué une recherche en profondeur dans les archives de la police du Karnataka et de la police de Bangalore, pour voir si le mode opératoire avait un précédent. Il n'a rien trouvé.

Santosh avait passé de longues heures aux sièges respectifs des archives criminelles de l'État et de la ville, assis devant un ordinateur, à étudier des dossiers innombrables. Activité frustrante s'il en était, mais c'était la première fois que Gowda le faisait participer à l'enquête. Il était à l'affût d'une succession d'actes et d'armes semblables – coup sur la tête porté avec un instrument contondant pour assommer la victime, puis strangulation avec la corde incrustée de verre pour trancher la chair dans le même mouvement. Il avait essayé toutes les combinaisons possibles d'éléments, mais les données étaient restées muettes.

– Voici donc un nouvel homme sur la piste du meurtrier…, dit Stanley en lui adressant un signe de tête.

– Il y a autre chose…, reprit Gowda.

Santosh écarquilla les yeux en le regardant. Que voulait-il dire par là ?

– Parmi les affaires trouvées sur Liaquat, il y avait une boucle d'oreille avec une perle fine.

– Et… ? l'encouragea Stanley en se penchant en avant.

– Les trois victimes, c'est-à-dire le pharmacien Kothandraman, Liaquat et Rûpesh, le jeune repêché du lac, ont toutes été tuées de la même façon. C'étaient tous des hommes en bonne santé qui auraient pu opposer une résistance et qui n'en ont rien fait. On a la preuve que Kothandraman avait eu des rapports sexuels peu avant de mourir. Des traces de sperme. Il est impossible de déterminer si c'est aussi le cas de Rûpesh – tu peux imaginer dans quel état se trouvait le corps au bout de presque trois jours passés dans l'eau. Mais quelque chose me dit qu'il avait eu des rapports sexuels, lui aussi. Quant à Liaquat, il n'était sans doute pas prévu de le tuer. Il a probablement vu par inadvertance quelque chose qu'il n'aurait pas dû voir et on l'a liquidé à cause de ça. Peut-être que le meurtrier n'était pas seul ? Qu'il travaillait en équipe avec quelqu'un ? Une femme ?

Mercredi 10 août

Gowda faisait cliqueter les glaçons contre les bords du gobelet en contemplant le ressac du whisky. Sa robe brun doré tirait sur un ton cannelle vers le centre, à moins qu'il se soit agi d'une illusion d'optique créée par la lumière.

Il entendait jouer une musique ; des groupes de bougies trapues brûlaient çà et là sur les tables. Tout le monde semblait se connaître.

Un couple assis sur un sofa était plongé dans une conversation sur ses enfants, étudiants dans des universités étrangères. Debout près de la porte-fenêtre, que l'on avait ouverte pour laisser entrer l'air frais nocturne, plusieurs personnes discutaient de microbrasseries et de Cat Stevens. Un peu plus loin, installés sur les chaises en rotin de la véranda, d'autres invités parlaient du dîner qu'ils avaient partagé au club des œnophiles la semaine précédente. Rires, voix étouffées, parfums coûteux, froufrous de soieries et de lin, scintillements de diamants. Que faisait-il là ? Avec une femme telle qu'Urmila ?

Après avoir cru qu'elle ne voudrait plus jamais lui adresser la parole, il avait reçu un coup de fil d'elle un peu plus tôt dans la journée. Elle lui avait parlé comme si de rien n'était, comme s'ils s'étaient séparés l'avant-veille dans des conditions parfaitement normales. « Je donne un petit dîner ce soir avec

140

quelques amis. En fait, je l'ai décidé ce matin même. J'ai aussi invité Michael. Tu veux bien te joindre à nous, Borei ? »

Une invitation aussi délicatement formulée ne méritait pas d'être déclinée sous un prétexte grossier.

– Borei, ça va ? demanda Urmila qui venait de le rejoindre.

Il sourit benoîtement en haussant les épaules et marmonna :

– Je m'émerveillais de la couleur du whisky.

Elle lui rendit son sourire.

– Parfait. On devrait toujours regarder le whisky avant de le boire. Ensuite, le sentir. Tenter de détecter les nuances d'une simple goutte avant de la savourer en bouche. Alors les papilles peuvent apprendre à associer couleur, arôme et goût, à distinguer un whisky d'un autre. J'aurais préféré que tu n'ajoutes pas de glaçons à ton single malt. Un vrai sacrilège...

Gowda la considéra avec surprise. Qu'est-ce que c'est que ce charabia ? s'insurgeait une voix coléreuse dans sa tête. Un whisky était un whisky et si elle voulait connaître le fond de sa pensée, il préférait le rhum en toute circonstance. Une envie lancinante le prit de se retrouver avec quelqu'un comme Mamtha. Elle n'aurait pas su faire la différence entre un mural et une fresque, ni identifier un single malt si on le lui avait mis sous le nez, mais chaque centimètre carré de sa personne rebelle et bourrue lui était familier. Elle était son univers.

Une autre voix, moins querelleuse mais plus sévère, s'éleva jusqu'à couvrir la précédente : Tu recommences, Borei... tu fiches tout en l'air. Toutes ces années, ces vingt-sept foutues dernières années, tu as gardé Urmila au secret de ton cœur, tu l'as emportée partout où tu allais, à l'école supérieure de police, dans les locaux du commissariat, dans ta chambre à coucher, dans le lit conjugal, dans ces moments de silence et d'intimité que tu réussissais à préserver, dans le vacarme des processions de rue, sur les scènes de crime les plus atroces... Elle était ton oasis de calme à chaque moment de veille et maintenant tu veux de nouveau tout foutre en l'air avec tes manières de flic barbare, ta susceptibilité maladive. Borei, Borei, à quoi tu penses ?

— À quoi tu penses ? fit écho Urmila en lui touchant le coude. Il sursauta.

— À rien. Urmila... au sujet de l'autre soir, il faut que je t'explique...

· Je n'aurais pas dû, je t'ai mis dans l'embarras, dit-elle en se détournant.

— Non, Urmila, ce n'est pas ça... c'était..., bafouilla-t-il, cherchant ses mots. J'ai toujours espéré qu'un jour, toi et moi...

— Borei, non...

— Non, écoute ce que j'ai à te dire. Au café, j'ai vu mon fils. Il la vit écarquiller les yeux et se hâta de poursuivre.

— Ce qui m'a inquiété, c'est qu'il était avec un étranger, un Africain. Le Gamal est sous surveillance. C'est un des lieux que fréquentent les étrangers et les étudiants, idéal pour le trafic de drogue. Quand l'Africain m'a repéré, il a pris la fuite en entraînant Roshan et j'ai dû me mettre à leur poursuite. Tu comprends, à présent, dis ? Ce n'était pas toi...

Un sourire jouait sur les lèvres d'Urmila. Gowda aurait voulu se pencher pour l'embrasser. Toucher l'éclat chaleureux de sa peau, presser ses yeux las contre sa joue sans ride. Elle vieillissait bien. Pour une femme qui approchait de la cinquantaine, elle en faisait presque dix de moins. Gowda se prit à la comparer à Mamtha. Celle-ci était plus jeune, mais toute son apparence dénonçait la femme sur le retour : ses cheveux gris et rêches ratissés vers l'arrière et noués en un petit chignon sur sa nuque, ses saris en coton empesé, son sac en cuir vieux jeu, la ligne qu'était devenue sa bouche, le rire tari au fond de ses yeux.

Gowda poussa un soupir. Mamtha le fatiguait, alors qu'Urmila lui procurait une sensation de jeunesse. Elle lui donnait l'impression d'être encore capable de faire quelque chose de sa vie, l'impression que, d'une certaine manière, cette vie ne lui était pas passée sous le nez.

– Tu as parlé à ton fils ?

Gowda acquiesça.

– Et alors ?

– Il m'a raconté je ne sais quelle histoire sur Osagie – c'est son nom, qui signifie « envoyé de Dieu ». Son visa ne serait pas en règle, ce serait donc un fugitif aux yeux de la loi indienne, etc., dit-il avec lenteur.

– Mais tu ne le crois pas, sonda Urmila prudemment.

Gowda prit une gorgée de whisky et secoua la tête.

– Non.

Il se rappelait le choc qu'il avait éprouvé en découvrant une petite poche en paille soigneusement enroulée dans un T-shirt. Elle contenait une modeste provision de marijuana et une autre de hasch. En même temps, une sorte de soulagement s'était insinué en lui : au moins, Roshan ne touchait pas aux drogues dures. Pas encore.

– Et... ?

– Et je n'ose pas l'affronter. Les confrontations conduisent à des menaces. C'est ça ou... On ne peut pas faire ça aux gens qu'on aime.

– C'est pour cette raison qu'à l'époque tu... ? commença Urmila, mais soudain quelqu'un se dressa à côté d'eux.

– Suffit, les roucoulades, intervint Michael. Est-ce que vous vous rendez compte que vous avez discuté ensemble toute la soirée ?

Gowda et Urmila se regardèrent. Qu'était-elle sur le point de lui dire ? Il ne le saurait jamais.

– Alors, que pense Lady Deviah de Bangalore aujourd'hui ? demanda Michael sur un ton taquin.

– Lady ? releva Gowda en haussant les sourcils.

Urmila rougit.

– Mon mari a été fait chevalier il y a quelques années. Comme nous ne sommes pas divorcés officiellement, je suis toujours Lady Deviah.

– Je l'ignorais, dit Gowda d'un ton neutre, sans laisser voir que son cœur sombrait au fond de ses entrailles.

Lady Deviah...

Urmila le regardait, un désir muet dans les yeux. Ses doigts jouaient machinalement avec ses bagues. Il y a tant de choses que tu ignores, Borei, se disait-elle. Mais écouterais-tu seulement, si je te racontais ?

Michael voyait les expressions se succéder sur leurs visages. Il se racla la gorge bruyamment. S'il avait fait une erreur en cherchant à rapprocher ces deux-là ? « Aïe aïe aïe, disait souvent Becky, quel fichu entremetteur tu fais ! Toujours à fourrer ton nez là où tu ne devrais pas, et regarde un peu le résultat ! »

Michael était submergé par le poids des émotions – les siennes, les leurs – devant ce passé qui ne leur laissait aucun moyen de se racheter.

– Il faut que j'y aille, déclara Gowda tout à trac. Je travaille demain...

– Mais tu viens d'arriver, protesta Urmila en posant la main sur sa manche.

« C'est tout ce que je peux me permettre, disait le geste, je ne peux exiger plus, bien que j'en aie le désir. Tu es un homme marié. Et je suis Lady Deviah. »

– Encore dix minutes, c'est tout ce que je te demande.

Gowda fit oui de la tête. Le sourire de reconnaissance d'Urmila lui retourna les boyaux. Qu'est-ce que je suis en train de faire ? Ma carrière est au point mort, ma femme est une étrangère, mon fils se drogue sans doute et voilà que je retombe amoureux. Est-ce que j'ai vraiment besoin de ça dans ma vie en ce moment ?

– Non, dit Michael.

– Non, quoi ? grogna Gowda.

– Non, ne pars pas tout de suite. Reste encore dix minutes.

Jeudi 11 août

Gowda fixait l'écran de son portable. Il venait de sélectionner la fonction « Créer un message », et l'espace vide le narguait.

Il posa son téléphone et se pencha en avant, les mains agrippées au bord du bureau, quand un bip retentit. Un nouveau texto d'Urmila : *Merci d'être venu à mon dîner hier. Crois-tu que nous pourrons un jour terminer une conversation ?*

Le cœur de Gowda s'emballa. Un sourire flottait au coin de ses lèvres. Il avait soudain dix-neuf ans. Tous ses doigts partageaient la joie du pouce qui pressait la touche « Répondre ». Roshan disait qu'on écrivait des textos avec les pouces, pas avec l'index, comme il le faisait méticuleusement et méthodiquement.

Oui, choisis le jour, l'heure et l'endroit, et je te promets de ne pas m'enfuir cette fois-ci.

Il imagina le message traversant le ciel de la ville, puis l'expression d'Urmila en le voyant atterrir sur ses genoux. Quelque chose en lui s'animait.

L'écran de son téléphone s'alluma. La frimousse tout sourire d'un smiley, accompagnée de : *Ce soir chez moi, huit heures.*

Y serai, tapa Gowda.

J'ai hâte.

Moi aussi.

Un sourire béat ne quittait plus ses lèvres. Merde ! Qu'est-ce qu'il venait de faire ? Dans quoi s'était-il fourré ?

Quand Santosh entra, il crut avoir une attaque en voyant Gowda le taciturne fixer son téléphone avec un sourire idiot. Il doit réagir à une bonne grosse plaisanterie, se dit-il. Il ne voyait rien d'autre qui eût pu dérider son supérieur.

– Bonjour, monsieur.

Dans la seconde qu'il fallut à Gowda pour lever les yeux, Santosh le vit réintégrer la peau de l'inspecteur qu'il connaissait, dont l'expression semblait dire : « Quoi encore ? »

– Le photographe est arrivé, monsieur.

Gowda fronça les sourcils.

– Quel photographe ?

– Samuel, monsieur, le témoin dans l'affaire Liaquat.

– Qu'est-ce qu'il veut ? Vous ne pouvez pas vous occuper de lui ?

– Non, monsieur. Il insiste pour vous voir. Il est accompagné de deux personnes. Deux dames, monsieur.

– Faites-les entrer.

Il ouvrit un dossier et feignit d'être absorbé par la lecture du rapport qu'il contenait en les entendant approcher. Brusquement, il s'aperçut que c'était exactement ce que faisait le commissaire principal Vidyaprasad quand il demandait à le voir. « Faites vite, je n'ai pas de temps à vous accorder, disait clairement son attitude. Mon devoir d'abord, vous et vos problèmes ensuite. » Il referma le dossier d'un claquement sec et fit signe à ses visiteurs de s'asseoir. Il n'en ressemblait pas moins à Vidyaprasad avec son air sévère. Pourquoi ne pouvait-il pas se montrer aimable ? Dire : « Asseyez-vous, je vous en prie, mettez-vous à l'aise », n'importe quoi plutôt que ce geste condescendant qui signifiait : « Vous pouvez vous asseoir, mais ça ne va pas plus loin. » Il se décida à sourire.

– Oui, en quoi puis-je vous aider ?

– Je vous présente Prabha, monsieur, dit Samuel en désignant la personne aux cheveux gris assise à sa gauche.

Elle avait le visage d'une femme qui en avait vu de toutes les couleurs. Elle portait les cicatrices de ses batailles comme une bannière proclamant : « Ne me cherchez pas. »

– Et voici Ananya.

La jeune femme était trop grande, et son visage trop anguleux au goût de Gowda. Autre chose en elle le gênait, mais il ne pouvait pas mettre le doigt dessus. Il avait vu le regard de Santosh s'attarder sur elle quand il les avait introduits dans son bureau.

– Merci de nous recevoir, dit Samuel.

Gowda pressa un bouton sous son bureau. Un agent entra.

– Vous désirez un café ? Un jus de fruits ?

– Merci, monsieur, nous venons de prendre le petit déjeuner, répondit le photographe en souriant.

– Si, si, buvez quelque chose. Des jus de fruits, poursuivit-il en se tournant vers l'agent, et du gâteau.

Il faut absolument que je me débarrasse de cette serviette ridicule drapée autour de mon dossier, se morigéna Gowda en se renversant sur son siège.

– Nous avons une exposition de photos à Ananda, la résidence d'artistes près de Gubbi. Notre recette ira entièrement à l'organisation non gouvernementale que nous avons fondée pour la défense des transsexuels.

Gowda se mordit la lèvre tout en déplaçant machinalement un presse-papiers d'une pile de dossiers à une autre.

– Ils ont vraiment besoin d'aide ? Vous avez vu le danger qu'ils représentent aux feux des carrefours ? Nous recevons un nombre considérable de plaintes !

Le photographe se tourna vers Ananya.

– Notre vie n'est pas facile, dit-elle.

Le presse-papiers, échappant à la main de Gowda, s'écrasa bruyamment par terre. Il fixait la fille qui, non, n'était pas une fille, mais pas un garçon non plus. Pourtant, on n'y aurait vu que du feu. Qui aurait pu reconnaître en elle un eunuque ?

– Vous..., hésita-t-il.

– Oui, je suis une transsexuelle. J'ai eu la chance d'être élevée et éduquée par une grand-mère indulgente qui m'a laissée faire ce que je voulais. On me taquinait, mais ce n'était pas insupportable, alors que la majorité d'entre nous est perpétuellement en butte au ridicule. Au point que notre seule issue est de devenir des travailleuses du sexe. Nous finissons par mourir de maladie ou de mauvais traitements. Même le rêve réconfortant d'une vie de couple, auquel peuvent se raccrocher les plus pauvres des Indiens, nous est interdit. « Ils vécurent heureux pour le restant de leurs jours », ce n'est pas pour nous. Les gouvernements changent, les guerres se succèdent, le produit national brut augmente, nos chercheurs conquièrent l'espace, mais nos vies restent ce qu'elles ont toujours été. Personne ne veut de nous. Personne ne s'interroge sur nous. Nous sommes à la fois présentes et absentes, à l'image de notre sexualité.

La gravité du ton prenait Gowda à la gorge, même s'il s'agissait clairement d'un discours bien rodé, prononcé à maintes reprises.

– C'est pourquoi, monsieur, nous vous serions très reconnaissants de bien vouloir inaugurer notre exposition, déclara Samuel.

– Pourquoi moi ? s'exclama Gowda, intimidé. Je ne suis qu'un simple inspecteur de police. Vous devriez demander à un artiste, à un travailleur social ou à une personnalité.

Ananya devança Samuel :

– Ce dont nous avons besoin, c'est d'être acceptées, pas exhibées pendant une semaine avant de disparaître. En venant inaugurer l'exposition, une personne telle que vous pourrait nous faire marquer un premier point, envoyer un message au public, aider les gens à comprendre que nous ne sommes pas dangereuses, que nous sommes nous aussi des êtres humains.

Gowda hocha la tête. Ananya avait raison. Sur un coup de tête, il déclara :

– Si j'accepte, j'aimerais qu'une amie m'accompagne. Lady Deviah.

– En fait, c'est justement Urmila qui nous a suggéré de vous faire cette proposition, dit Ananya en souriant.

Gowda en resta bouche bée un instant.

– Ainsi, vous la connaissez...

– Elle est membre de notre conseil, expliqua Samuel.

– Dans ce cas, fit Gowda en souriant, je serai heureux de venir. Quand a lieu l'inauguration ?

– Demain à dix-huit heures trente. Voulez-vous que nous envoyions une voiture vous chercher ?

– Non, je viendrai par mes propres moyens.

Tout de suite après leur départ, Santosh fit irruption dans le bureau :

– Qu'est-ce qu'ils voulaient ?

– M'inviter à une exposition de photos demain à dix-huit heures trente. Vous devriez venir, vous aussi, suggéra-t-il prudemment.

Le regard du jeune homme s'éclaira.

– Certainement, monsieur. La photographie m'intéresse depuis toujours, dit-il avec effusion.

Gowda sentit sa lèvre se crisper. L'imbécile en pinçait pour Ananya. Que ferait-il quand il comprendrait qui elle était réellement ?

Gowda se frotta les yeux et regarda sa montre. Presque six heures et demie.

Roshan, qui sortait de sa chambre, s'arrêta net.

– Qu'est-ce que tu fais là ? demanda-t-il, stupéfait.

– Il se trouve que j'habite ici, répondit Gowda sèchement.

– Tu n'es jamais à la maison à cette heure-ci, marmonna son fils.

149

Gowda poussa un soupir. Non, il ne devait pas recommencer. D'un ton plus gentil, il expliqua :

— Je sais, mais j'avais du travail à faire et le commissariat est une vraie ruche : des plaintes, des affaires mineures de tous les côtés, les fixes et les portables qui n'arrêtent pas de sonner.

Roshan hocha la tête en signe de compréhension, puis lui jeta un coup d'œil en biais :

— Tu sors, ce soir ?

— Pourquoi ? demanda son père en le fixant.

— Moi, je ne serai pas là, je préfère t'avertir. Je rencontre d'anciens copains de classe.

Gowda tenta de dissimuler le soulagement qui teintait son regard.

— Pas de problème. Moi aussi, j'ai des choses à faire.

— Tu reviendras tard ?

— Et toi, Roshan, tu reviendras tard ?

— Vers onze heures, répondit le jeune homme en haussant les épaules.

— Moi aussi. Ne ferme pas le loquet de la porte d'entrée en rentrant. Tu as ta clé, n'est-ce pas ?

Il était revenu de bonne heure avec les rapports des trois autopsies. Stanley lui avait fait transmettre une copie du plus récent des trois, celui de Rûpesh, en fin de matinée. Gowda avait besoin de le lire à tête reposée pour trouver l'indice capital qui ferait avancer l'enquête. Il existait, il en était sûr.

Seul le corps de Kothandraman leur avait permis de conclure à une strangulation. Dans le cas de Liaquat, l'étrangleur n'avait pas achevé son travail. Liaquat avait survécu à la corde avant d'être brûlé vif et d'en mourir un peu plus tard. Quant au corps de Rûpesh, il était déjà entré en décomposition quand on l'avait tiré du lac. Vidyaprasad avait-il raison de penser qu'il se raccrochait à des fétus de paille ?

Pourtant un élément indiscutable liait les trois homicides, la ligature incrustée de verre. Mais quoi d'autre ? Réfléchis,

150

Gowda, réfléchis... Les mots ondulaient sous ses yeux. Et soudain il eut une idée. Avait-on pratiqué un test ADN pour tenter un recoupement ? C'était pourtant la première chose qu'on aurait dû faire. Stanley y penserait sûrement tôt ou tard, mais pourquoi attendre ?

Il sortit son portable pour appeler son collègue de la Criminelle.

– À quoi penses-tu ? lui demanda Urmila à brûle-pourpoint tandis qu'il sirotait son verre en silence.

– Comment ? sursauta Gowda, tiré de sa rêverie.

Il la regarda un moment comme s'il ne la reconnaissait pas.

– Tu as parlé à Roshan ?

– Non, fit-il en haussant les épaules.

– Tu devrais, Borei. Il faut que tu t'y colles. Ce n'est pas en faisant l'autruche que les choses s'arrangeront.

Comment lui dire, pour la gifle ? À ce souvenir, il était submergé par la honte. Il fit cliqueter la glace dans son verre, de pâles petits cubes fondants.

– Je t'en prépare un autre et tu me racontes ce qui ne va pas, d'accord ?

Il la regarda s'éloigner vers le coin du salon où se trouvait le bar, puis déboucher une bouteille.

– Le même ?

Il se leva et la rejoignit.

– Je suis désolé d'être un si piètre compagnon ce soir... Cette affaire m'a complètement retourné.

Elle se versa un baby, emporta leurs deux verres sur la véranda.

– Asseyons-nous ici, dit-elle. La nuit est belle.

Gowda se figea intérieurement. Et ensuite ? Allait-elle mettre des ghazals pour faire plus romantique ? Elle passa devant lui, répandant les effluves d'un parfum coûteux. Melon, mandarine, orange, jasmin, muguet, santal et encens, confondus en une seule senteur qui, remontant par ses narines, lui donnait l'impression d'être transporté dans un rêve.

La musique la précéda. Elle éteignit les lumières les plus fortes, ne laissant allumées que les lampes de table.

— Voilà qui est mieux, on ne se croirait plus dans une salle d'interrogatoire !

La tête penchée sur le côté, elle le regarda un moment sans rien dire. Puis elle prit sa main dans la sienne.

— Tu es toujours aussi chou, s'exclama-t-elle dans un rire en l'entraînant vers la véranda.

Elle se laissa tomber dans un fauteuil en rotin sans lâcher sa main. Il n'avait d'autre choix que de s'asseoir sur le pouf qui jouxtait son siège.

— Tu ne m'as pas posé de questions sur mon mari, dit-elle d'un ton neutre.

Gowda se sentit la gorge sèche. Il avait soigneusement évité le sujet.

— Heu…, commença-t-il, se demandant quoi répondre, c'est que je ne voulais pas te mettre dans l'embarras.

— Il faisait de notre mariage une source de gêne permanente avec ses aventures à répétition. Mais quand il a eu une liaison avec une femme du voisinage, j'ai senti… Je ne pouvais plus supporter la pitié que je lisais dans les yeux de nos amis communs, confia-t-elle avec un sourire amer.

Gowda avala une gorgée de son whisky avec un bruit qu'amplifia le silence. « Tu retourneras vivre avec lui ? » aurait-il voulu demander. En vingt-quatre heures, ils avaient déjà établi les bases d'une relation – textos, coups de fil ponctuant la journée et ce rendez-vous seule à seul dont rien n'avait laissé entendre qu'il serait galant, pas la moindre allusion. Pourtant, l'idée que leur rapprochement devait « aboutir à quelque chose » était sous-entendue depuis le début. Et le dénouement semblait proche.

— Borei, reprit Urmila à voix plus basse, est-ce qu'il t'arrive de te demander ce qu'auraient été nos vies si nous n'avions pas rompu ?

Devait-il répondre honnêtement ou lui dire ce qu'elle avait envie d'entendre ? Son incapacité à prononcer les mots justes sans formuler de vérité blessante avait pesé sur toute son existence. Mais ce soir-là, Urmila ne semblait pas attendre de réponse. Elle se contentait d'exprimer ses pensées.

– Parfois, il me semble que nous avons bien fait de partir chacun de notre côté à l'époque, étant donné nos caractères très différents. Ceux que nous sommes devenus, plus mûrs, plus contrôlés, nous permettront mieux de profiter l'un de l'autre.

Sa voix avait pris une nuance rêveuse qui le laissait muet, l'esprit vide.

– Je..., commença-t-il.

Quoi qu'elle évoque par cette éventualité, comment auraient-ils pu la concrétiser ? Il était marié, il avait un fils, des responsabilités. Il n'était pas libre comme elle.

– Chut, Borei, dit-elle en lui posant un doigt sur la bouche. Écoute-moi, s'il te plaît. Je ne veux rien enlever à ta vie actuelle. Je ne veux ni du mari ni du père que tu es.

« Je ne veux rien de ce que tu donnes à Mamtha, ni à Roshan, poursuivit-elle en retirant son doigt. Je veux que nous vivions dans un univers parallèle, toi et moi, sans que rien ne nous attache, un univers sans becs ni ongles, ni sang, ni larmes, ni blessures. Par contre, je veux une relation qui dure. Une relation qui tourne autour du rire, des planètes, des rêves, de la vie... Toi pour moi et moi pour toi. Mais sans blesser qui que ce soit de notre entourage. Je crois que nous pouvons le faire, Borei chéri, je le crois vraiment.

Gowda sentit son souffle s'étrangler. Pour une fois que tu peux concilier plaisir et devoir, lui disait une petite voix. Mais cette voix n'en avait pas moins les accents du commissaire principal, marquée du sceau de la corruption, tandis que celle du jeune Santosh, incrédule, lui opposait : Mais, monsieur, cela reste un adultère...

À ce moment Gowda, dont les yeux furetaient continuellement où qu'il se trouve, avisa sur la table la photo de couverture d'un beau livre épais, au papier glacé. C'était celle d'un tableau représentant une jongleuse. Un détail venait d'attirer son attention : sa boucle d'oreille.

– Est-ce trop te demander ? lui murmurait Urmila à l'oreille.

Gowda se leva.

– Non, mais laisse-moi le temps de m'y faire.

Puis, incapable de se retenir, il lâcha :

– Est-ce que je peux t'emprunter ce livre ? Je te le rends dans un jour ou deux, promis.

Elle le considérait en silence comme si elle ne pouvait croire à ce qu'elle entendait.

– On se voit demain, n'est-ce pas ? demanda-t-il, frappé par l'expression de défaite qu'il lisait sur ses traits.

– Tu le veux vraiment ? Je n'en suis pas si sûre.

– Tu sais bien que oui.

Elle détourna les yeux. Il vit qu'elle tentait de feindre la légèreté, que la complexité de la situation lui échappait. Elle, de son côté, ne voyait qu'une seule chose : il la rejetait une fois de plus. Le cœur de Gowda se serra. Oh, Urmila.

Il l'attira à lui, incapable de se contenir.

– Je ne supporterais pas de te laisser dans cet état, dit-il en l'étreignant.

Vendredi 12 août

Chikka lissait la photo glacée du bout du doigt. Encore et encore, comme si la page avait été irrémédiablement froissée. Le papier semblait doux au toucher, nota l'homme qui lui faisait face, on aurait dit que le frère du député caressait un petit animal, un chat, un écureuil peut-être. Bientôt ce geste distrait, mécanique commença à lui taper sur les nerfs. On le faisait attendre depuis près de trois quarts d'heure. Il s'éclaircit la gorge.

– Combien de temps ça va encore prendre ? demanda-t-il sans souci de cacher son irritation.

Le doigt s'immobilisa. Les yeux de Chikka se posèrent brièvement sur son visage. Il détourna le regard.

– Je vous ai dit qu'on ne pouvait pas l'interrompre.

– Eh bien, vous feriez mieux de vous y résoudre, parce que je ne peux vraiment pas attendre plus longtemps. Je travaille pour le gouvernement, pas pour votre frère, coupa l'homme en se levant brusquement sous l'effet de la rage.

– Mon frère *est* le gouvernement, feula Chikka.

L'homme tressaillit.

Il gagna la fenêtre. Les fils de putes, les salauds. Ils le tenaient par les couilles, et ils le savaient. Ils savaient qu'il avait besoin d'eux plus qu'eux de lui. Il devait payer l'inscription de son fils dans une grande école d'ingénieurs, sa fille avait trouvé une place à l'Indian Institute of Management dont l'enseignement était payant et il avait une maison à rénover. Le responsable du service d'évacuation du bidonville avait des appétits sans commune mesure avec son salaire. Dans un moment de frustration, il avait accepté. Une signature par-ci par-là, quelques papiers subtilisés, un dossier qu'on faisait remonter à la première place de la pile.

« Vous ne faites rien de mal, lui avait assuré le député. Vous vous contentez de regarder ailleurs, de changer une chemise de place, d'ajouter un paraphe de temps en temps, de jeter un papier à la corbeille. C'est bien ce que vous faites quotidiennement de toute façon, non ? » À ces mots Ramachandra, dont les activités criminelles n'avaient jamais dépassé le vol de quelques fournitures – crayons et gommes qu'il rapportait chez lui du bureau –, avait vu défiler devant lui les visages anxieux de ses enfants et de sa femme. Ils dépendaient de lui, et qu'avait-il fait pour eux que de très ordinaire ? Il tenait une occasion de leur rendre la vie plus facile. Il tenait sa chance de remplir les promesses du nom qu'il portait, Ramachandra, le « bienfaiteur ».

« Personne n'en saura rien, avait ajouté le député. S'il y a une enquête, que pourra-t-on découvrir ? Des négligences, tout au plus. Et quelles mesures prendra-t-on contre vous ? Une suspension, au pire. Et je suis là pour y mettre bon ordre. » Ramachandra avait cédé. Il avait appris à faire ce qu'il faisait depuis toujours, à la différence près qu'il en était cette fois récompensé.

La deuxième occasion lui avait coûté un effort un peu plus grand, mais la prime le valait bien. Sa famille le considérait avec un respect accru. La corruption, avait-il découvert, c'était comme le ver dans la mangue. Elle attendait à l'intérieur sans se faire remarquer, dévorant avidement la substance de votre âme, les sucs de votre vie. C'était une pourriture qui vous attaquait à la racine. Ramachandra avait vu changer le regard que ses collègues portaient sur lui et diminuer la déférence du député à son égard. Et le ver rongeait, rongeait...

Il se tourna vers Chikka.

– Avant que vous entriez dans ma vie tous les deux, je me débrouillais. Je pourrais très bien recommencer s'il le fallait. Alors demandez à votre frère d'interrompre ce qu'il est en train de faire et de me recevoir.

Chikka posa son livre, se leva et sortit.

C'était une grande pièce rectangulaire dont les portes occupaient toute une largeur. Les chambranles en teck étaient incrustés de motifs complexes prétendument en faux ivoire – en réalité, Chikka était dans la confidence, c'était du vrai. Quand *Anna* voulait quelque chose, il savait se donner les moyens, légaux ou illégaux, de l'obtenir. Les gigantesques vantaux jumeaux étaient décorés de bandes de laiton. Un gros heurtoir en forme d'anneau, également en laiton, était fixé au centre de chacun des deux. La barre du seuil était recouverte d'une plaque de ce même cuivre jaune. On aurait dit l'entrée d'un temple, exactement comme *Anna* l'avait voulu.

Chikka chercha à pousser les battants, mais ils étaient fermés de l'intérieur. Il entendait quelqu'un psalmodier. Il regarda sa montre. La *pûja* avait déjà dépassé sa durée habituelle.

Il frappa doucement. Rupali, l'un des eunuques, lui ouvrit.

– Entrez vite, lui dit-il.

Chikka ravala son appréhension et enjamba le seuil surélevé. *Anna* allait-il s'emporter, exploser, l'incendier ? Car chaque vendredi, *Anna* devenait Angala Parameshwari, la déesse de la colère.

La colère n'a pas d'amis. La colère n'a que des acolytes, des créatures serviles qui nourrissent ses larves de leur soumission quotidienne au ressentiment et à l'amertume, aux blessures et aux trahisons, aux privations et aux peines faites à l'âme. De la colère, *Anna* savait tout.

Il avait fait sa connaissance étant bébé. Il avait vu, de son regard farouche et neuf, son ivrogne de père frapper sa mère à tout-va. Alors qu'il était dans ses bras, il l'avait sentie se contracter, se recroqueviller à chaque coup de poing ou de pied. Elle l'avait tenu plus près de son sein, mais alors que la raclée s'abattait sur elle avec une violence croissante, le mamelon avait échappé à l'enfant. Il avait hurlé sa frustration. Elle avait pleuré de douleur. À l'âge où l'on apprend à marcher, il avait découvert un visage à la colère.

Ils habitaient Maruthupati, un hameau à quelques kilomètres du temple de Mayannur. Chaque vendredi soir, sa mère l'y emmenait à pied en traversant un champ de crémation. Cette marche devait rester gravée à jamais dans l'esprit du député. Il revivait les ciels rougeâtres du crépuscule, le croassement des corbeaux à la tombée du jour, le contact de la terre rêche sous ses pieds nus tandis qu'ils avançaient tous deux à travers les énormes nuées montant des bûchers qui picotaient les yeux, le goût de la fumée, son odeur d'encens et de bois, et imprégnant cet univers de perceptions, la puanteur de la chair calcinée.

Il avait appris à se frayer un chemin parmi les bûchers aussi bien qu'à résister à l'angoisse et au chagrin qui accompagnent toute mort. À l'intérieur du temple se tenait Angala Parameshwari, la déesse qui exige des offrandes de colère. *Anna* avait découvert qu'elle avait le visage de sa mère quand celle-ci lui relevait le menton d'une pichenette ou qu'elle lui cinglait les mollets. Il avait vu la colère faire d'elle une femme forte, la créature timorée se métamorphoser en divinité puissante capable de répondre à la violence conjugale par des cris et des coups qui pétrifiaient son agresseur. Obéissant à la colère, elle ne s'était plus jamais laissé frapper. La colère était son arme et elle l'avait transmise à *Anna* afin qu'elle l'accompagne dans son existence d'adulte.

Chaque vendredi, sa mère faisait retraite en elle-même. Elle se lavait les cheveux et les laissait dénoués. La poudre de curcuma dont elle se couvrait le visage et dont le jaune refusait longtemps de s'estomper à l'eau rehaussait l'éclat de ses yeux soulignés de *maie*. Puis elle sortait son sari rouge du vendredi. Jaune, noir et rouge, les couleurs de la colère. Il émanait d'elle un parfum de camphre et d'encens auquel se mêlait l'amertume des rêves réduits en cendre.

Elle plaçait la statuette de bronze de la déesse sur un socle en bois, puis l'habillait de la même façon qu'elle. Elle la parait de fleurs, allumait une lampe à ses pieds. Lentement, ses lèvres s'entrouvraient et les mots se formaient :

Om srî mahâ kâlikayâi namah
Krîm hum hlîm
Krîm krîm jatt vaha :
Krîm krîm krîm krîm krîm krîm svaha.

Tandis que l'invocation gagnait en frénésie et en ferveur, son rythme attisait un étrange feu intérieur et sa voix montait. Son corps se mettait lentement à tourner sur lui-même et les bouquets de feuilles de *nîm* à tournoyer dans ses mains au son du chant.

Sûranai vadhikai vanda samariye
Sûlam eduthe âdiya angakaliye.

Anna, recroquevillé près de l'entrée, observait sa mère invoquant la déesse avec un comportement bizarre qui frisait la sauvagerie, des mots saccadés, des hurlements, des girations frénétiques. Une fois entrée dans la spirale de la transe, elle cessait d'être la femme qu'il appelait *Amma* et contre laquelle il se blottissait dans son sommeil.

Il tremblait de peur en suivant des yeux ses plus menus gestes.

Qui était cette femme, debout devant la déesse, qui mangeait la viande cuite par elle-même à l'aube, mâchait chaque bouchée, suçait les os, buvait à longues goulées au pot d'arack ? Cette créature qui soulevait un poulet haut dans les airs, pattes liées, pour lui trancher la gorge et laissait le sang dégouliner sur son visage, sa poitrine, son dos ? Les ruisseaux rouges faisaient d'elle une incarnation monochrome et terrifiante de la colère enfin apaisée. Quand ce sang avait cessé de couler, elle se roulait en boule et tombait dans un profond sommeil dont elle ne s'éveillait qu'au bout de plusieurs heures.

Anna s'interrogeait sur cette femme. Elle semblait avoir créé de toutes pièces un rite bien à elle. Sinon, qui le lui avait transmis ? Elle savait à peine lire. Or les mots qu'elle prononçait exprimaient la connaissance, ils étaient investis de puissance et de rythme. Chaque syllabe était exacte, précise et forte. Venant d'une femme à la voix ténue de moineau, c'était pour le moins étrange.

— *Amma*, comment ça se fait ? Qu'est-ce qui t'arrive ? lui avait-il demandé à l'âge de huit ans.

Derrière le sourire de sa mère, *Anna* avait détecté l'existence d'un secret.

— Mâ Kâliamma vit en chacun de nous, en toi aussi. Quand le moment sera venu pour elle de t'apparaître, elle le fera. Elle t'instruira de la façon dont elle veut que tu la vénères. Elle te dira ce qu'elle attend de toi. Le tribut que tu devras lui payer en horrifiera plus d'un, mais il l'apaisera, elle, et c'est la seule chose qui doit t'importer. Alors, elle exaucera tous tes désirs. De la colère qui est son arme, elle fera ton arme et ta colère. Pour ceux qui n'ont rien, la colère est une bénédiction.

Anna avait fait connaissance avec la colère qui l'habitait quand, un an plus tard, son ivrogne de père l'avait entraîné ainsi que sa mère, son frère nouveau-né et ses sœurs à Bangalore où lui avait été proposé un emploi de gardien.

– Toi, avait lâché l'homme à son épouse en ouvrant la porte de leur nouveau logis d'une pièce dans le bidonville proche de Shivaji Nagar, tu pourras toujours faire la bonne quelque part.

Anna avait regardé autour de lui en se demandant comment ils allaient tenir à six dans cet intérieur exigu. Après la chaleur des champs de Maruthupati, il avait froid ; l'air de Bangalore faisait courir des petits frissons le long de ses jambes. Pourquoi *Appa* les avait-il amenés là, dans ce cube minuscule, au milieu de ces foules inconnues qui s'affairaient en tous sens ? Pourquoi leur avait-il imposé une chose pareille ? Il avait senti la colère monter en lui et reconnu en elle l'arme de la déesse.

Bientôt ils étaient, la colère et lui, dans les meilleurs termes du monde. Ils étaient devenus des âmes sœurs. Et un jour, alors que croissait la puissance d'*Anna* inspirée et nourrie par la colère, la déesse avait formulé ses exigences.

Chikka, qui avait vu leur mère métamorphosée en créature farouche et exaltée, avait espéré que toute cette folie prendrait fin avec sa disparition. Mais voici qu'*Anna* avait pris le relais et cherchait à devenir lui aussi le réceptacle de la déesse. Celle-ci attendait de lui, disait *Anna*, qu'il l'invoque, déguisé en femme. Et pour l'aider à atteindre l'apogée de son pouvoir, il devait s'entourer d'une troupe d'eunuques. Car en l'hermaphrodite se joignaient les deux pôles féminin et masculin, et dans la réunion de la femme et de l'homme demeurait Shakti, la déesse au comble de sa puissance.

Qu'aurait-il pu dire à son aîné, qui n'en faisait qu'à sa guise ? Chikka avait appris très jeune que l'arrogance, venue avec le pouvoir, ne supportait pas d'être mise en question.

À présent il attendait, adossé au mur, observant le déroulement du rituel. *Anna*, vêtu d'un sari, coiffé d'une fausse tresse, tendait les mains ouvertes devant lui. Un eunuque déposa sur chacune d'elles un morceau de camphre, qu'il alluma à l'aide de la lampe. Puis, paumes en flammes, *Anna* dessina à trois reprises un cercle de lumière autour de la déesse dans le plan vertical. Chikka se rétractait à la seule pensée de la douleur terrible provoquée par la brûlure. Mais *Anna* refusait de se servir d'un plateau. L'objet aurait absorbé un peu des pouvoirs divins qu'il voulait acquérir tout entiers.

Chikka regarda sa montre à la dérobée. Encore quelques minutes et la séance serait terminée. Heureusement, il ne s'agissait que de la *pûja* hebdomadaire. Celle d'Amavasya, la lune noire, durait des heures et *Anna* ne sortait de sa transe qu'au bout d'un long moment.

Soudain, il entendit un cri de stupéfaction étouffé et se retourna. Ramachandra se tenait sur le seuil, bouche bée, les yeux ronds.

Aussitôt tous les eunuques entourèrent *Anna* afin qu'il se fonde dans leur groupe et ne soit pas reconnu. Bouillonnant de colère, Chikka saisit Ramachandra par le coude et l'entraîna dehors.

– Qui vous a donné la permission d'entrer ?

L'homme, pâle et tremblant, bafouillait. Chikka reprit, menaçant :

– Oubliez ce que vous venez de voir à l'intérieur, c'est compris ! Un mot de trop et vous le regretteriez.

– Je... Le député...

– Le député n'est pas là, il est au temple de Muthayal-amma, sur Seppings Road. Ce que vous avez vu est un rite familial. Nous n'aimons pas que des étrangers en soient témoins ou qu'ils en parlent.

Ramachandra ravala sa salive. Il était sûr d'avoir vu le député déguisé en femme. Il savait que son frère mentait, mais il n'osait pas le contredire.

– Maintenant allez-vous-en et revenez demain à trois heures. *Anna* vous verra, lui dit Chikka en ouvrant la porte.

Il était sur le seuil, à regarder l'autre s'éloigner, quand il entendit derrière lui la voix d'*Anna* demander avec douceur :

— Est-ce qu'il m'a vu ?

Chikka se retourna avec un sursaut.

— Je n'en suis pas sûr. Je ne sais pas. Je lui ai dit que tu étais au temple de Muthayalamma.

Le député passa sa langue sur ses lèvres :

— Tu penses qu'il t'a cru ?

Chikka ne répondit pas. Qu'aurait-il pu dire ? Il baissa les yeux et ne les releva qu'en entendant *Anna* quitter la pièce. Qu'allait-il se passer ?

Gowda se passait un peigne dans les cheveux quand son portable émit un bip. Encore ! Un flot de textos circulait à présent entre Urmila et lui. En moins de douze heures, il en était arrivé à l'appeler U, une lettre unique pour Urmila et pour *you*. Ce petit clin d'œil intime semblait la ravir, et elle utilisait le même procédé en l'appelant G (prononcé *dji*), comme Gowda et *ji*. Ils se créaient peu à peu un univers bien à eux et, pour la première fois depuis de longues années, Gowda reléguait à l'arrière-plan les pensées concernant son travail.

Quelle couleur, ta chemise ?
Bleu marine. And U ?
Sari jaune citron.
Ravissant. Déjà en route ?
No, G, prête à partir. Et toi ?
Dans quelques minutes.

Gowda vit son fils se découper derrière lui dans le miroir et glissa son portable dans sa poche.

— C'était *Amma* ? demanda Roshan. J'ai entendu le bip.

Gowda reposa son peigne.

— Non, c'était le travail. Et puis, tu sais bien que ta mère n'envoie pas de textos, sauf si elle a besoin de quelque chose.

— Où tu vas, tout bien habillé comme ça ?

Roshan, adossé à la porte, le regardait en fronçant les sourcils. Se pouvait-il qu'il ait des soupçons ? La seule chose à faire était de l'intimider pour qu'il se taise.

– Qui est policier ici, toi ou moi ? Pourquoi tant de curiosité ?

Le garçon haussa les épaules.

– C'est juste que je ne t'avais jamais vu aussi élégant, *Appa*.

La remarque de son fils fit affluer le sang à ses joues.

– Merci, dit-il en tentant de dissimuler son plaisir. On m'a invité à inaugurer une expo de photos.

Sur un coup de tête, il ajouta :

– Tu veux m'accompagner ?

Roshan dressa la tête :

– Je voudrais bien, mais ça ne te gêne pas ?

Le ton de la question le toucha profondément. Il y entendait son désir mêlé de la crainte que son père ne voie en lui qu'un sujet d'irritation, un intrus.

Avait-il gâché pour toujours la relation qu'il partageait avec son fils ?

– Bien sûr que non. Si ça me gênait, je ne te le proposerais pas. Tu as trois minutes pour passer une chemise propre et te donner un coup de peigne.

Gowda, qui regardait Roshan de biais tout en conduisant, s'était rendu compte que son fils l'observait de son côté sans relâche, qu'il ajuste le rétroviseur, change de vitesse ou manipule les touches de l'autoradio. Nous sommes comme deux lutteurs qui évaluent mutuellement leur force, se dit-il brusquement. En dépit de nos différences, mon père et moi n'avons jamais connu cette situation. Quand et comment suis-je devenu ce tyran ? La voix d'Urmila, qui semblait avoir pris définitivement ses quartiers dans sa tête, précisa : Quand as-tu laissé ce glissement advenir, G ? Si tu ne fais rien pour combler la faille qui vous sépare, il sera bientôt trop tard.

– En général, je passe des chansons hindies quand je suis dans la voiture. Mais si tu préfères autre chose..., proposa Gowda pour établir un pont entre son fils et lui, si ténu soit-il, avant de passer aux choses sérieuses.

– Non, ça me va. J'écouterai la même musique que toi.

– Ton ami Osagie, que fait-il dans la vie ?

– Il est en licence de lettres, répondit Roshan qui laissa passer une ou deux secondes avant de reprendre avec élan : Les étudiants africains ont vraiment la vie difficile ici, *Appa*. Personne ne veut leur louer un appartement. On leur refuse l'entrée dans les boîtes et dans les clubs. On est aussi raciste que n'importe qui au monde.

– Je ne suis pas sûr qu'il s'agisse de racisme, dit Gowda.

Roshan se tourna vers lui :

– Et tu appelles ça comment, alors ?

– Certains d'entre eux sont des trafiquants de drogue. Et comme on ne peut pas deviner qui l'est et qui ne l'est pas, les gens ont tendance à se méfier de tous les Africains en bloc. Quand un endroit est connu comme lieu de trafic, ça entraîne une série d'autres problèmes. Voilà ce qui se passe.

Le silence s'étendit entre eux tandis que Gowda empruntait Main Road. Un taxi de l'aéroport les dépassa dans un long sifflement de klaxon. Gowda rentra dans la file en jurant à voix basse.

– Nique ta mère !

Il entrevit du coin de l'œil le sourire ravi qui fendait le visage de Roshan.

– On devrait arrêter tous ces trous du cul et leur coller une amende, renchérit-il en imaginant le sourire s'élargir de plus belle.

Son téléphone émit un bip. Les doigts le démangeaient de le sortir de sa poche pour lire le message – sans doute d'Urmila lui demandant où il était.

– Tu ne regardes pas ? demanda le garçon.

– Jamais en conduisant, marmonna-t-il.

Il n'avait pas eu le temps de prévenir Urmila qu'il venait avec son fils.

– Quand est-ce que tu retournes à Hassan ? demanda-t-il.

Voyant les traits de Roshan s'effondrer, il le poussa du coude :

– Je voulais savoir si tu restais encore assez longtemps pour que je t'apprenne à conduire.

Gowda n'avait jamais eu conscience qu'il existait un tel endroit dans sa juridiction. Huit hectares de forêt sillonnés d'allées qui invitaient à l'exploration. Tandis qu'il se garait, Samuel s'approcha de la voiture, rayonnant.

– Bonjour, monsieur, dit-il, son regard glissant vers le jeune homme qui ouvrait la portière pour descendre.

– Mon fils, Roshan, fit Gowda en entourant d'un bras les épaules du garçon. Il est étudiant en médecine.

Samuel les conduisit jusqu'au bâtiment où se tenait l'expo.

– C'est vraiment un bel endroit, reconnut l'inspecteur. Mais le quartier est un peu loin du centre. Pensez-vous y attirer beaucoup de monde pour voir vos photos ? Il vaudrait peut-être mieux viser l'Alliance française ou la Chitrakala Parishat.

– Lady Deviah nous a dit la même chose, répondit Samuel en souriant. D'ailleurs elle est en discussion avec plusieurs galeries. Mais, vous savez, je ne suis pas un photographe qui fait la une des journaux. Et je vois bien que c'est le genre d'événements culturels où tout le monde passe son temps à boire, à poser et à se faire de nouvelles relations. Je crains que notre appel à prendre conscience du problème qui nous tient à cœur ne se perde dans tout ce brouhaha.

Quand la silhouette d'Urmila se profila devant eux, Gowda crut que son cœur s'arrêtait de battre. Il se reprit et lui tendit la main.

– Bonsoir, Urmila.

Elle fixa une seconde la paume qu'il lui offrait, la prit dans la sienne et murmura :

– Bonsoir, Borei.

Il se tourna vers Roshan pour le présenter :

– Mon fils, Roshan. Roshan, je te présente Urmila. Nous étions à la fac ensemble, à St Joseph.

– Je vous ai vue l'autre jour, au café, dit le garçon en souriant.

Gowda avala convulsivement sa salive. Urmila rougit. Comme s'il sentait monter la tension dans le trio, Samuel s'avança vers l'adolescent :

– Viens, Roshan, je vais te présenter aux autres.

Gowda et Urmila restèrent un moment à se regarder sans rien dire, mais les invités commençaient à arriver et il était temps pour l'inspecteur d'entrer dans son rôle d'invité d'honneur, d'allumer les mèches à la lampe de cuivre et de dire quelques mots.

Ces mots, Gowda n'en garda aucun souvenir. Il avait écrit puis appris par cœur un petit discours. L'avait-il récité fidèlement ou avait-il dit autre chose ? Urmila avait eu l'air touchée, le public aussi.

Il ne lui avait pas été difficile de trouver le ton sincère, surtout après avoir vu les transsexuels rassemblés se faire tout petits au fond de la salle, trop effrayés pour se mêler aux autres, certains de s'exposer aux railleries. Ils souhaitaient ardemment s'intégrer à un monde dont ils croyaient tout aussi fort qu'il ne les y autorisait pas. Gowda, devant leur désir et l'inhibition de celui-ci sous l'effet de la crainte, s'était senti indigné par leur sort.

Après avoir fait le tour des photographies, il revint à la première pour approfondir sa lecture de chacune d'elles.

– Tu n'as pas changé d'un iota, Borei. Tu ne peux pas savoir à quel point ça me fait plaisir. C'en est ridicule, murmura Urmila.

Gowda continuait à fixer le cliché devant lequel il se tenait.

– Pourquoi aurais-je changé ?

– Tu es policier, maintenant.

– Et alors ?

Il se tourna vers elle, surpris qu'elle puisse tomber dans ces stéréotypes.

– Alors je ne m'attendais pas à une belle sensibilité de la part d'un policier, dit-elle en souriant.

– Ce n'est pas plutôt de ma part que tu ne t'y attendais pas ?

Il la vit se raidir.

– Ne déforme pas mes paroles, Borei, s'il te plaît.

Gowda prit une profonde inspiration et passa à la photo suivante.

– Laquelle préfères-tu ? demanda-t-il pour désamorcer la tension qui s'insinuait entre eux.

Elle serra les mâchoires comme pour retenir une réplique.

– Viens, je vais te la montrer, elle est étonnante. Ravi dit qu'il l'a prise au marché de Shivaji Nagar il y a quelques jours, sans flash. Le résultat est stupéfiant.

La photo défiait toutes les conventions du genre – lumière, mise au point, cadrage. Elle représentait des eunuques devant un étalage de bracelets de pacotille. Chaque individu n'était que partiellement visible. Mais il émanait de leur groupe une joie sans mélange qui attirait le regard et le gardait longtemps captif. Ils choisissaient les formes et les couleurs avec un ravissement de fillettes, affranchis pour un moment des démons qu'ils se fabriquaient et de ceux que le monde jetait à leurs trousses. L'image disait tout, le plaisir éprouvé à passer un à un les joncs de verre à leur poignet, le cliquetis qui accompagnait le geste d'un bras levé. La lumière captait l'euphorie du moment, dévoilait le rêve au fond de leurs yeux.

Mais la lumière avait capté encore un autre détail. Sur la courbe d'une joue penchée au-dessus d'un semainier de bracelets, un pendant d'oreille se balançait. Une belle boucle en perle fine.

Gowda en eut le souffle coupé.

Il fallait qu'elle arrête. Elle avait passé le seuil par-delà lequel elle risquait d'éveiller les soupçons. Elle devait retrouver le contrôle d'elle-même. Mais comment ? Elle n'y pouvait rien, tout comme elle ne pouvait résister à la caresse de la perle sur sa peau.

Elle balança la tête de manière à ce que les *jhumka* lui frôlent les joues. Les pendants d'oreilles en forme de clochette étaient ornés de petites perles chatoyantes. Elle les avait mis en attendant que l'orfèvre à qui elle avait confié le travail une semaine après l'incident ait copié sa boucle perdue.

Akka avait fait la grimace quand elle lui avait demandé d'aller porter le bijou à sa boutique.

— Emmène King Kong avec toi, si tu veux être sûre que le joaillier ne t'embêtera pas. Et dis-lui que j'ai besoin de récupérer la paire d'ici dix jours.

— Tu crois que je ne suis pas capable de tenir tête à un joaillier ? Je n'ai pas besoin qu'on m'accompagne. Mais qu'est-ce qu'il a donc de spécial, ce bijou ? avait grommelé *Akka*.

L'eunuque d'âge mûr n'aimait pas King Kong, qui le lui rendait bien. Chacun pensait de l'autre qu'il usurpait sa place.

— Fais ce que je te demande, avait-elle répondu en se permettant de durcir le ton.

Qui aurait pu comprendre ses raisons ?

Elles se tenaient à un carrefour, près d'Infantry Road. *Akka* se coula contre elle pour lui glisser :

— Je n'aime pas ça, je n'aime pas te voir ici. C'est dangereux.

— Tu n'en as pas assez de répéter toujours la même chose, *Akka* ? répondit-elle dans un reniflement gracieux de petite fille. Moi, je suis lasse de t'entendre.

– Tu ne te rends pas compte ! Nous n'avons rien à perdre, mais toi, tu n'es pas comme nous, murmura *Akka*.

Elle haussa les sourcils.

– C'est vrai, je ne suis ni comme toi ni comme le reste de la troupe.

– Puisque tu nous tiens en si grand mépris...

– Excuse-moi, c'étaient des paroles déplacées, dit-elle en lui touchant le bras.

Mais pourquoi fallait-il toujours qu'ils se donnent en spectacle ? Le résultat, c'était qu'on ne les prenait pas au sérieux, qu'on voyait en eux une mauvaise blague de la vie, une blague répugnante.

– Toi, tu n'es pas comme ça, concéda-t-elle.

– J'ai été comme elles, dit *Akka* en détournant le regard. On ne peut pas s'en empêcher. On ne sait pas qui on est, alors on sombre dans l'excès pour avoir l'impression d'appartenir à un genre. Mais toi, tu n'es pas dans la même situation que nous. Tu n'as pas besoin de te comporter de la même façon.

– Je ne peux pas plus m'en empêcher que vous, répondit-elle en dirigeant le regard vers un coin obscur, loin derrière *Akka*. Pourquoi ne le refuses-tu ?

Debout côte à côte, elles regardaient s'écouler le flot de la circulation. Il était neuf heures un peu passées, les flics n'avaient pas commencé leur ronde et de toute façon il n'y avait rien à redouter d'eux. D'une part, pour qu'ils les arrêtent, il aurait fallu qu'elles se livrent au racolage actif ; d'autre part, on s'était assuré de leur complaisance. Quand on savait y faire, on pouvait survivre en travaillant dans la rue. Leçon numéro un : chaque individu a son prix.

Un jeune homme sortit d'un petit restaurant. Planté sur le seuil, mains à la taille, il balaya la rue d'un regard vif et inquisiteur. Elle vit son torse moulé dans le T-shirt, les muscles noueux de son cou, le bombé de ses biceps. Elle vit l'étroitesse de ses hanches soulignée par le jean, la protubérance de ses parties génitales. Elle se prit à penser à l'odeur d'oignon, d'ail et d'épices dont le *biriyani* tout juste avalé avait dû imprégner son haleine.

Tandis qu'il se dirigeait vers l'échoppe de bétel, elle observait ses mouvements : la main qu'il glissait dans sa poche arrière pour en tirer un portefeuille, le geste lent du pouce feuilletant les billets, le retour du portefeuille dans la poche, la façon dont il enfournait la chique dans sa bouche, lèvres ouvertes sur l'éclat des dents, langue happant le petit rouleau vert... Elle sentait le goût de la chique dans sa propre bouche, sucrée par sa salive, aromatisée au miel du *gulkand* et au jus légèrement amer de la feuille. Elle devinait les mâchoires en action, l'os taillé comme dans le grès, ferme et doux à la fois. Un élan de désir montait en elle du fond de son ventre. Elle ajusta son sari et, sans tenir compte du regard implorant d'*Akka*, s'avança vers lui.

Le jeune homme avait fait quelques pas et s'était arrêté devant un vieil immeuble, sous l'arcade qui courait le long d'une rangée de boutiques. Il attendait à côté d'un pilier. Quoi ? Qui ? Un ami, une putain ? Je peux être l'un ou l'autre, lui disait-elle en pensée.

Elle alla se poster de l'autre côté du pilier, un sourire dans le cœur et au bord des lèvres. Elle le vit se pencher en avant pour la regarder et, une fois de plus, sans savoir pourquoi, elle se retrouva à l'intérieur d'un des tableaux qu'elle aimait. Elle effleura de la main ses rangs de perles, drapa le pan de son sari par-dessus son épaule droite, laissant couler la largeur du tissu au creux de son coude, et s'appuya contre le pilier pour mettre ses *jhumka* en valeur. Tenant par le centre son mouchoir plié en quatre, elle le déploya telle une fleur aux pétales rose pâle et joua à l'agiter tandis qu'il la jaugeait. La vitrine de cette boutique à l'ancienne, l'homme près du pilier, elle-même, tout ce moment lui semblait d'une si grande justesse qu'on l'eût cru prémédité. *L'Entrevue dérobée*, tel était le titre que Ravi Varma avait donné à son tableau. Pourquoi

171

« dérobée » ? s'était-elle toujours demandé. À présent, elle comprenait. Elle était là pour lui voler son temps, son âme. Elle sourit et, levant un peu la tête, coula un regard vers lui.

Leurs yeux se croisèrent. Elle baissa les siens et se remit à jouer avec le mouchoir qui lui tenait lieu de fleur.

— Vous attendez quelqu'un ? demanda-t-il.

— Mon frère, dit-elle en teintant sa voix d'une touche de timidité.

— Ce n'est pas très prudent pour une jeune fille de sortir seule dans la rue. Votre frère est bien négligent.

— Je dis mon frère, mais c'est en fait un lointain cousin. Je viens d'arriver à Bangalore. Alors, quand il m'a proposé de venir me chercher pour m'accompagner jusqu'au foyer...

Les mots coulaient, fluides. La petite histoire qu'elle était en train de se fabriquer lui plaisait.

— Vous habitez dans un foyer ? demanda son interlocuteur d'une voix plus attentive.

Elle sourit par-devers elle. Tous les hommes sont les mêmes, pensait-elle. Tout ce dont ils ont besoin, c'est d'un fil auquel ils puissent s'accrocher, d'un interstice entre le mur et la porte où ils puissent glisser le pied avant de s'ouvrir un passage.

— Oui, c'est un foyer pour des femmes qui travaillent, près de Banaswadi, murmura-t-elle.

— Vous savez quoi ? Je vais dans cette direction. Vous voulez que je vous dépose ?

Elle le regarda, les yeux ronds d'émotion plus que de surprise. Oh, comme ce jeu était plaisant ! Elle aimait faire résonner leurs fibres intimes comme on pince les cordes d'un instrument de musique. Que les hommes étaient donc faciles à manipuler !

— Non, ça ira, j'attends mon frère, dit-elle doucement en s'écartant de quelques pas à peine, comme pour se tenir à légère distance de sa proposition saugrenue.

— J'insiste, ce n'est vraiment pas un lieu sûr pour vous. On est à Bangalore, pas à... D'où venez-vous ?

172

– De Haveri, fit-elle, prononçant le premier nom qui lui venait à l'esprit.

– Ça explique tout ! Une fille de Bangalore ne serait jamais aussi naïve. Ce n'est pas un quartier sans risque...

Puis, après une pause :

– ... surtout pour une fille aussi jolie.

Il cherchait à juger de l'effet de son compliment, elle le sentit au regard qu'il coulait vers elle. Alors elle esquissa un petit sourire. C'était tout ce dont il avait besoin pour ne pas renoncer, elle ne lui concéderait pas plus. Il ne fallait pas qu'il la prenne pour une fille facile... ou intraitable.

– Je m'appelle Sanjay. Je suis arrivé de Tumkur il y a environ six mois. Ce n'est qu'à une cinquantaine de kilomètres de Bangalore, mais on pourrait se croire sur une autre planète. Voilà pourquoi je m'inquiète de ce qui peut vous arriver. Alors écoutez-moi, laissez-moi vous déposer devant votre foyer. J'habite près de Ramamurthy Nagar, ce n'est pas très loin de Banaswadi, l'entendit-elle mentir. En fait, c'est sur mon chemin.

Il la rejoignit de l'autre côté du pilier. Il est encore plus parfait de près, se dit-elle. Puis, se rappelant son rôle :

– Mais mon frère...

– Appelez-le sur son portable, dites-lui que vous êtes rentrée par vos propres moyens. Venez, ma moto est garée là-bas.

– Vous avez une moto !

– Oui. La première chose que j'ai faite en arrivant ici, ça a été de demander un prêt à la banque pour m'acheter cette merveille.

Elle posa la main sur ses cheveux, rabattit l'extrémité du pan de son sari sur sa tête. Ainsi maintenus, ils ne s'envoleraient pas.

Ils marchèrent jusqu'à son véhicule et elle le regarda démarrer.

– Allez, venez, lui dit-il à travers la visière de son casque. Vous avez peur ? Vous êtes déjà montée sur une moto ?

Elle fit oui de la tête et s'installa en amazone derrière lui.

– Non, asseyez-vous à califourchon et tenez-moi par la taille. Vous n'avez pas l'air habituée aux grosses cylindrées.

Elle se contenta de poser les mains sur ses épaules. Façon de le toucher sans vraiment le faire. Il poussa un soupir, mais ne dit rien.

Ils furent bientôt happés dans le flot de la circulation. Durant tout le trajet, il lui parla. Ses mots étaient balayés par le vent sitôt émis, se perdaient dans le vacarme des moteurs et des klaxons, semblaient souffler tout autour d'elle sans l'atteindre. Car la seule chose qu'elle entendait, c'étaient les palpitations folles de son cœur. Peu importait ce qu'il lui disait. Son corps pressé contre le sien lui procurait une sensation paradisiaque. Qu'était-il donc en train de lui faire ? Cédant à une impulsion, elle lui entoura la taille de ses bras et il tourna la tête vers elle :

– C'est mieux comme ça, murmura-t-il.

Il s'arrêterait, évidemment. Il trouverait un prétexte pour l'emmener dans un endroit calme. Alors, il se ferait insistant. Tous les hommes étaient les mêmes. Elle préférait qu'il en soit ainsi. De cette façon, elle savait toujours à quoi s'attendre.

Mais il n'en fit rien.

À Banaswadi, elle lui indiqua la rue où le foyer était situé. Quelques mois auparavant, elle avait aidé une parente éloignée à y trouver une place. Il ne lui fut donc pas difficile de mentir lorsqu'il lui demanda ce qu'elles mangeaient au petit déjeuner, à quelle heure fermaient les portes le soir, à combien elles partageaient une chambre et si elles disposaient de l'eau chaude.

Ils échangèrent leurs numéros de téléphone. Il fallait qu'ils se revoient, lui dit-il, avant de lui faire promettre de l'appeler. Il la regarda intensément une dernière fois et effleura sa joue du bout du doigt. Après avoir attendu qu'elle ait passé le portail, il enfourcha son bolide tonitruant et disparut dans l'obscurité.

Ressortie dans la rue tranquille, elle se mit à marcher, accablée par un sentiment de solitude et de dépossession. Puis, un peu plus tard, elle repéra un homme et sentit le regard affamé qu'il posait sur elle. Elle avait le pouvoir d'apaiser cette faim.

Elle attendit sur le trottoir, sachant qu'il viendrait jusqu'à elle et pensant à ce qui allait suivre. La hâte frénétique avec laquelle ils allaient se dépouiller de leurs vêtements et de leurs inhibitions. Le besoin impérieux, désespéré de caresser et de pétrir, de griffer et de mordre. Elle offrirait à son pillage et à sa pénétration tout ce qu'elle possédait, sa bouche, sa langue, chaque orifice et chaque creux de son corps. Alors, le cri incessant cesserait dans sa tête et le calme descendrait sur elle, ce calme assourdissant qui lui permettrait d'oublier.

Samedi 13 août

Santosh s'efforçait de ne pas regarder fixement ce qui l'entourait. C'était donc ça, le siège de la Criminelle. Pas très impressionnant. Il s'était attendu à quelque chose de plus imposant, qui aurait mieux reflété l'importance du travail qu'on y effectuait.

Les locaux avaient reçu un vague badigeon bleu pâle à une époque reculée de leur existence. L'humidité ayant rongé plâtre et peinture, de larges taches de gris coloraient les murs de l'entrée et de l'escalier. Un entassement de chaises brisées, de tables au formica détaché de leur plateau et de vieux sofas encombrait un coin de l'espace qui succédait aux marches. Au-delà, c'était le service des crimes violents, divisé en nombreuses cellules par des parois légères de contreplaqué et de verre.

La pièce dévolue au commissaire principal Stanley Sagayaraj n'était pas aussi rudimentaire. Le gradé disposait d'un grand bureau couvert de granite, d'un PC Dell encore emmaillotté dans sa protection de plastique sur une table annexe, et de plusieurs armoires à portes de verre contenant des livres et fermées à clé. Les yeux de Santosh voletaient d'une tranche à l'autre. Mémentos de police, *Lois sur les armes et les explosifs, Code pénal et code de procédure criminelle, Journal de droit pénal, Droit pénal* (en deux tomes : crimes et délits respectivement) et, de façon parfaitement incongrue, le *Guide des oiseaux de l'Inde et du Pakistan.* Sur les murs, peints plus récemment que ceux des locaux environnants, trois reproductions de volatiles encadrées...

– J'ai été un observateur assidu des oiseaux, commenta le commissaire principal, qui ne cherchait pas à masquer son amusement devant la curiosité quasi professionnelle de Santosh, mais je n'ai plus l'occasion de m'adonner à ce passe-temps.

Il fit signe aux deux hommes de prendre un siège. Gowda obtempéra aussitôt, mais Santosh hésitait. Devait-il s'asseoir à côté de son supérieur ou derrière lui ? Que disait le protocole ?

– Asseyez-vous, Santosh, qu'est-ce que vous attendez ? Ici ou là, la vue est la même, intervint Gowda avec impatience en lui désignant une chaise à côté de lui.

– Mon équipe est à l'œuvre, dit Stanley Sagayaraj en sortant le dossier de l'affaire d'un tiroir. Rûpesh, l'employé du centre d'appels, avait prévenu son colocataire qu'il allait au cinéma ce soir-là. Dans son portefeuille, nous avons trouvé une addition du restaurant L'Empire, rue de la Mosquée. Le cinéma le plus proche est le Kalinga, dont nous savons tous que c'est un lieu de racolage. Donc, selon toute probabilité, il allait à la séance de soirée pour se faire baiser.

Voyant Santosh baisser les yeux, Gowda et Stanley échangèrent un regard amusé.

– Alors mes hommes ont interrogé le personnel. Le guichetier se souvient de lui avoir vendu un billet. Il était seul, il a demandé s'il pouvait choisir sa place sans tenir compte du numéro indiqué sur le sien. Le gardien du parking se rappelle qu'il est arrivé en scooter et reparti dans une Kinetic Honda en compagnie d'une femme. La victime lui aurait promis un pourboire pour garder son casque pendant la séance. Le deux-roues n'a pas été retrouvé. On a diffusé un avis de recherche. Je pense comme vous qu'il s'agit peut-être d'un travail d'équipe : une femme comme appât et un homme qui serait le meurtrier. On en saura plus quand on aura reçu les résultats des tests ADN.

Gowda hocha la tête.

– Il y a autre chose. Tu te rappelles la boucle d'oreille dont je t'ai parlé, celle qu'on a trouvée sur Liaquat ? Je l'ai fait mesurer, évaluer et tout et tout par un joaillier. Hier soir, j'étais invité à une exposition de photos. Il y en avait une, prise avant la tombée de la nuit dans une des venelles de Shivaji Nagar, qui représentait un groupe de transsexuels.

– Je vous ai vu la regarder un bon moment, intervint Santosh. Je me demandais...

– La photo en tant que telle était très intéressante, mais si je la regardais avec insistance, c'est que l'un des eunuques portait une boucle d'oreille similaire. Comme je n'en étais pas complètement certain, j'ai demandé qu'on m'en envoie un tirage.

– Tu as pensé à interroger les eunuques ? demanda Stanley en examinant de nouveau les photos des victimes.

– J'allais le faire.

– On pourrait leur demander de passer au commissariat cet après-midi, suggéra Santosh.

L'inspecteur et le commissaire échangèrent un regard.

– Il est nouveau, non ? demanda Stanley en aparté.

Gowda sourit.

– Laisse-le tranquille. Il ne peut pas savoir comment se comportent les *chakka*. Non, Santosh, nous irons les voir. Si nous les convoquions au commissariat, ils se conduiraient comme des éléphants dans un magasin de porcelaine. Ils se feraient un plaisir de tout casser, de se mettre à poil et de se rouler par terre... Donc, nous nous déplacerons. En fait, Santosh, je veux que ce soit vous qui alliez les interroger. Prenez le brigadier Gajendra avec vous, c'est un homme d'expérience.

Le téléphone de Gowda bipa au moment où ils sortaient des locaux de la Criminelle. Gowda jeta un coup d'œil à l'écran, et ses traits se durcirent.

178

Il ne parla pas beaucoup dans la jeep qui les ramenait au commissariat. Santosh tentait de déchiffrer l'expression de son supérieur, mais à part son air lugubre, il était impénétrable. Qu'est-ce qui avait pu se passer ? Avec un léger frémissement de crainte, Santosh décida que mieux valait éviter sa compagnie pour le reste de la journée.

Peu après le déjeuner, Gowda demanda à l'agent David de le ramener chez lui.

La maison était silencieuse. Gowda avait attendu que Roshan soit parti. Puis il était resté un moment devant la porte de la chambre de son fils avant de se décider à entrer pour fouiller dans son sac à dos. Rien. La poche en paille était vide. L'herbe et le hasch avaient été consommés.

Gowda s'était assis sur le lit. Roshan était-il sorti pour s'acheter de nouvelles doses ? À quoi passerait-il ensuite ? Au speed, à l'*angel dust* ? Gowda se mordait pensivement la lèvre.

L'adresse était approximative, un simple numéro de porte à Kelesanahalli. Gowda laissa la route principale à sa gauche pour s'engager dans les allées de terre. La maison – une construction de deux étages, à la peinture écaillée – se dressait au milieu d'un bosquet de sapotiers. Une vieille fourgonnette Maruti et deux scooters de cent centimètres cubes étaient garés dehors.

Quelques poules grattaient la terre et un chat se prélassait au soleil sur un mur. Gowda, passant le portail sur sa moto, vit une vieille femme entrer dans la maison. La mère du propriétaire, sans doute.

Il gara sa Bullet, monta l'escalier jusqu'au premier étage et sonna.

C'est Osagie en personne qui ouvrit. Terrifié à la vue d'un policier en uniforme devant sa porte, il voulut aussitôt la refermer, mais Gowda la retint fermement. L'Africain soutint

179

son regard un instant, puis baissa les yeux. Il fit un pas en arrière en bredouillant :

– Je... Nous...

– Je peux vous parler ici même ou le faire discrètement à l'intérieur sans que votre propriétaire se demande ce qui se passe, dit l'inspecteur d'une voix neutre.

Osagie ouvrit plus grand la porte et lui fit signe d'entrer.

Gowda regarda attentivement autour de lui. La pièce sentait la chaleur et le sucre de fruits en train de cuire. Les rideaux avaient été tirés pour filtrer la lumière de l'après-midi. À moins que le couple ait voulu se protéger des regards curieux ? Il avisa les masques africains accrochés au mur, le très grand plateau en bronze posé sur une table et le rebord de la fenêtre décoré d'animaux en cuivre. C'étaient les seuls signes distinctifs d'un salon garni de quelques chaises et d'un petit tapis.

Une jeune Africaine portant un short minuscule et un T-shirt sous lequel ses seins pointaient très droit, un bandeau noué autour de ses cheveux crépus, fit irruption dans la pièce. Une serviette à la main, elle était en train de dire quelque chose à Osagie lorsqu'elle vit Gowda et s'arrêta net.

– C'est votre femme, Adesuwa ? demanda l'inspecteur.

Les jeunes gens se jetèrent un coup d'œil entendu et Osagie prit la parole :

– Qui êtes-vous ? Que voulez-vous ?

– Je m'appelle Gowda, inspecteur Borei Gowda.

– Nous n'avons rien fait de mal, s'écria la fille d'une voix stridente.

– Ade..., l'interrompit la voix grave et chaude d'Osagie.

Gowda prit une longue inspiration :

– Je veux que vous m'écoutiez tous les deux. Je vous ai fait surveiller...

Adesuwa ouvrit la bouche.

– Non, dit Gowda en la fixant, laissez-moi parler.

Il se tourna vers le garçon :

– Vous êtes sous surveillance tous les deux. Un de ces jours, vous commettrez une erreur et la brigade des Stups vous tombera dessus. Mais ce n'est pas la raison pour laquelle je suis ici. Ce qui m'amène, c'est le rapport que vous entretenez avec mon fils Roshan. Je veux que vous y mettiez fin. Ne vous approchez plus jamais de lui. Dites à vos amis et à vos associés d'en faire autant et ne lui vendez plus jamais de drogue, ni vous ni eux. C'est compris ?

« Je sais que le visa de votre femme est périmé. Je ne veux pas me mêler de ça. Mais si je découvre que vous continuez à fréquenter mon fils et que lui avez vendu de la drogue en dépit de mon avertissement, il ne me faudra pas longtemps pour la remettre dans un avion en partance pour l'Afrique et pour harceler vos amis, vos connaissances, tous ceux que vous avez rencontrés durant votre séjour. Je vous rendrai la vie impossible. J'espère avoir été clair.

Puis il descendit les escaliers quatre à quatre. Son fils, malheureusement, trouverait peut-être un autre fournisseur. Mais il avait accompli cette démarche pour lui-même autant que pour Roshan. C'était le rôle d'un père de veiller sur son enfant.

Il appela tôt le matin, elle ne décrocha pas. Il lui envoya un texto, elle n'y répondit pas. Elle n'était pas là, ce n'était pas son moment. Mais la nuit, à l'intérieur de sa chambre, elle se glissa de nouveau dans la peau de Bhuvana, la femme que Sanjay avait rencontrée, à l'existence de laquelle ils tenaient tant l'un et l'autre.

Elle appuya très doucement sur la touche. Il décrocha à la troisième sonnerie.

– Bhuvana ? demanda-t-il d'un ton pressant.

– Oui, Sanjay, c'est moi, dit-elle, prononçant son nom avec tendresse, comme un surnom affectueux.

– J'ai essayé de te joindre ce matin, par téléphone et par texto, mais tu n'as pas répondu. J'étais vraiment inquiet. Je m'apprêtais à aller te voir au foyer demain.

181

Un chaos d'émotions la soulevait, flattée par l'intérêt qu'il lui portait, touchée par son inquiétude, et redoutant néanmoins la façon dont les choses allaient se passer, la blessure, les larmes et la colère. Ses doigts se crispèrent sur l'appareil.

— Bhuvana, tu ne dis rien.

— Je ne peux parler ni écrire quand je travaille. Ils n'aiment pas qu'on se serve de nos portables, et je suis nouvelle, alors…

— Je comprends, dit-il d'une voix adoucie. Mais tu peux m'envoyer un mot pendant la pause du déjeuner. Tu en as une, j'espère ?

— J'essaierai, répondit-elle en prenant une profonde inspiration. Mais c'est le soir, à cette heure-ci, que c'est le plus facile.

— Est-ce que je peux venir à ton foyer demain ? Tu ne travailles pas le dimanche, dis ? On pourrait aller boire un café et manger une *masâla dosa* si tu veux. Je connais de très bons endroits…

— Non, non, le coupa-t-elle, la sueur perlant à son front. Mon frère… mon cousin était vraiment mécontent que je sois partie l'autre soir sans l'attendre. Il a dit qu'il viendrait désormais me chercher tous les soirs. Et je dois aller chez eux demain, je resterai dormir. Lundi est un jour férié.

— Ah oui, la fête de l'Indépendance. J'avais oublié, marmonna-t-il, puis : Il est marié, ton cousin ?

— Non, dit-elle en se souriant dans le miroir, et…

— Et il te considère comme sa fiancée, compléta-t-il d'un ton dur, avec aigreur.

Elle hocha la tête en regardant dans la glace la fille qu'elle était devenue. Une créature sur le qui-vive, mais infiniment désireuse de lui faire comprendre combien il comptait pour elle.

— Il se conduit comme si j'étais… mais…

Elle s'arrêta, sachant qu'il saisirait la balle au bond.

— Mais tu ne l'aimes pas ?

– Non, dit-elle d'une voix ténue. Il est tout petit, et tu sais comment sont les hommes petits. Mais ce n'est pas ça, ce n'est pas non plus parce qu'il a les cheveux qui bouclent et qu'il lui arrive de loucher. C'est que je n'aime pas comment il se conduit. Il est tellement content de lui. Bouffi d'orgueil.

Il ricana.

– C'est le cas chez la plupart des hommes de petite taille. Comme pour compenser le manque de centimètres.

– Alors, tu vois...

– Je peux venir mardi, dans ce cas ?

Elle retint son souffle derrière ses doigts. Dans le miroir, elle était une jeune fille effrayée, yeux écarquillés, lèvres entrouvertes.

– Non, non, il ne faut pas... Il a des espions partout. Ils le mettront au courant. Et il est dangereux !

– Lui, cette cacahuète ? dit-il en éclatant de rire. Tu crois vraiment qu'il me ferait peur ?

Elle l'imaginait gonflant les biceps et une vague de tendresse l'envahit. Il n'était qu'un petit garçon, à bien y regarder.

– Je t'en prie, tu aurais tort de le sous-estimer. Il a des relations, il connaît toutes sortes de gens. Je ne te parlerai plus si tu prends des risques stupides.

À ces mots, une moue se dessina sur le visage de la femme du miroir.

– Très bien. Mais comment est-ce que je peux faire pour te voir ?

Elle posa une main sur sa lèvre. En femme de décision.

– Je t'appellerai, moi. Peut-être vendredi soir, la semaine prochaine. Il m'a dit qu'il avait à faire le vendredi, en général. C'est pour ça qu'il était en retard hier.

– La cacahuète a un nom ? Je n'aime pas t'entendre faire référence à lui comme si c'était ton salaud de mari.

– Chikka, gloussa-t-elle.

– Chikka ! Parfait pour une cacahuète !

183

Il lui raconta sa journée. Elle lui raconta sa journée imaginaire. Puis ils passèrent aux mots tendres et aux plaisanteries. Ensuite, il lui chanta une chanson. Le téléphone à l'oreille, elle avait tout oublié des misères de la vie. Elle souriait encore en reposant l'appareil.

— À qui parlais-tu ? demanda *Akka*, debout sur le seuil.

Des rideaux de fer descendirent devant ses paupières.

— À personne, dit-il.

— Tu vas avoir mal, dit l'eunuque en le regardant, et tu le sais. Alors pourquoi ?

— Comment pourrais-je m'en empêcher ?

Il se pencha vers le miroir où habitait Bhuvana, la fille dont Sanjay était tombé amoureux, qui avait balayé toute prudence et lui offrait son cœur.

Dimanche 14 août

Roshan observait son père qui mâchonnait pensivement les *idli-sambâr* de son petit déjeuner.

– Qu'est-ce qui ne va pas, *Appa* ?

Gowda leva les yeux de son assiette sans répondre.

Les traits de Roshan s'assombrirent.

– C'est à cause de moi ? J'ai fait quelque chose de mal ?

– Non, non...

Gowda s'obligea à sortir de sa rêverie pour s'adresser à son fils.

– Ça n'a rien à voir avec toi, Roshan. Je réfléchis à l'affaire sur laquelle on travaille en ce moment...

Et puis il y avait cette histoire avec Urmila, qui prenait un peu trop de place depuis quelque temps. Il avait l'impression de tenir une patate chaude. Il ne voulait pas la lâcher, mais elle allait lui brûler les doigts.

Un sentiment de culpabilité déferla sur lui quand il vit le visage de Roshan s'éclairer ; il avait menti à son fils, et il avait conscience d'avoir fait de lui cette créature fragile qui redoutait sa censure, souffrant du besoin d'être approuvé par lui.

– *Appa*, les leçons de conduite, est-ce qu'on peut les remettre à plus tard ? Il faut que je rentre à Hassan aujourd'hui.

Gowda avait complètement oublié la proposition qu'il lui avait faite. Il ferma les yeux pour tenter de se reprendre. Qui

185

je suis ? Si je devais dessiner un profil de moi-même, quelle tête j'aurais ? Piètre flic, mauvais père, mauvais mari, piètre amant...

— *Appa*, tu n'es pas fâché, dis ? Mes cours commencent mardi, et j'ai besoin d'une journée pour m'organiser..., ajouta Roshan en voyant l'expression lugubre de son père.

Gowda se pencha et lui tapota la main.

— Nous commencerons la prochaine fois que tu viendras. Quelques heures au volant et tu seras au point. Tu verras, ce n'est pas sorcier, c'est à la portée du premier idiot venu.

Gowda vit une lumière traverser les yeux de Roshan. Sa récompense.

— Je suis sûr que tu vas résoudre ton affaire, dit le garçon en serrant les doigts de son père.

Gowda détourna les yeux. Comme il était facile de se faire aimer, pour peu qu'on soit capable d'exprimer soi-même de l'amour ! L'erreur qu'il avait commise, c'était peut-être d'avoir gardé si longtemps ses sentiments enfermés à double tour.

Il avait eu raison de ne pas affronter Roshan. Un jour, quand leur relation aurait trouvé un ancrage plus solide, il lui parlerait sans doute. Mais pour l'heure, il continuerait à prétendre ignorer que son fils fumait des drogues douces.

— Je fumais de l'herbe à la fac, dit-il tout à trac. Mes amis et moi, on se roulait des joints à l'occasion.

Rohan fronça les sourcils.

— Mais je savais m'arrêter. Je ne voulais pas que la fumette prenne le pas sur ma vie.

— Pourquoi tu me racontes ça ? demanda Roshan avec précaution.

— Je ne sais pas, dit Gowda en haussant les épaules. J'ai pensé que je devais le faire.

Lorsque son téléphone sonna, il décrocha, soulagé. Quand il brassait les réflexions sur sa vie, les débris de son passé et les dilemmes du présent formaient une masse écumante qui tourbillonnait sans fin dans son cerveau. L'appel du travail lui permettait d'échapper à la nécessité de donner un sens à son existence et d'examiner ses erreurs dans l'intention de les réparer. Il savait que c'était de la couardise, mais il ne voulait pas faire autrement, pas encore. Plus tard. Il aboya dans l'appareil :

— Oui, Santosh, qu'est-ce qu'il y a ?

Roshan vit son expression passer de sa neutralité habituelle à l'horreur incrédule. Il se versa une cuillerée de miel sur son assiette.

— Tu dois y aller ? demanda-t-il tandis que Gowda posait son portable.

Gowda fit oui de la tête.

— À quelle heure est ton car ?

— J'en trouverai un à la gare des transports publics. Je crois qu'il en part un toutes les heures pour Hassan. Ne t'inquiète pas. Je retrouverai sans problème le chemin de la maison.

Gowda accusa le coup. « La maison », pour le garçon, c'était celle de Hassan, pas celle de Bangalore où habitait son père.

— Oh, fit-il d'un ton neutre.

Comme s'il venait de comprendre la portée de ce qu'il venait de dire, Roshan sourit et ajouta :

— Je reviendrai chez nous dès que j'aurai trois jours de vacances. Et tu m'apprendras à conduire, d'accord ?

Gowda se leva, s'approcha de son fils et lui pressa l'épaule.

— D'accord. Pour l'instant, fais attention à toi, étudie bien et… reviens vite.

Roshan se leva et prit son père par surprise en le serrant dans ses bras. Gowda, sans rien dire, l'étreignit en retour.

Son portable annonça l'arrivée d'un texto. Urmila, sûrement. Elle avait pris l'habitude de lui écrire le matin de bonne heure. La culpabilité revint l'assaillir.

— Tu as besoin d'argent ? demanda-t-il à son fils.

187

Ouvrant son portefeuille, il en tira un billet de cinq cents roupies qu'il lui tendit.

– Achète-toi un livre ou un disque, ce que tu préfères. Pas de drogue, s'il te plaît, je t'en prie. Je t'en prie.

Gowda sortit pour lire son message : *Bj, darling, on S-ey 2 se voir ds la journée ?*

Bj, U, je te dirai, écrivit-il urgemment. Il n'était pas un pro du texto comme elle. Avant qu'il commence à lui en adresser, il avait rarement pratiqué.

Il regarda les lignes disparaître et leva les yeux sur Roshan, qui attendait près de la porte. Il avala sa salive, enfourcha sa Bullet et mit le contact. Le grondement puissant et cadencé du moteur emplit le silence qui s'était étendu entre son fils et lui.

Santosh avait appelé pour dire que le poste de commande avait signalé un homicide à Dodda Banaswadi ; un jeune homme, la gorge tranchée.

– J'ai pensé qu'il était bon de vous avertir. Peut-être qu'il existe un rapport avec nos affaires, avait dit l'inspecteur adjoint, qui ne pouvait réprimer son excitation.

– Oui, bien sûr. J'arrive tout de suite.

Santosh l'attendait au commissariat.

– On ira en moto, dit Gowda. Il y a un casque de réserve à l'intérieur, demandez à Byrappa, il sait où.

Santosh, dûment coiffé du casque, monta sur la Bullet. Après sa cent cinquante centimètres cubes, celle-ci lui faisait l'effet d'un cheval, d'un coursier puissant et sûr qui ne risquait pas de trébucher, quel que soit l'état de la route ou la densité de la circulation.

Un attroupement s'était formé devant la maison. Deux jeeps de la police étaient garées non loin et une escouade d'agents contenait la foule. La radio crépitait dans l'une des voitures. Gowda rangea sa moto le long d'un mur et les deux hommes s'avancèrent vers leurs collègues. L'un d'eux, aper-

188

cevant les trois étoiles et le ruban bleu sur les épaulettes de l'inspecteur, donna un coup de coude aux autres, qui se redressèrent d'un bond au garde-à-vous. Santosh éprouva un moment de fierté. Quoi qu'il pense de Gowda, son supérieur ne manquait pas de charisme.

– L'inspecteur Lakshman est là, monsieur, dit l'agent. À l'étage, sur la scène du crime.

Gowda lui fit un signe de tête et ouvrit le portail dans un long craquement de métal rouillé. Une moto était garée sur le côté de la maison. Gowda monta l'escalier qui conduisait au premier. À mi-hauteur, il se tourna vers Santosh pour lui faire signe de le suivre.

– L'étage était aménagé pour des locataires. Il y a la place pour une petite famille, expliqua le propriétaire à l'arrivée de Gowda.

Assis sur une chaise, le visage couleur de cendre, il était incapable d'assimiler le fait qu'un meurtre avait eu lieu chez lui pendant qu'au rez-de-chaussée les siens dînaient, regardaient la télévision et s'en allaient dormir.

– Kiran était un jeune homme bien. Son oncle est un de mes amis, alors je n'étais pas trop inquiet d'héberger un célibataire. Il était bien élevé, croyant, sans mauvaises habitudes, vous voyez ce que je veux dire… Je ne comprends pas. Je ne comprends pas qui a pu lui faire une chose pareille. Et pourquoi ?

Gowda regardait autour de lui. Le premier étage était une vaste terrasse sur laquelle on avait édifié deux pièces, en ménageant suffisamment d'espace libre pour d'éventuelles constructions supplémentaires. Quelques plantes en pot longeaient la rambarde face à la route. À l'arrière, sur une corde à linge, étaient pendus trois T-shirts, un pantalon, deux slips et une serviette, à côté d'un robinet sous lequel on avait placé une cuvette.

Un paillasson devant la porte déclarait « Bienvenue ». Gowda vit Santosh se diriger vers la porte.

– Non !

– Monsieur ? l'interrogea Santosh en se retournant.

– Ne vous essuyez pas les pieds sur le paillasson ! grommela Gowda.

– Je ne l'aurais pas fait, monsieur, dit Santosh lentement. Je sais que vous me prenez pour un idiot, mais pour un idiot de ce calibre, vous devrez chercher ailleurs.

Gowda ne répondit pas, mais il eut le bon goût de prendre l'air contrit quand Santosh, reculant d'un pas, lui fit signe d'entrer le premier sur la scène de crime.

La chambre ne présentait aucun signe de lutte. Son contenu était en ordre : des livres sur la table, un casque de deux-roues sur une étagère, une pile de vêtements repassés, un fer électrique encore branché à proximité. Quelques ustensiles et une rangée de pots contenant des denrées de base garnissaient le coin cuisine. Le réchaud était propre, un chiffon de ménage avait été mis à sécher sur le comptoir.

Gowda ouvrit le petit placard à vêtements, entourant la poignée d'un mouchoir, puis en examina méthodiquement chaque étagère. Chemises et pantalons sur l'une, quelques pull-overs sur la deuxième, draps, taies d'oreiller et serviettes de toilette sur la troisième, une paire de chaussures noires sur celle du bas. La section penderie, où étaient accrochés quelques cintres, deux chemises et un jean, était surmontée d'une étagère étroite. Un petit appareil photo était posé dessus ainsi qu'une boîte à chemises que Gowda tira vers lui. Elle contenait une pile de magazines pornos.

Puis il se tourna vers la victime. Ses baskets gisaient près du lit, où son pantalon et son slip formaient une flaque de couleur. Tout semblait indiquer qu'il s'était dévêtu à la hâte. Sa chemise avait été jetée sur le drap sans souci de la froisser. Le jeune homme assis sur une chaise était nu, en chaussettes.

On lui avait tranché la gorge. Mais tout comme Kothandraman, il ne présentait que les signes habituels de strangulation à l'aide d'une corde : globes oculaires proéminents et pupilles dilatées, avec des traces d'hémorragie sur la cornée et sur la peau du visage ; langue tirant sur le brun foncé, à demi sortie sur des lèvres bleues, une écume sanguinolente à la bouche. Il avait saigné du nez et des oreilles. Le long du dessin bien net de la ligature qui montait en oblique vers l'arrière de la nuque, on pouvait voir des meurtrissures, des traces d'abrasion et une coupure profonde là où la corde avait appuyé plus fortement contre la peau. Ses mains étaient crispées, son pénis en érection partielle. Il avait uriné et déféqué sous lui dans ses derniers instants.

Et puis, de nouveau, cette blessure à la joue. La peau ouverte, les tissus comme creusés, l'os fracturé. Sur le pourtour, la peau était déchirée, irrégulière. En fait, à part la puanteur de la putréfaction et les traits convulsés du cadavre où se lisaient le choc, l'épouvante et la conscience de la mort imminente, la pièce était probablement telle que son occupant l'avait toujours tenue.

Lakshman, l'inspecteur en charge de l'enquête, leva les yeux et se redressa vivement au garde-à-vous.

Gowda hocha la tête.

— Deux meurtres par strangulation ont été commis dans ma juridiction au cours du mois dernier. Nous avons pensé qu'il était peut-être intéressant de venir jeter un coup d'œil, si vous n'y voyez pas d'inconvénient, dit-il, incluant Santosh dans son enquête.

Santosh fit un pas en avant. Gowda essayait de se racheter.

L'inspecteur Lakshman avait passé lui aussi un moment sous la tutelle de Gowda, incomparable formation à la police de la vie réelle. Mais il avait été muté avant que Gowda ne l'avale tout cru. Il regardait donc Santosh avec une bonne dose de sympathie et une certaine jalousie. Même si on avait envie d'envoyer un presse-papiers à la face de Gowda, il était impossible de ne pas admirer l'homme qui élevait l'enquête au statut des beaux-arts. Lakshman regrettait parfois de ne pas avoir passé plus de temps avec lui. Il aurait appris comment procéder avec une parfaite exactitude.

– Qu'en pensez-vous ? demanda Gowda méthodiquement.

Il n'attendait pas grand-chose d'un lèche-cul tel que Laksh-man, mais qui sait. Peut-être avait-il renoncé à appuyer ses déductions sur des vues carriéristes.

– J'ai informé le surintendant, monsieur, répondit-il.

Les lèvres de Gowda dessinèrent un rictus. Non, Lakshman était bien resté le même.

– La Criminelle sera là aussi…, dit-il. Alors, quelle est votre première lecture des faits jusqu'à plus ample informé ?

Du coin de l'œil, il vit que Santosh avait passé une paire de gants et commençait une recherche en colimaçon. Bien. Le garçon avait assimilé en partie ce qu'il lui avait enseigné : « Ne commencez jamais une recherche d'indices de façon aléatoire. Il y a une méthode pour chaque chose. Quand je suis seul ou quand je sais que je dois m'y appliquer avant l'arrivée des contorsionnistes du cirque, je procède en colimaçon, de la périphérie vers le centre. »

– En fait, je n'y comprends rien, monsieur, reconnut Lakshman.

Inutile de faire le faraud avec Gowda. Il aurait compris aussitôt qu'il n'avait rien, pas un embryon d'indice pour se faire une idée préliminaire sur ce qui s'était passé. Et là était bien le problème. Tout était en ordre et même la victime paraissait au repos, comme s'il n'avait compris qu'à la dernière minute ce qui lui arrivait.

Santosh examinait les fenêtres, toutes fermées de l'intérieur sauf le soupirail de la salle de bains. Une seule porte donnait accès à la chambre, fermée jusqu'à l'intervention de la police qui l'avait enfoncée. L'agresseur était donc entré avec l'assentiment de la victime et avait quitté la scène du crime en tirant la porte derrière lui.

Le propriétaire avait d'abord cru que Kiran était malade. Il l'avait entendu revenir en moto l'avant-veille aux environs de dix heures du soir. Il le savait donc chez lui. Au matin la moto n'avait pas bougé. C'était sa femme qui la première avait soup-çonné que quelque chose ne tournait pas rond. Le lendemain à sept heures, les berlingots de lait de la veille destinés à Kiran étaient toujours à la même place devant la porte. Elle en avait informé son mari, alors assis devant son petit déjeuner. Il avait appelé le jeune homme sur son portable et ils avaient entendu son téléphone sonner à l'étage. Le propriétaire était monté frapper à la porte. Pas de réponse. Sur ces entrefaites, un gar-çon du nom de Suraj, que Kiran lui avait présenté comme étant son collègue, était arrivé, l'air préoccupé. Quelqu'un l'avait appelé l'avant-veille pour lui dire que Kiran était mort. Il avait cru à une plaisanterie, car il avait passé la soirée avec lui au gymnase. Mais depuis la veille au soir, il l'appelait en vain sur son portable et Kiran ne décrochait pas.

Le propriétaire, terrifié, avait tambouriné de plus belle à la porte en s'égosillant. Rien. Il avait alors décidé d'appeler la police.

– Qu'est-ce que ça nous donne, monsieur ? demanda Lakshman.

– On verra ce que l'autopsie révèle. En attendant, communiquez-moi ce que vous aurez découvert sur la victime. Vérifiez les appels passés sur son téléphone, interrogez ses amis, son entourage, établissez quelles étaient ses habitudes et essayez d'en déduire où et quand il a été vu pour la dernière fois. Je dis bien *vu*, pas entendu... Et parlez au plus vite à ce Suraj. Tentez de remonter jusqu'au numéro d'où l'annonce de la mort a été communiquée. C'est un élément primordial !

Le député municipal regardait pensivement ses ongles, Tiger à ses pieds, les yeux levés vers lui dans une expression semblable. L'homme et son chien avaient tous deux en tête quelque chose qui nécessitait un troisième larron pour être mis en œuvre, se disait Chikka de son perchoir coutumier sur le muret de la cour. Il poussa un soupir. La tâche lui incombait.

193

Il se leva.

– Viens, Tiger, dit-il en se dirigeant vers la porte.

Tiger rejoignit Chikka en jetant un coup d'œil de reproche à son maître. Il s'arrêta un instant sur le seuil puis sortit. Un chien ne pouvait pas rester sans faire ses besoins. Chikka pensait comprendre ce qu'il ressentait. Lui non plus ne pouvait rester sans faire ce dont il avait besoin.

– *Anna*, demanda-t-il du pas de la porte, qu'est-ce qui te tracasse ?

Le député leva les yeux et rencontra le regard de son frère posé sur lui.

– Tu te rappelles Shivappa, l'employé des Travaux publics qui voulait qu'on l'aide à récupérer sa maison… Il a parlé à Jackie Kumar. S'il ne travaillait pas au service de la planification, je me dirais bon débarras. Mais il connaît les projets d'urbanisme au fur et à mesure que les dossiers sont soumis pour autorisation, et j'ai besoin de ces informations, pour vendre… Je n'ai pas besoin de te faire un dessin. J'aurais dû m'en occuper avant, mais j'avais autre chose en tête. Si Jackie Kumar le prend sous son aile, notre accès au service du ministère où Shivappa travaille est bel et bien bloqué. J'aurais dû me souvenir que Jackie Kumar cherche à me rendre la vie difficile depuis que nous sommes fâchés.

– Qu'est-ce que tu veux que je fasse ? demanda Chikka d'un ton neutre.

– Prends quelques gars avec toi et foncez jusqu'à la maison, fichez les protégés de Razak-le-Poulet et ses affaires dehors. Ferme la porte d'entrée au cadenas et rapporte-moi la clé. Appelle l'employé des TP ce soir. Je le veux bavant de gratitude sur mes pieds. La semaine prochaine, on lui présentera notre requête.

Le député se leva et gagna la porte derrière laquelle Tiger gémissait. Il le fit entrer et lui tapota amicalement la tête à plusieurs reprises.

– Tu l'aimes vraiment, ce chien, hein ! remarqua Chikka.

Le député sourit :

— Avec lui, je suis en terrain sûr.

— Dis tout de suite que tu n'as pas confiance en moi, grogna Chikka.

— En toi, si, sourit à nouveau le député, posant les mains sur les bras de son frère. Mais ce serait idiot de faire confiance à qui que ce soit d'autre. Tout le monde passe sa vie à apprendre comment faire du troc. Il suffit de savoir qui a besoin de quoi pour manipuler les gens comme on veut. Demain, si un autre quidam se présente et offre de meilleures conditions, on se tourne vers lui. Même mon Tiger le fera, il frétillera de la queue et mangera sa viande. Mais ce chien ne lui donnera rien en retour. Tout son amour, toute sa loyauté sont pour moi. Je préfère les chiens aux gens.

Chikka ne pipait mot.

— Autre chose. Il va falloir s'occuper de ce Ramachandra, le type de l'administration du bidonville, déclara le député sur un ton soudain plus dur.

— Il a jasé ?

— Pas encore. Mais ça ne veut rien dire. Quand il est venu me voir hier, j'ai détecté une certaine effronterie dans ses manières. Comme s'il tenait un atout pour marchander avec moi. Presque comme s'il s'imaginait pouvoir me contrôler.

— Est-ce qu'il t'a dit quelque chose ? demanda Chikka en se rapprochant.

— Pas exactement. Mais quand j'ai voulu qu'il sorte une lettre d'un dossier pour me la montrer, il a refusé sous un prétexte quelconque. On parle de détruire les bidonvilles près de la gare de l'Est et je voulais savoir quels projets étaient sur les rangs. Avant, je n'avais qu'un mot à dire et on me tendait le courrier...

Le député retourna s'asseoir, Tiger sur ses talons. Chikka le regarda tirer affectueusement les oreilles du chien qui se mit à frotter son museau contre la main de son maître, désireux de conserver son attention et de jouer. Le député sourit et lui gratta le cou.

– Il a un chien, dit-il. Une espèce de petit sac blanc plein de poils qui jappe, un roquet stupide et gâté. Ils lui attachent un ruban rouge autour du cou. Apparemment, sa fille en est gaga. Tranche-lui la gorge.

– Quoi ?

– La famille est partie à Mysore hier soir et ils ne reviendront que tard dans la nuit. Il y a une bonne qui habite sur place, mais le chien se trouve d'ordinaire dans la cour devant la maison.

– Comment sais-tu tout ça, *Anna* ? demanda Chikka, incrédule.

– C'est mon travail, de savoir. Tranche la gorge du chien et laisse-le là pour que Ramachandra le trouve à son retour. Dis-lui qu'il aboyait trop. Dis-lui que ses aboiements parvenaient jusqu'à moi et me faisaient mal aux oreilles. Dis-lui que c'est comme ça que nous traitons les chiens qui ne savent pas fermer leur gueule. Dis-lui donc ça.

Il se leva.

– Je vais prendre ma douche.

Chikka avala sa salive avec difficulté. Son frère l'inquiétait de plus en plus. Ce qu'il était en train de devenir lui faisait même si peur qu'il préférait ne pas y penser.

Ils partirent en Scorpio. *Anna* avait insisté en riant pour qu'ils prennent le véhicule des « méchants dans les films ». « L'intimidation, c'est le sésame quand tu veux accomplir quelque chose qui se passe dehors. »

Ils étaient cinq, Chikka, King Kong et trois hommes, formés par *Anna* pour être ses poings et ses pieds depuis qu'il ne pouvait plus se déplacer en personne pour brandir sa crosse de golf au-dessus du crâne de ses victimes. Chacun d'eux possédait une arme favorite – couteau à cran d'arrêt, tournevis, machette ou chaîne de vélo. Et Chikka avait son revolver. *Anna* voulait qu'il l'emporte quand il sortait avec les gars.

Le chien se trouvait comme prévu derrière le portail, courant d'un bout à l'autre de la cour avec des petits jappements aigus au moindre mouvement de vie, de machine ou de feuille au vent qui entrait dans son champ de vision. La porte était fermée, il n'y avait personne dehors. Chikka regarda Raghu crocheter le portail et jeter un kebab par terre. Reconnaissant l'odeur de la viande, le chien se précipita, les yeux brillants. King Kong le saisit d'un geste vif par la peau du cou et fit glisser la lame de son couteau à cran d'arrêt d'un côté à l'autre de sa gorge. Le chien eut quelques convulsions avant de s'immobiliser. King Kong jeta le corps au sol, sortit le message écrit de sa poche et l'attacha soigneusement à la patte de l'animal à l'aide du ruban qu'il portait autour du cou. L'opération n'avait pris guère plus de trois minutes et dans cette rue tranquille, personne n'avait vu ni entendu ce qui s'était déroulé derrière le haut mur d'enceinte. Non que l'équipe s'en soit inquiétée. *Anna* était là pour les couvrir, quoi qu'il arrive.

– Et maintenant, où on va ? demanda Raghu en montant dans le 4 × 4.

– À Shivaji Nagar, dit King Kong.

Chikka se taisait. S'il se trouvait là, c'était uniquement parce que, envoyés seuls en mission, les hommes auraient fini par se prendre pour des caïds. « Le truc, disait *Anna*, c'est de leur faire croire qu'ils ne pourraient pas fonctionner sans nous. »

Ces hommes pensaient-ils jamais, la nuit, à ce qu'ils faisaient de leurs journées ? se demandait Chikka. Leur traversait-il l'esprit, parfois, qu'ils perpétraient ces actes de cruauté gratuite contre des personnes qu'ils ne connaissaient même pas ?

La maison était bouclée. Chikka fronça les sourcils.

– Faites sauter le cadenas, on le remplacera par un neuf en partant. Sortez les affaires qui sont à l'intérieur. Dites aux voisins que le propriétaire a vendu, que Razak-le-Poulet et son giton ont été expulsés.

Les hommes sortirent du véhicule en grommelant.

– N'importe quel gamin des rues est capable de faire ça, grogna Swami. Pourquoi est-ce qu'*Anna* nous en a chargés ?

– C'est une histoire avec Jackie Kumar. Une sorte de message qui lui est adressé. Du genre « Pas de grabuge sur mon territoire », quelque chose comme ça, expliqua Raghu.

Un passant s'arrêta pour regarder les hommes d'*Anna* entasser des objets sur le trottoir : une chaise, un lit, un poste de télévision et quelques vêtements. L'un d'eux sortit un jerrycan de pétrole de la voiture et en arrosa la pile, puis gratta une allumette et la jeta dessus. Les biens de Razak le Poulet furent aussitôt engloutis par les flammes. King Kong et Swami regardaient le brasier tandis que Raghu le piquait d'un bâton.

Le passant vit le feu sifflant éjecter de petites étincelles dans un crépitement, des flocons de cendre danser en l'air et s'éloigner, portés par le vent, King Kong ajuster un nouveau cadenas en acier flambant neuf à la porte.

Puis les hommes s'entassèrent dans le 4 × 4 à l'air louche qui démarra.

Mardi 16 août

Gowda était certain que d'autres préparaient le même tableau que lui. Mais, quoi qu'il en soit, il devait le faire.

– Qu'est-ce que vous faites, monsieur ? lui demanda Santosh en le voyant annoter méticuleusement un graphique posé devant lui.

– Le rapport d'autopsie établit l'heure du décès aux environs de vingt-trois heures et le propriétaire a entendu la moto à vingt-deux heures. Le contenu de l'estomac et le stade de la digestion nous indiquent qu'il a mangé aux environs de vingt et une heures trente. Ce qui veut dire qu'il a pris ce repas dans un rayon de dix kilomètres autour de chez lui. Soit la victime a mangé avec son agresseur, soit elle l'a rencontré sur le chemin du retour. Il nous faut donc enquêter méthodiquement sur tous ces axes, conclut Gowda en montrant des lignes rayonnant de la scène de crime.

Santosh examina le dessin et avança prudemment :

– Nous pouvons réduire la distance d'investigation d'au moins cinq kilomètres dans chaque direction, monsieur. Les freins de sa moto sont défectueux, il n'aura pas pu rouler très vite. Je l'ai vérifié en revenant.

Gowda lui adressa un sourire :

– Très bien... mais attention, il y a un problème technique majeur : nous ne sommes pas dans notre juridiction. Préparez un plan et prenez tous les hommes disponibles pour quadriller la zone, mais vous comprendrez que nous disposons d'un temps limité pour agir...

Gowda s'étira en bâillant aussi haut que ses bras le lui permettaient. Il était debout depuis trois heures du matin, à réfléchir à l'affaire. Sans en avoir la preuve, il savait qu'il existait un lien entre les meurtres de Kothandraman, de Liaquat brûlé vif, de Rûpesh repêché dans le lac et, à présent, de Kiran. Tous avaient eu la gorge tranchée par une corde incrustée de verre pilé sur le modèle des fils de cerf-volant. Dans chaque cas, le crâne présentait une dépression profonde. Une fracture qui signait le crime, dessinant en creux la forme de l'arme qui l'avait provoquée : lourde, avec une petite surface de contact. La table externe avait été enfoncée dans le diploé et la table interne s'était brisée selon des lignes irrégulières. Brusquement, il fut frappé par une idée.

— Santosh, vous avez un calendrier ?

Santosh tira de son portefeuille un petit calendrier publicitaire auquel Gowda jeta un coup d'œil.

— Vous ne constatez rien ?

— Tous les homicides, sauf celui de Liaquat, ont été commis un vendredi ! s'exclama Santosh dans un frémissement d'excitation.

— Santosh, cherchez si d'autres meurtres ont eu lieu un vendredi dans les six mois écoulés. Nous savons que le mode opératoire n'a pas de précédent, mais passez en revue les morts par égorgement. Peut-être l'arme aura-t-elle changé. Et encore une chose : toutes les victimes sont des hommes, cela réduit encore le champ de nos investigations, vous ne croyez pas ? dit Gowda en prenant des notes au verso de son dessin.

Tout en rangeant le calendrier, Santosh se félicitait. Sa première enquête criminelle, et déjà ils semblaient tenir une piste.

– Vous avez commencé à interroger les eunuques ? reprit son supérieur.

– J'ai demandé au brigadier Gajendra de le faire, monsieur. Je vais voir où il en est.

– Vous voulez dire que ce n'est pas fait... que *vous* ne l'avez pas fait ! Il me semblait vous en avoir chargé, Santosh. Si j'avais jugé bon de mettre Gajendra sur le coup, je ne vous aurais rien demandé.

Ce ton sévère refroidit l'inspecteur adjoint. L'espace d'un instant, il avait relâché sa garde. Gowda l'avait traité sur un pied d'égalité et d'un coup il le ravalait au grade de l'assistant borné à qui il faut dire ce qu'il peut et ne peut pas faire.

Quand le portable de Gowda se mit à sonner, Santosh en profita pour s'éclipser avant qu'une nouvelle volée de reproches s'abatte sur sa tête – laquelle avait grand besoin d'une coupe de cheveux.

Gowda, pensif, reposa son téléphone. Voilà qui donnait un tour nouveau à l'affaire. Il se pencha vers la sonnette de table.

– Demandez à Santosh de venir, dit-il à l'agent.

Santosh accourut. L'agent Byrappa l'avait prévenu : à voir Gowda, on aurait pu croire qu'il avait « mordu dans une pierre en mangeant son riz ». Même si Santosh avait du mal à imaginer sa tête dans une telle situation, il n'avait pas l'intention de prendre le moindre risque.

– Monsieur ?

Gowda semblait plongé dans un abîme de réflexions, et presque souffrir. Ressemblait-on à ça quand on mordait dans une pierre ? Rien n'était moins sûr. L'agent Byrappa aurait mieux fait d'écrire des romans ; les rapports de police n'étaient pas son fort.

– Un de mes indics vient de m'appeler. Apparemment, un groupe d'hommes est passé chez Liaquat. Ils ont jeté ses affaires dehors et ils y ont mis le feu avant de cadenasser la porte et de s'en aller.

– Il sait qui c'était ? demanda Santosh, tout émoustillé par le nouvel élément.

– Oui, les hommes du député Ravikumar. Je ne vois pas bien le rapport, mais...

Santosh attendait que Gowda termine sa phrase.

– ... nous allons rendre une petite visite au député.

– J'allais vous le suggérer, dit Santosh, incapable de tenir sa langue.

– Mais vous ne l'avez pas fait. Or un bon policier n'hésite jamais. Alors, dites-moi, comment voyez-vous les choses ?

C'est ça... pour que vous m'arrachiez les yeux quand je vous l'aurai dit..., pensa Santosh avec amertume. Il commençait à croire que Gowda était sérieusement bipolaire.

Hérissé d'une frise de tessons et surmonté de deux rangées de barbelés, le haut mur d'enceinte couleur grès courait sur presque toute la longueur de la route. Gowda serrait les dents. Combien de temps allait-on les faire poireauter devant les grilles noires du portail ?

– Salaud de parvenu. Pour qui se prend-il ? Pour un putain de gouverneur ?

Le gardien ouvrit les vantaux avec réticence. L'agent David lui jeta un regard furieux.

– Vous ne voyez pas que c'est une jeep de la police ? Dépêchez-vous un peu !

L'homme haussa les épaules.

– Les ennemis d'*Anna* sont nombreux. C'est mon devoir de vérifier qu'il n'entre pas n'importe qui chez lui.

En manière de réponse, David appuya sur l'accélérateur et lança le véhicule à pleine vitesse vers la demeure au bout de l'allée.

– Comment un député municipal peut-il se faire construire une baraque pareille ? s'étonna Santosh qui tombait des nues. Aussi...

– Horrible ? Monstrueuse ? Écœurante ? proposa Gowda.

– Aussi énorme. Aussi grande que le palais du maharaja de Mysore !

– *Presque* aussi grande…, rectifia Gowda en souriant tandis que la jeep s'arrêtait devant la demeure.

– Même le portail est somptueux. D'où est-ce qu'un député municipal tire autant d'argent ? murmura Santosh.

– Bienvenue dans l'univers de la politique, gronda Gowda. Une étude de l'an dernier a établi que le Karnataka était le quatrième État le plus corrompu de l'Inde.

– À voir ça, je n'en doute pas, fit Santosh d'un ton lugubre en posant les yeux sur la rangée de voitures garées devant l'entrée.

Il pensait à son père, qui avait été un temps député municipal à Londa. C'était un petit homme fragile, portant fièrement ses valeurs comme ses vêtements de coton filé main, un gandhien qui refusait toute faveur personnelle, au nom de l'intérêt public. Santosh et sa fratrie avaient subi le poids de sa stricte adhérence aux principes moraux. Aurait-il été là, dans cet uniforme, si son père avait été un député du même tonneau que ce Ravikumar ? Sans doute pas. Qui sait comment il aurait tourné ?

Un groupe serré d'hommes se tenaient d'un côté de la maison. L'un d'eux, de carrure simiesque, aux bras arqués et au torse en barrique, rentra tranquillement en les voyant arriver. À peine Gowda et Santosh avaient-ils grimpé les marches du perron que la porte s'ouvrait tout grand sur le député Ravikumar en personne.

– Entrez, je vous en prie, lança-t-il de sa voix la plus cordiale. Qu'est-ce qui vous amène, Borei Gowda ? Ah, suis-je bête ! fit-il en se frappant le front du plat de la main d'un geste théâtral. Vous êtes en uniforme… Que puis-je faire pour vous, *inspecteur* ?

Santosh retint une expression de stupéfaction : Gowda et le député se connaissaient ! Ravikumar posa les yeux sur son subordonné et le toisa avant de le rejeter hors de son paysage mental. Inexistant.

Tournant les talons, il les conduisit dans une pièce si lourdement chargée de draperies brodées que Santosh se sentit aussitôt oppressé. Les sols étincelaient. Des tableaux géants de Ravi Varma garnissaient les murs dans leurs cadres dorés : une femme parlant à un cygne, un groupe de chanteuses... La surprise de l'inspecteur adjoint fut à son comble quand il vit un grand labrador noir au poil brillant portant au cou ce qui ressemblait à une plaque en or. Le chien s'approcha d'eux au petit trot pour les flairer.

– Son père Roméo était inspecteur dans la Brigade canine, dit le député d'une voix sans timbre. Il sent peut-être que vous partagez un lointain rapport avec lui.

– S'il ressemble en quoi que ce soit à son père, il ne doit pas être à la fête ici. L'activité préférée de Roméo et son plus grand talent, c'était de débusquer les criminels, répondit Gowda en souriant.

Santosh le regarda avec admiration. N'avait-il donc peur de personne ?

Le député tiqua.

– Qu'est-ce que je peux faire pour vous, inspecteur ?

Il s'assit sur une espèce de trône et fit signe aux deux policiers de choisir un siège parmi les canapés en cuir noir. Un homme jeune, mince et de petite taille, aux cheveux bouclés, une coquetterie dans l'œil gauche, apparut. Des diamants étincelaient à ses oreilles. Gowda conçut immédiatement une profonde antipathie envers lui. Dieu merci, Roshan ne portait pas encore de piercing. La vue de garçons parés de boucles d'oreilles le révulsait. Celui-ci était accompagné du type simiesque qui était allé prévenir le député de leur arrivée. Un serviteur les suivait, portant un plateau. En argent, nota Santosh, tout comme les deux timbales de petit-lait qui se trouvaient dessus.

– Le lait vient de ma laiterie. Le petit-lait est d'une qualité exceptionnelle, commenta le député, qui avait retrouvé toute son affabilité. Voici Ramesh, mon frère, reprit-il sans se donner la peine de présenter le colosse.

Le rôle de ce dernier ne laissa pourtant aucune place au doute lorsqu'il vint se placer à côté du siège du député, bras croisés, jambes légèrement écartées dans une posture qui signifiait : « Je veillerai sur cet homme jusqu'à mon dernier souffle. »

Gowda le considérait sans rien dire avec intérêt. Il prit un des gobelets et donna à Santosh le signal de boire lui aussi.

– Hier soir, vos hommes sont allés chez Liaquat dans Obaidullah Street, dit-il, ignorant les formules de politesse.

Le député le regardait sans comprendre.

– Ce n'est pas chez Liaquat, c'est la maison que Razak-le-Poulet habitait. Liaquat était son giton, rectifia son frère.

– Giton ? releva étourdiment Santosh.

– Son bardache, murmura Gowda.

– Son quoi ?

– Laissez tomber, je vous expliquerai plus tard.

Gowda se retenait avec peine de pincer Santosh comme Mamtha le faisait à Roshan quand, refusant de se taire, il posait des questions embarrassantes en pleine réunion importante.

– Je vois que votre collègue est nouveau dans le métier, sourit le député.

– Liaquat a été tué il y a quelques semaines. On lui a tranché la gorge, puis on l'a emmené hors de la ville et on a mis le feu à son corps. Probablement pour s'en débarrasser, mais il vivait encore quand on l'a découvert, dit Gowda.

Le député échangea un regard avec son frère.

– En quoi cela nous concerne-t-il ?

– C'est précisément ma question. Qu'allaient faire vos hommes chez lui ?

Le député inspira profondément. Mais son jeune frère prit la parole :

– *Anna* n'est pas au courant de ce qui est arrivé.

205

Le député posa la main sur son bras et dit :

– Vous auriez pu faire votre travail préliminaire avant de venir me voir. Vous auriez appris que Razak-le-Poulet n'était que le locataire de la maison. Elle a été vendue à Shivappa, un employé des Travaux publics. Il avait trouvé un autre logement à Liaquat, mais Liaquat ne voulait rien savoir pour quitter les lieux. J'ai dit à Shivappa que je réglerais son problème, mais je vois que mon frère a été plus rapide que moi.

Il fit une pause et ferma les yeux avant de reprendre :

– Je ne sais même pas à quoi ressemble ce Liaquat.

– Moi non plus, dit Ramesh. En fait, monsieur, je les ai accompagnés pour m'assurer que tout se passerait bien. Votre informateur a dû vous le dire. Les hommes ont fracturé le cadenas et vidé la maison.

Gowda hocha la tête.

– Dans une enquête d'homicide, on ne peut se permettre de négliger le plus petit détail.

– Le meurtre de ce Liaquat, c'est vous qui venez de me l'apprendre. C'était un prostitué, vous l'avez bien compris, n'est-ce pas ? Avec Razak en prison, il a dû être réduit à faire n'importe quoi...

Puis, avec un fin sourire :

– Voulez-vous que je me renseigne pour votre compte ? J'ai le bras plus long que vous.

– Ce ne sera pas nécessaire, fit Gowda en fronçant les sourcils.

Le député se leva. Gowda et Santosh firent de même.

– En tant que député, vous auriez dû savoir qu'il ne vous appartient pas de faire respecter la loi, reprit Gowda. Ce Shivappa, l'homme dont vous parlez, aurait dû s'adresser à la police. Elle s'en serait chargée.

Le député sourit :

– Vous avez raison et, personnellement, je n'en aurais rien fait. Je vais parler à mon frère et m'assurer que ce genre de chose n'arrivera plus. Cela dit, vous savez comme moi que

Shivappa n'a pas les moyens de faire intervenir la police. Moi, je ne réclame pratiquement rien, seulement de la loyauté. C'est un prix que la plupart des gens peuvent payer. Inutile de refaire tout ce trajet pour me poser d'autres questions si vous en avez, inspecteur. Téléphonez-moi, je vous répondrai.

— Mais c'est un délit pénal, monsieur, d'entrer par effraction dans une maison ! On aurait pu les coffrer, marmonna Santosh en se dirigeant vers la voiture.

— Oui, mais le jeune frère aurait été libéré sous caution avant même que nous ayons rejoint le commissariat.

Santosh se retourna pour observer une dernière fois la maison.

— Je ne le crois pas. Il en sait beaucoup plus qu'il le dit, dit Gowda tandis qu'ils roulaient.

— Il est assez bizarre, avec sa maison, son chien, son frère embijouté et son garde du corps. Vous avez vu qu'ils entretiennent une troupe d'eunuques ? Vous les avez vus entrer par une porte séparée ? murmura Santosh tandis que son supérieur le fixait bouche bée. On se serait crus dans un film.

« Et puis, monsieur, il y avait une Scorpio garée près de la maison. Immatriculée au Tamil Nadu.

Mercredi 17 août

Gowda avait posé les coudes sur son bureau et joint les mains par le bout des doigts. À sa gauche, le mur dessina l'ombre d'un *gopuram*. Alors, sur une impulsion, il serra un poing, glissa le pouce entre le majeur et l'annulaire. Il le rouvrit et, posant une paume à plat sur le dos de l'autre main, se mit à bouger ses deux pouces en cercle.

Santosh, debout derrière les demi-portes, se demandait ce que Gowda était en train de faire. Le mur s'animait d'ombres vivantes. Un visage d'homme ? Tiens, un poisson...

Gowda leva les yeux.

– Qu'est-ce que vous faites à traîner par ici ?

Santosh ouvrit le battant et entra.

– Monsieur... euh, que faisiez-vous ?

– Je réfléchissais, dit Gowda en essayant de garder l'air naturel, gêné à la pensée de ce que cet abruti pouvait croire en le voyant dessiner des ombres chinoises. Qu'est-ce que vous vous imaginiez ?

Les joues de son adjoint prirent un ton brique.

– Regardez, dit Gowda en poussant vers lui le livre de photos des tableaux de Ravi Varma. Regardez bien. Il y a quelque chose là-dedans qui m'est familier, mais je ne peux pas mettre le doigt dessus.

La Jongleuse. Santosh se pencha et examina longuement la couverture avant d'ouvrir le livre pour aborder une à une, lentement, les photos de l'intérieur.

– Monsieur, certaines de ces toiles... je les ai vues, moi aussi..., dit-il en tournant une page, avant de lever brusquement les yeux. Et je sais où ! C'était chez le député, dans cette pièce un peu imposante où il nous a reçus. Sur les murs !

Le regard de Gowda s'illumina :

– Formidable, Santosh ! C'est bien ce qui me semblait, mais je voulais en avoir le cœur net.

Santosh rayonnait. Quand il voulait bien être agréable, personne ne surpassait Borei Gowda.

– Il y a autre chose, dit ce dernier en baissant la voix.

Extrayant un trousseau de clés du tiroir supérieur de son bureau, il le lança à Santosh. L'inspecteur adjoint observa la trajectoire de l'objet qui venait droit sur lui, recula d'un pas et l'attrapa au vol.

– Vous jouiez au cricket, je me trompe ? sourit Gowda.

– J'étais dans l'équipe de mon école, répondit Santosh, ravi.

– Bien. Maintenant, ouvrez cette armoire, fit-il en désignant le meuble de bureau en métal gris qui se dressait dans un coin. Sur l'étagère du haut, il y a une boîte à chaussures bleue et dedans vous trouverez une boucle d'oreille dans une pochette à zip.

Santosh farfouilla parmi les objets que contenait la boîte.

– Ça ? demanda-t-il en brandissant un sachet de plastique transparent qui contenait un pendant en perle.

– Oui. À présent, revenez à ce tableau.

Gowda tourna les pages du livre jusqu'à la photo représentant une femme et son enfant au sein.

Les yeux de Santosh manquèrent de jaillir de leurs orbites. Il ne savait plus où les poser, sur les seins nus de la femme ou sur la boucle d'oreille qu'elle portait, réplique exacte de celle qu'il tenait à la main.

– Mais... comment est-ce possible ?

– Eh oui. C'est bien ce que je me suis demandé, moi aussi. Ce bijou a été trouvé sur le corps de Liaquat, il est probablement tombé au cours d'une lutte. Nous savons que Liaquat était homosexuel...

Gowda vit un rictus déformer la bouche de son adjoint.

– Quoi ? C'est le mot que vous n'aimez pas ?

– Pas seulement. Rien que de penser à ces aberrations...

– Asseyez-vous, Santosh, répliqua Gowda, glacial, avant de se renverser contre son dossier et de fixer un coin du mur.

Santosh le regardait sans comprendre. Qu'avait-il donc dit pour le refroidir brusquement comme ça ?

– Une aberration, c'est un monstre, une créature dont le développement a été anormal. Une aberration, c'est une personne à deux têtes ou à trois jambes. Vous comprenez ? La préférence sexuelle d'un individu masculin ou féminin ne fait pas de lui un être « aberrant », vous entendez ?

– Oui, monsieur, prononça Santosh tandis qu'un fluide glacé remontait le long de sa colonne vertébrale.

– Quand j'étais en fac, j'avais un camarade qui était le type le plus gentil que je connaisse. Mais il était efféminé dans sa démarche, dans ses gestes, dans sa façon de parler... Mon amie Urmila a un terme pour ça, elle dirait que c'était une « grande folle ». Les autres n'arrêtaient pas de lui envoyer des piques, mais il avait le bon sens de s'en faire une raison. Jusqu'au jour où un groupe qui était toujours après lui a décidé de donner une bonne leçon à celui qu'ils appelaient, comme vous, l'« aberration ». Ils lui ont flanqué une raclée magistrale. Ils n'ont pas seulement battu son corps mais aussi son âme. Et la douleur physique n'a pas dû être aussi forte que la douleur infligée à son esprit par cette agression. Il a craqué. Sans doute a-t-il pensé qu'il était stigmatisé à vie et qu'il allait servir de souffre-douleur à tous les machos qui estimeraient viril de frapper un homme différent d'eux. Il a sauté d'un train en marche, quelque part entre Bangalore central et Kengeri.

– Je suis désolé, monsieur, murmura Santosh.

– Vous pouvez. J'étais comme vous. Je faisais partie de ce groupe qui l'a poussé à mourir. Je ne me le suis jamais pardonné. L'intolérance barbare dont j'ai fait preuve, j'en ai profondément honte. Un conseil, Santosh : ne vous chargez pas d'un bagage dont vous ne pourriez jamais vous débarrasser.

Un silence suivit, que Gowda finit par rompre :

– Le pendant, revenons au pendant d'oreille. De l'orientation sexuelle de Liaquat, nous pouvons déduire sans risque d'erreur qu'il a été pris dans une bagarre impliquant un ou plusieurs hommes, mais aussi une femme. Voyons, quel genre de personnes pouvait fréquenter quelqu'un comme lui ? Des voyous, des prostitués, leurs macs... Mais lequel d'entre eux aurait pu porter une boucle d'oreille de ce style ?

– C'est peut-être du toc ? Elle a l'air terne, remarqua Santosh en tenant la pochette dans la lumière.

– C'est ce que j'ai d'abord cru. Mais, allez savoir pourquoi – une intuition, peut-être –, je l'ai fait expertiser par un joaillier de ma connaissance. Il est formel : c'est la réplique d'un bijou ancien, et elle a été polie pour avoir l'air d'époque. Une pièce de prix.

Santosh cherchait à déchiffrer l'expression de Gowda. Il avait entendu parler de son instinct exceptionnel. À Mînakshipalaya, Muni Reddy l'appelait son « sixième sens ». Il y voyait une sorte de membre supplémentaire, de troisième bras qui aurait permis à Gowda simultanément de tenir un téléphone, une tasse de soupe et d'écrire un rapport.

« Quand son sixième sens lui parle, vous pouvez être sûr que l'affaire est en passe d'être résolue, monsieur », lui avait dit son bras droit.

Le brigadier Gajendra, lui, parlait même de « super sixième sens ».

– Vous et moi, monsieur, nous n'avons que cinq sens. Nous pouvons voir, sentir, toucher, entendre et goûter. Mais lui, il a un sens supérieur qui le fait penser autrement. Quand le super sixième sens est activé, vous le voyez à son visage. Ses yeux sont comme des poignards et sa mâchoire comme du granite – comme les pentes des collines de Kudremukh, si vous les connaissez. Et vous entendez le tic-tac d'une pendule dans sa tête. Vous vous rappelez l'affaire de Bina, qui a fait tant de bruit ?

– L'hôtesse de l'air ?

– Oui. Elle était maligne, celle-là. Elle avait si bien préparé sa mise en scène que personne n'avait rien soupçonné. Pourquoi est-ce qu'on l'aurait suspectée, elle ? Son ami et elle venaient de se fiancer, et comme tous les couples d'amoureux qui recherchent un peu d'intimité, ils étaient partis faire un tour en voiture.

« Ils avaient roulé vers Bagalur. C'est désert, par là. Trois hommes en moto les avaient pris en chasse, dépouillé tous les deux et ils avaient poignardé le fiancé. Elle a raconté aux policiers qu'elle ne savait pas conduire, même si elle avait le permis. Elle avait attendu d'avoir la force de faire signe à un véhicule. Un taxi qui passait par là s'était arrêté et les avait emmenés à l'hôpital le plus proche. C'est ce qu'aurait fait n'importe quelle fiancée, non ? Eh bien, devinez ce qui a donné l'éveil au super sixième sens de Gowda ?

Santosh avait donné sa langue au chat, pour le plus grand plaisir de Gajendra.

– Elle avait tout bon, sauf un détail : quand elle était montée en voiture, elle avait installé le jeune homme sur la banquette arrière avec l'aide du chauffeur, puis elle s'était assise à l'avant. Mais est-ce qu'une fiancée se serait vraiment comportée comme ça ? Elle serait plutôt montée à l'arrière avec son amoureux pour lui tenir la tête sur ses genoux, non ? C'était son futur mari, pas n'importe quel copain. C'est ça qui a fait réfléchir Gowda, cette absence de douleur…

– C'est le fruit de l'expérience, avait minimisé Santosh.

– Non, l'expérience l'aide dans ses déductions, mais le super sixième sens est inné. Dans le cricket, c'est pareil. Il existait chez Dravid, chez Kumble, mais depuis… Aucun des nouveaux venus ne le possède, c'est pour ça qu'ils vont traîner leurs battes en Angleterre, maintenant… Quel désastre… Je n'ai même pas envie d'allumer la télé pour regarder les matchs. Un jour prochain, vous verrez le super sixième sens de M. Gowda à l'œuvre, et vous comprendrez, avait conclu Gajendra avant d'ajouter à voix basse en kannada : *Kathegenu gothu kasturi parimala.*

– Quoi ? avait rugi Santosh, furieux.

Aucune syllabe de la phrase ne lui avait échappé. Le brigadier venait de le traiter d'« âne incapable par nature d'apprécier le parfum du musc ».

Mais Gajendra avait répliqué d'un air innocent :

– Rien, monsieur, je n'ai rien dit.

Santosh s'apprêtait à le réprimander quand l'autre avait marmonné qu'il devait s'absenter pour effectuer une vérification de passeport non loin du commissariat – « un ami de M. Gowda », s'était-il empressé d'ajouter.

Santosh sonda le visage de Gowda en quête des yeux en poignards et de la mâchoire en granite.

– Pourquoi me dévisagez-vous comme ça ? jeta Gowda.

– Pour rien, monsieur, j'avais la tête ailleurs, je pensais brusquement à quelque chose.

– Eh bien, abstenez-vous désormais de me regarder fixement en pensant. Je ne suis pas un chimpanzé dans un zoo.

– Excusez-moi, monsieur, marmotta Santosh. Vous me parliez de la boucle d'oreille.

– Oui. En bref, nous avons un bijou coûteux appartenant à un assassin qui court les rues. Les flammes ne l'ont pas touché, il est donc pratiquement intact et, le planton de l'hôpital étant apparemment honnête, il n'a pas été volé. Voilà comment il est parvenu jusqu'à nous.

Gowda ménagea ses effets en marquant une pause avant de reprendre :

— Vous vous rappelez cette exposition que j'ai été invité à inaugurer et la photo qui m'a tant frappé ?

Santosh suivait des yeux les gestes laborieux de Gowda ouvrant sa messagerie. L'inspecteur n'était pas un as de l'informatique. Il maîtrisait les fonctions essentielles de son ordinateur, mais considérait toujours son outil comme une espèce de bête sauvage qui l'aurait guetté au tournant.

Pour l'heure, il cliquait de sa souris avec impatience.

— Je leur ai demandé de m'envoyer une photo, et ils m'ont expédié par e-mail... toute la foutue expo !

— Vous permettez, monsieur ? demanda Santosh en se levant.

Il lança le diaporama et les images se succédèrent sur l'écran.

— Celle-là ! s'écria Gowda en pointant son doigt.

Santosh tressaillit et pressa la touche « Pause ». Puis il ouvrit le document pour agrandir l'image.

— Vous voyez ce que je vois ? fit Gowda.

La photo représentait un groupe d'eunuques. L'un d'eux se démarquait radicalement des autres par son allure – plus féminine, se dit Santosh, que la plupart des femmes qu'il connaissait. Le contraste entre la lumière et l'ombre accentuait son profil. À l'oreille visible pendait une réplique de la boucle en perle fine posée sur la table.

— Mais, monsieur, comment est-ce possible ? bégaya Santosh.

— Eh oui, une déviante, dit Gowda en observant l'écran. Et maintenant, voilà ce que je voudrais que vous fassiez.

Jeudi 18 août

Le commissaire principal Vidyaprasad s'examinait dans le miroir du couloir qui séparait son bureau des pièces privées du commissariat. Il se regardait sous toutes les coutures en bombant le torse ; les agents en service feignaient de ne rien voir.

Gowda entra et salua. Tout son être se révoltait de devoir manifester du respect à ce crétin, mais le protocole l'exigeait et ce matin-là, il avait besoin de son assentiment.

Vidyaprasad aperçut l'inspecteur derrière lui dans le miroir. Il se rembrunit. À cause de cet imbécile, il avait failli être obligé de différer ses vacances. Le voir ici le contrariait infiniment.

– Qu'est-ce qui vous amène, Gowda ?

– J'ai besoin de vous voir en privé, murmura-t-il tout en notant la fulgurance de son regard.

– Ça a l'air grave.

– Ça pourrait l'être, monsieur.

Gowda avait décidé de rester allusif, le temps de persuader son idiot de supérieur d'entrer dans son bureau.

– Vous savez que je pars en congé ce soir, n'est-ce pas ? Alors j'espère que vous n'avez rien fait qui bouscule mes plans, murmura le commissaire, calant son pied sur le rebord de la fenêtre.

Il chassa d'une pichenette une poussière imaginaire sur le cuir brun poli de ses chaussures.

— J'ai rendez-vous ici avec un journaliste du *Bangalore Herald* dans quelques minutes. Alors faites vite. Dites-moi ce qui vous paraît si important.

Le regard de Gowda se voila. Il imaginait Vidyaprasad rampant dans un coin pendant que sa bottine entrait en contact avec la peau de son visage adoucie à la lame Gillette, éclaircie au Fair and Lovely, talquée au Cuticura.

— Asseyez-vous, offrit le commissaire principal, mettant fin à sa délicieuse rêverie.

— C'est au sujet des homicides, monsieur.

— Quels homicides ? demanda le commissaire d'un ton dur. La Criminelle a pris le relais, en quoi cela nous concerne-t-il encore ?

— Je pense que nous devrions mener une enquête parallèle, répondit l'inspecteur en affrontant la colère de son regard.

Vidyaprasad baissa les yeux le premier, à la satisfaction secrète de Gowda.

— Vraiment ? railla l'autre. Le grand homme en a décidé ainsi ?

— Nous n'avons pas affaire à une succession de meurtres sans lien, ils ont un dénominateur commun, ils sont le fait d'un tueur en série. Laissez-moi vous expliquer...

— Dites-moi, Gowda, depuis combien de temps êtes-vous dans la police ?

— Vingt-quatre ans, monsieur.

— Et vous n'êtes toujours pas passé commissaire. Vous ne vous demandez jamais pourquoi ? demanda Vidyaprasad d'une voix plus suave.

L'inspecteur se mura dans le silence.

— Le problème avec vous, Gowda, c'est que vous vous attribuez le monopole de la probité. Vous tenez tous les autres, moi inclus, pour des crétins en uniforme et vous croyez devoir penser à notre place. C'est pourquoi vous

vous escrimez à tenter de résoudre des affaires qui finissent au placard. Des affaires sans suite. Classées pour manque de preuves. Ça ne fait pas très bonne impression dans un dossier de promotion. Pensez-y. Laissez ces homicides à la Criminelle. Si un tueur en série est derrière tout ça, ils le trouveront.

– Je ne crois pas que ce soit un homme, monsieur, lâcha Gowda. C'est pour ça, vous comprenez, que je voulais...

– Oh oh, alors c'est votre nouvel angle d'approche, maintenant, coupa le commissaire. Vous voulez faire dans le sensationnel ! Vous aimeriez vous voir en première page des journaux... Vous n'avez pas eu votre dose, il y a quatre ans, quand vous vous êtes jeté à la poursuite du fils du ministre dans cette affaire d'enlèvement ? Vous avez oublié dans quel embarras vous avez plongé le service quand la fille a retourné sa veste et déclaré qu'elle était partie avec lui de son plein gré !

Gowda serra les poings sur les bras du fauteuil.

– Vous savez comme moi que le ministre a acheté la fille et les membres de sa famille, lâcha-t-il.

Il devait se calmer. Alors il se mit à compter dans sa tête pour ne rien laisser paraître de sa rage ou de sa frustration, puis il reprit :

– Monsieur...

– Non, écoutez-moi. Il se passe beaucoup de choses dans votre juridiction. Des Africains en ont fait leur quartier général. Certains sont impliqués dans un trafic de drogue. Occupez-vous de ça. Il y a aussi un consortium de propriétaires de carrières en quête de bons filons qui voudrait qu'on regarde ailleurs. Mettez-y bon ordre. Ça nous fera le plus grand bien, à vous comme à moi. Laissez ces absurdités de tueur en série à la Criminelle.

L'inspecteur se leva, vaincu. S'il poursuivait, ce serait sans appui. Il devrait se satisfaire de Santosh, de Gajendra et du cercle des bonnes volontés qu'il avait créé autour de lui au fil des ans.

– Regardez-vous, Gowda. Quand êtes-vous allé au gymnase pour la dernière fois ? Les supérieurs doivent montrer l'exemple. Un officier avachi donne mauvaise presse à son service.

Gowda rentra le ventre. Reprendre la gymnastique, se refaire des muscles. Boire moins, arrêter de fumer. Changer de façon de vivre. Et pendant qu'il y était, apprendre à lécher le cul de ses supérieurs et à leur tailler des pipes. Voilà qui redorerait son image aux yeux du monde et de la police. Mais il ne se sentait pas disposé à devenir cet homme-là.

– Je me rappelle la forme que vous teniez la première fois que je vous ai vu, coincé dans ce trou à rat de Bowring Hospital ! Faites de l'exercice, Gowda, conclut le commissaire principal en plongeant le nez dans ce qui ressemblait étrangement à un paquet de brochures touristiques.

Bowring Hospital. Bowring Hospital… Ce nom venait de déclencher une sonnerie dans la tête de l'inspecteur. D'évoquer un souvenir.

Douze ans auparavant, il avait été rattaché au poste de police de l'hôpital. Les suites fatales de dots jugées insuffisantes, les bagarres de rue, les accidents de la route en formaient le quotidien. Dans les rapports de la morgue et du commissariat, les causes accidentelles ou criminelles de décès étaient devenues la norme. Des plaintes étaient enregistrées, des enquêtes menées, des arrestations effectuées, des criminels punis, certains acquittés, mais Gowda ne jouait aucun rôle dans tout ça. Il ne faisait que consigner dans les registres les morts et les mourants qu'on amenait à l'hôpital. Au début, chaque cas était celui d'un individu singulier, mais peu à peu les visages avaient fait place dans son esprit à de simples numéros. Pourtant, il avait conservé au fond de lui d'autres données et c'était de ces profondeurs qu'il venait de recevoir un signe.

Un jour, un homme âgé avait été trouvé mort dans une rue. Le décès avait été attribué au choc subi en heurtant le véhicule d'un conducteur qui roulait trop vite et l'avait écrasé. Mais l'autopsie avait révélé autre chose : il avait eu la gorge tranchée, et c'était un blessé en sang qui, titubant sur la chaussée, était passé sous les roues de la camionnette. L'homme au volant avait freiné à mort sans pouvoir éviter la collision. Bouleversé, il avait pressé l'accélérateur et, sous les yeux horrifiés des passants, la voiture s'était jetée contre un arbre. Le pare-brise était en miettes et le sang coulait. Le conducteur était dans un tel état de choc qu'il n'avait pas protesté, ni même décrit ce qui s'était passé. Inconscient, avachi sur son volant, il avait été extirpé du véhicule et transporté à l'hôpital dans la même ambulance que le cadavre du vieil homme.

Le conducteur de la camionnette n'était pas sous l'effet de l'alcool, ni d'un médicament quelconque. Il roulait à trente à l'heure.

– L'homme s'est littéralement jeté sous mes roues. Qu'est-ce que je pouvais faire ? avait-il gémi en se réveillant.

Le légiste avait souligné la blessure en forme de coupure dans le cou. Plus longue que profonde. En fuseau. Nette, bien définie, aux bords écartés.

– Vous voyez ça ? avait dit le docteur Khan à Gowda en désignant la peau. On pourrait penser qu'on a utilisé un couteau, mais je ne le crois pas. J'ai trouvé des particules de verre à l'intérieur de la blessure et sur les doigts de la victime. Si on lui avait tranché la gorge avec un morceau de verre, cela expliquerait les premières, mais pas les lacérations des mains...

– Le verre du pare-brise ? avait proposé Gowda.

– Peut-être. Mais cela ressemble plutôt au verre pilé dont on incrustait la ficelle de nos cerfs-volants à Hyderabad. Et il y a quelque chose d'encore plus intéressant. En examinant son crâne, j'ai découvert une fracture en creux causée par un objet contondant. Le coup a été suffisamment fort pour désorienter la victime, et peut-être, s'il a été porté à plusieurs reprises, pour la commotionner. L'idée était de l'étourdir. Et regardez ici.

Le docteur Khan désignait une marque légèrement imprimée dans la chair de chaque côté de la blessure à la gorge : une ligature. Puis il avait retourné le corps :

— On a serré en croisant les extrémités du lien à l'arrière et en tirant. Vous voyez ? dit-il en montrant les marques en plusieurs endroits. Et ces traces obliques remontant vers le haut nous révèlent que l'agresseur était debout derrière sa victime assise quand il lui a passé le lien autour du cou, qu'il a exercé une traction puis tiré vers le haut. Nous savons que l'homme est resté en vie puisque un peu plus tard il marchait dans la rue, mais nous aurions pu le déduire des meurtrissures au-dessus et en dessous du sillon produit par la corde. Pour ma part, j'en ai terminé, avait conclu le légiste dans un grand geste, l'air de dire : « À vous autres de poursuivre ou de laisser filer l'assassin. »

— Vous venez de poser un éclairage tout à fait nouveau sur ce qui ressemblait à un pénible accident, avait commenté Gowda, la voix frémissante d'excitation.

Il le voyait comme s'il y était. L'homme âgé assis. Son agresseur se glissant derrière lui. L'attaque rapide : un coup sur la tête qui l'étourdit, puis le lien, ce lien capable de trancher en même temps qu'il étrangle. La victime se débat, tente d'agripper la corde. Peut-être l'agresseur n'est-il pas assez fort, ou peut-être quelqu'un arrive-t-il sur ces entrefaites. Toujours est-il que la victime parvient à s'échapper. Choqué, terrorisé, dans une tentative désespérée pour sauver sa peau, l'homme sort en titubant dans la rue animée, où la circulation est intense, et la camionnette le frappe de plein fouet.

Gowda était sorti de la morgue tout vibrant d'énergie. Il allait aviser un supérieur et commencer l'enquête.

Il pensait à cet homme, un certain Ranganathan. À soixante-dix ans, c'était un vieux monsieur vêtu d'une chemise et d'un *dhotî* blancs, un *rudrâksha* passé à une chaîne en or pendant à son cou, le menton rasé de frais, les cheveux peignés en arrière. Il aurait pu être son grand-père, ils avaient le même âge. Mais qui avait bien pu vouloir le tuer ? Et pourquoi ?

Un certain sentiment de chagrin pesait sur sa poitrine. Si quelqu'un avait fait une chose pareille à son *Aja*, il lui aurait d'abord brisé l'échine, puis la nuque. Il le lui aurait fait payer.

Dans la galerie qui longeait la morgue, un petit groupe attendait. Une femme, la trentaine, le visage sillonné de larmes — la fille ou la belle-fille, supposait Gowda —, était soutenue par un homme, le bras passé autour de ses épaules dans un geste de réconfort. En un regard, Gowda avait compris qu'ils étaient riches et ne manquaient sans doute pas de bonnes relations. Deux hommes en costume safari les accompagnaient. Puis Gowda avait vu une jeep de la police se garer dans la cour, le divisionnaire Naresh en descendre et s'approcher de lui. Gowda s'était mis au garde-à-vous.

— Gowda, avait dit le divisionnaire, lisant son nom sur sa poitrine, si toutes les formalités sont terminées, veuillez rendre le corps à sa famille. Je les connais bien...

Le mari s'était avancé :

— Naresh, vous savez ce qui est arrivé ?

Le divisionnaire regardait Gowda, attendant qu'il explique les choses. Mais devait-il leur dire ce que lui avait confié le légiste ?

— J'espère que le conducteur de la camionnette a été arrêté, s'était écriée en pleurant la femme — la fille du défunt, comprenait-il à présent.

— Madame, ce n'était pas la faute du conducteur. Votre père a traversé la chaussée en pleine circulation...

— Quoi ? s'était exclamé le couple à l'unisson.

Le divisionnaire était intervenu aussitôt :

— Radhika, votre père a dû avoir un de ces étourdissements dont il était coutumier, et dans cet état de désorientation, vous savez...

– Monsieur, je ne crois pas…, avait commencé Gowda.

Plus tard, il s'était réconcilié avec lui-même en se disant qu'il avait tout de même essayé.

– Une minute, inspecteur, avait coupé le divisionnaire en l'entraînant à l'écart. Ce sont mes amis. Le vieil homme est mort. Et il y a assez de témoins pour prouver que le conducteur de la camionnette n'est pas coupable de conduite imprudente. Il sera relâché. Laissez couler. Quoi qu'il soit arrivé, nous ne pouvons plus rien pour Ranganathan, avait-il murmuré.

– Mais, monsieur, quelqu'un a voulu le tuer !

– Ne remuez pas la fange, Gowda. Ce que vous découvririez sur sa mort détruirait la renommée de cet homme. Pourquoi faire du mal à sa famille ? Ce sont de braves gens, des gens respectables. Et vous voudriez leur faire ça ? L'homme était connu, tout le monde commencera à jaser si ce genre d'informations sort de nos murs. Mieux vaut faire l'impasse là-dessus, Gowda. Sa mort passera pour un accident, un décès bizarre dont personne ne porte la responsabilité.

– Mais, monsieur, il y a un criminel en liberté qui croit pouvoir tuer en toute impunité !

– C'est l'impact du choc qui a tué M. Ranganathan.

Gowda s'était forcé à maintenir un ton neutre et sans colère.

– Quelqu'un a cherché à l'étrangler et le lien était incrusté de verre. Il a eu la gorge tranchée. Il se serait vidé de son sang, très probablement.

– Laissez tomber, Gowda. Il y a tant de criminels en liberté contre lesquels nous ne pouvons rien faire. Celui-là en est simplement un de plus sur la liste, avait conclu le divisionnaire avant de rejoindre la famille endeuillée.

Gowda s'arrêta net. Se pouvait-il qu'il existe encore des traces de cette affaire ? Il lui paraissait essentiel d'en réexaminer les éléments. Était-ce le même agresseur ? Si oui, il s'était comporté comme un germe dormant, qui venait de réapparaître avec une virulence décuplée, infiniment plus dangereux, déterminé à tuer plutôt qu'à blesser. Pourquoi refaisait-il surface après tant d'années ?

Mais avant toute chose, il devait donner un coup de fil. Avec un sourire malicieux, Gowda sélectionna le nom de Mirza dans le répertoire de son téléphone.

– Bonjour, monsieur. Je voulais juste clarifier un point de détail. Étant donné que le commissaire principal Vidyaprasad est en congé à partir de demain, dois-je, comme je le suppose, aviser le commissaire principal Stanley Sagayaraj des dernières avancées de mon enquête ?

Son sourire s'agrandit encore en entendant le surintendant grogner de colère et lui poser la bonne question.

– Annulé ses vacances ? Ah non, monsieur, je ne suis pas au courant. Je ne pense pas. En tout cas, ce n'est pas l'impression qu'il m'a donnée...

Vendredi 19 août

Il était un peu plus de cinq heures de l'après-midi à Gujri Gunta. Santosh attendait son heure. « Si tu sais être patient, lui disait souvent son père disparu, il t'arrivera tout ce que tu souhaites. » Santosh espérait que pour une fois les événements lui donneraient raison.

Il faisait une chaleur étouffante dans la petite échoppe de thé qu'il avait repérée. Mais, située sur le trottoir parmi d'autres boutiques à cinquante mètres de la propriété du député face au portail, elle offrait un point de vue idéal sur les entrées et les sorties. À dix-sept heures, le tour de garde de Gajendra s'achevait et Santosh prenait la relève, après que le brigadier lui eut transmis les informations qu'il avait pu recueillir durant sa planque.

Santosh avait élaboré un scénario minutieux. D'abord une voiture, une vieille Maruti 800, s'était immobilisée, toussant et crachotant, au bord de la route. Puis le brigadier Gajendra était apparu en civil sur une motocyclette dans le rôle du mécanicien cherchant à localiser la panne.

— Si quelqu'un vous pose une question, dites-lui que c'est le moteur, et s'il insiste, vous pouvez ajouter que la batterie est à plat, lui avait ordonné Santosh.

— Qui pourrait demander ?

– Le gardien peut-être, ou des passants. Vous vous rappelez ce que vous devez faire, n'est-ce pas ?

– Oui. Observer qui arrive et qui s'en va. Mais vous êtes conscient qu'il s'agit de la maison d'un député municipal. Toutes sortes de gens vont entrer et sortir toute la journée...

Santosh avait imprimé à sa bouche le rictus qu'il tenait de Gowda.

– Je sais, avait-il répondu, laissant à sa grimace le soin de dire le reste.

Le brigadier le regardait, amusé :

– Vous n'avez pu prendre ce truc qu'à l'inspecteur Gowda ! J'espère que ce n'est pas la seule chose que vous lui emprunterez !

Santosh, tournant les talons, s'était éloigné en fulminant. Une maison de fous, ce commissariat, chacun avec ses lubies...

Le député remarqua la voiture un peu après quinze heures, lorsqu'il sortit sur le balcon pour prendre l'air. La déesse n'avait pas été facile à pacifier ce jour-là. Elle avait semblé réticente à lui conférer ses pouvoirs. Rupali et Nalini n'avaient pas pu venir. *Akka* lui avait appris qu'elles étaient souffrantes, et deux autres s'étaient présentées pour les remplacer. Elles savaient s'y prendre, mais la déesse exigeait plus que de la compétence. Elle voulait de l'éclat. Une fois la *pûja* achevée, il avait éprouvé une certaine fatigue, comme oppressé par un corset de fer. La nécessité de respirer dehors s'était imposée à lui.

La voiture était arrêtée sur le bord de la route. Un mécanicien était assis par terre à côté, plongé dans ses réflexions.

Une heure plus tard, le véhicule était toujours là, le mécanicien aussi. Il fit venir le gardien :

– Qu'est-ce qu'elle a, cette voiture ?

– J'ai demandé, *Anna*, répondit l'homme. C'est une panne de moteur. Le mécanicien attend une pièce détachée, il m'a dit.

225

Le député hocha la tête. Il appela King Kong.

– Il y a une voiture garée en face du portail depuis un bon moment maintenant. Le mécanicien dit qu'il attend qu'on lui livre une pièce. Mais pourquoi est-ce que ça prend si longtemps, c'est une Maruti 800, pas une BMW ! Dis-lui de la déplacer si ça doit encore durer, ordonna-t-il.

Un peu après dix-sept heures, quand le député partit pour assister à une réunion à Jayamahal, la voiture n'était plus là. Mais l'épisode le tracassait. Il appela le gardien au téléphone :

– Ne laissez personne se garer près du portail. Et si vous repérez quoi que ce soit de louche, prévenez-moi...

Chikka jeta un coup d'œil à son frère :

– De quoi tu parles ?

– Je ne sais pas ce que c'est, mais quelque chose me dit que la voiture arrêtée à côté du portail cet après-midi n'était pas un hasard. Je crois qu'on nous surveille.

– Qui ? demanda Chikka en se raidissant.

Un fin sourire sans gaieté étira les lèvres de son frère.

– Les ennemis, ce n'est pas ce qui me manque. Ça pourrait être n'importe qui. Les hommes de Jackie Kumar, ceux de Razak-le-Poulet, un journaliste qui fait du zèle, la Criminelle... On m'a rapporté que Ramachandra avait porté plainte et demandé une protection policière après avoir trouvé son chien égorgé... Donc, tu vois, ça peut être beaucoup de monde. La semaine dernière, j'ai ajouté six personnes à la liste de ceux qui aimeraient me voir mort ou derrière les barreaux !

– *Anna*, dit Chikka en serrant la main de son frère entre les siennes. Tu ne crois pas qu'il serait temps d'arrêter ? On a assez, et même bien plus, pour vivre largement. Mais l'existence que tu mènes... Tu n'es pas las de te demander chaque jour qui va mettre un contrat sur ta tête ?

Le député tenta de le rassurer :

– Tu te fais trop de souci. Aucun tueur à gages n'arrivera à me liquider.

Il retira sa main et poursuivit :

– Et puis, il n'est plus temps de faire machine arrière. Une fois qu'on est dedans, on ne peut plus en sortir. C'est un choix vers lequel la déesse m'a orienté. Elle veillera sur moi.

Chikka baissa les yeux. Il n'osait pas parler à son frère quand il était dans cette humeur. Et moi ? aurait-il voulu demander. Qui va veiller sur moi ?

Santosh souleva le verre de thé et souffla bruyamment dessus.

– Et un de ceux-là, dit-il en désignant les petits pains incrustés de fruits confits rouges et verts.

Après avoir mordu dans la pâtisserie fourrée à la pâte de noix de coco râpée, il prit une gorgée de thé. Empli d'une sorte de contentement, il attendait. Si seulement Gajendra avait quelque chose d'intéressant à lui communiquer.

Celui-ci entra en s'essuyant le visage à l'aide d'un énorme mouchoir.

– Pourquoi faut-il faire tout ça, monsieur ? demanda-t-il avec lassitude. La Criminelle a pris l'affaire en main. Pourquoi est-ce que nous enquêtons, nous aussi ?

– Asseyez-vous, Gajendra, murmura Santosh.

Il commanda un thé pour son collègue avant de se retourner vers lui.

– Voulez-vous un petit pain ?

– Non, un grand bain, grommela Gajendra.

– Et un pain aux fruits ! lança Santosh au tenancier.

Puis, à Gajendra, les yeux fixés sur le portail du député :

– Alors, qu'est-ce qui s'est passé ?

– Rien. Le gardien a voulu savoir ce qu'avait la voiture. Une heure plus tard, il est revenu dire que le député voulait qu'on la déplace, qu'elle se trouvait sur une zone de stationnement interdit. Interdit, tu parles ! On ne me la fait pas !

Gajendra mordit avec appétit dans son pain aux fruits.

– C'est plutôt bon, ce machin-là. C'est la première fois que j'en mange.

Santosh poussa un soupir.

– Est-ce que vous avez dressé la liste de tous les gens qui sont entrés et sortis ?

– La voilà, dit Gajendra en sortant une feuille de sa poche.

Santosh jeta un coup d'œil aux informations, puis inspira profondément.

– Écoutez, vous allez devoir rester ici encore un moment. Je reviendrai vers six heures et demie. À la nuit tombée, il me sera plus facile de me fondre dans le paysage.

– Vous voulez que j'attende ici ! souffla Gajendra en postillonnant, et une volée de miettes atterrit sur la table.

Santosh se leva.

– Ce n'est pas un jeu, Gajendra, dit-il en se dressant de toute sa hauteur, vous êtes en mission de surveillance. C'est un ordre.

– L'inspecteur Gowda...

– N'espérez rien de ce côté-là. Il est au courant. C'est même lui qui l'a ordonné en premier lieu. Si vous croyez qu'il va vous autoriser à rentrer chez vous, vous vous trompez.

Santosh s'éloigna à pied jusqu'au bout de la rue, absorbé dans ses pensées. Sa moto était garée dans une ruelle adjacente. Où était Gowda ? Il n'avait pas reçu un seul appel de lui durant l'heure qui venait de s'écouler.

Gowda était assis face à Urmila et sirotait un cocktail sur la piazza tout en regardant autour de lui avec intérêt. Lorsqu'elle lui avait proposé un rendez-vous à UB City, il n'avait pas élevé d'objection, ni suggéré un autre endroit. Mieux valait qu'ils se rencontrent dans un lieu public où personne de son univers de policier n'était susceptible de mettre les pieds. En tout cas, pas un vendredi soir.

– Je serai sur la piazza, avait dit Urmila au téléphone.

– La *pizza* ? avait demandé Gowda en se débouchant l'oreille avec son petit doigt.

– Non, gros malin, avait pouffé Urmila, replongée dans le monde de leurs dix-neuf ans. La *piazza*.

– Qu'est-ce que c'est ?

– Ça désigne une place publique en italien.

– Très bien. Va pour la piazza.

Urmila portait une *kurta* blanche sur un pantalon bouffant bleu et un collier de turquoises qui paraissait étrangement familier à son compagnon.

– Tu aimes ? demanda-t-elle.

– Avec une dose de rhum dedans, j'aurais préféré, dit Gowda après avoir pris une gorgée de son Coco Colada. C'est du pur jus d'ananas...

– Je t'ai demandé si tu voulais un verre de vin blanc...

– Je ne peux pas boire quand je suis en service.

Elle remua le contenu de son verre en scrutant Gowda d'un air interrogateur.

– Parce que ça fait partie de ton service, nous deux ?

Il détourna les yeux. Oh non, voilà qu'elle recommençait !

– Urmila, écoute. Quand je dis en service, ça veut dire en fonction, pendant mes heures de travail si tu préfères.

Elle pouffa.

– Tu pars au quart de tour, Borei ! Je te taquine. Allez, déride-toi, c'est une si belle fin de journée !

– C'est vrai, concéda Gowda, radouci.

Oui, pourquoi ne pas profiter de ce petit moment d'existence confortable, bien calé dans son siège, et regarder passer le beau monde ? Mais voilà, ce beau monde n'était pas le sien et il ne pouvait s'empêcher de se demander ce que Santosh et Gajendra avaient pu découvrir au cours de leur surveillance.

– Est-ce que je suis sérieusement avachi ? demanda-t-il tout à trac.

– Rien de grave. Quelques séances de gym et quelques infidélités au poulet curry arrosé de rhum suffiraient à y remédier, répondit-elle en plissant les yeux.

Gowda poussa un profond soupir.

– Viens, dit-elle en se levant. J'ai quelque chose à te montrer. Laisse ta boisson, tu auras mieux après sept heures. C'est l'heure de la fin de ton service, non ?

Gowda lui emboîta le pas sous le regard des curieux. Urmila ne détonnait pas parmi les étrangers et les Indiens aisés. Lui, si. Il savait depuis toujours que, contrairement à ce qu'affirmait sa compagne, ils n'appartenaient pas au même univers.

– Où tu m'emmènes ?

– Tu te rappelles ce collier ? demanda-t-elle en touchant les perles à son cou. Tu me l'avais rapporté de Delhi quand tu y étais allé disputer le tournoi inter-universitaire de basket. Ça fait bien longtemps, Borei ! Et moi, je ne t'ai jamais rien acheté. Aujourd'hui, c'est mon tour.

Gowda déglutit dans un spasme. Ils se trouvaient devant les vitrines de la boutique Montblanc.

– C'est idiot, il y a trop longtemps de ça, et ce n'était trois fois rien. Je ne peux pas accepter, grommela Gowda.

Un stylo Montblanc ! Si quelqu'un le voyait avec ça, on croirait qu'il s'était laissé acheter.

– Mais tu collectionnes les stylos à encre, Borei ! insista Urmila en le poussant du coude.

– Les bon marché seulement, fit-il en reculant. Et je ne les collectionne pas vraiment.

– Ne mens pas, Borei. Ton fils me l'a dit. Et Santosh a laissé échapper que s'il y avait bien une chose que tu aimais, c'étaient les stylos.

– Foutaises.

Toute la joie d'Urmila retomba. Contractant les omoplates, elle se tourna vers lui, furieuse :

– Pourquoi est-ce que tu ne veux pas que je t'offre un stylo ? Qu'est-ce que ça a de si grave ? Tu n'aurais pas plutôt peur de me devoir quelque chose en retour, en acceptant ?

Le téléphone de Gowda se mit à sonner, il le saisit tel un naufragé sa planche de salut.

– Oui, Santosh. Alors ?

Il vit Urmila se rapprocher de lui tandis que son adjoint répondait :

– Rien à signaler pour le moment, monsieur. Le député et son frère ont quitté les lieux vers cinq heures moins le quart. Faut-il prolonger la planque ?

La voix de Santosh lui parvenait clairement, mais sans timbre et comme métallique.

– Oui, continuez à surveiller la maison. Vous êtes sur place ?

– Non, je suis au bureau du surintendant. J'ai décidé d'aller jeter un coup d'œil aux archives du SCRB et de revenir vers six heures et demie.

Gowda vit une lueur d'intérêt passer dans le regard d'Urmila. Il consulta sa montre :

– Appelez-moi quand vous arrivez là-bas.

– Le SCRB, qu'est-ce que c'est ? demanda Urmila après qu'il eut raccroché.

– Le State Crime Record Bureau, où sont entreposées les archives des affaires judiciaires du Karnataka, expliqua-t-il.

Puis il enfouit ses poings serrés dans ses poches, prit une longue inspiration et s'éclaircit la gorge.

– Urmila, il faut que j'y aille. Je suis en plein milieu d'une affaire. Je t'appellerai, dit-il avec fermeté.

Pendant un moment, il avait pensé abandonner son projet pour la soirée. Il ne fallait pas qu'on le voie entrer dans la maison à son retour. Puis Bhuvana, ou était-ce la déesse – parfois, elles parlaient de la même voix –, avait murmuré à son oreille : Rappelle-toi l'autre entrée, la porte latérale. Ceux qui les surveillaient n'avaient pas pensé à y poster un homme.

231

– Tu crois que ça va ? demanda-t-elle.

– Tu es belle, sourit *Akka*. Qu'est-ce qui t'arrive, aujourd'hui ? Je ne t'ai jamais vue comme ça, tout agitée et inquiète.

– Je ne sais pas de quoi tu parles, dit-elle en se renversant sur sa chaise.

Puis elle plongea son regard dans les yeux de l'eunuque et dit avec douceur :

– *Akka*, je dois sortir dans un petit moment.

Akka fronça les sourcils :

– Il est sept heures à peine passées, tu es complètement folle ! Elle secoua la tête :

– Tu crois que je ne le sais pas ? Mais il faut que je sois quelque part avant huit heures. C'est important.

– Qu'est-ce qui se passe ? Qu'est-ce que tu mijotes ?

– Rien. Je ne pourrai pas sortir toute seule ?

– Ce n'est pas prudent...

– Je ferai attention. Je n'ai besoin que d'une heure et je reviens, plaida-t-elle.

– Je t'accompagne, répondit *Akka*, soucieuse.

– D'accord, mais pas jusqu'au bout. À un moment, je te laisserai et une heure plus tard je te retrouverai au temple de Muthalayamma. Nous reviendrons ensemble.

Santosh se redressa sur sa chaise en voyant deux femmes quitter la maison du député et plissa les paupières pour mieux les distinguer. La plus grande était assurément un eunuque. L'autre, il n'en était pas certain. On aurait dit une véritable femme.

Il plaqua un billet de cinquante sur la table et se précipita dehors en criant au tenancier médusé :

– Vous me devez seize roupies de monnaie. Je viendrai les récupérer plus tard.

Devant lui, l'eunuque et la jeune femme s'éloignaient d'un pas rapide vers Seppings Road. Sa moto était garée ailleurs

232

et s'ils prenaient un autorickshaw, c'était foutu. Mais s'ils continuaient à pied, il pourrait les suivre.

L'eunuque s'arrêta et posa la main sur l'épaule de sa compagne en lui parlant d'un air grave. Mais elle semblait ne rien vouloir entendre. L'autre était-il un maquereau ? Était-ce la clé de l'énigme ? Se servait-il d'une jeune femme comme appât pour attirer les hommes, les tuer puis les dépouiller ? Non, ce n'était pas plausible. Le criminel avait laissé au pharmacien tous ses bijoux et son argent, et Gowda, qui avait d'abord émis cette hypothèse, s'était ravisé. Pour lui, les meurtres avaient un mobile plus sinistre.

Santosh attendit dans l'ombre que le duo se remette en route. Il ne connaissait pas encore bien certains quartiers de Bangalore, mais il s'en inquiéterait plus tard. Pour le moment, il allait se contenter de les suivre et de voir où le menait cette piste. Ils s'arrêtèrent de nouveau un peu plus loin, près d'un temple, et il sembla à Santosh que l'eunuque cherchait une fois de plus à convaincre la jeune femme. Celle-ci lui tapota la main et poursuivit son chemin seule. Santosh poussa un soupir de soulagement en voyant que l'autre pénétrait dans le temple. Il traversa la route et, se postant à côté d'une boutique, se prépara à l'attendre.

Il fixait l'écran de télé sans le voir. Le gros plan sur un buisson accompagné d'un commentaire sur la vie et les amours des phasmes ne parvenait pas à capter l'intérêt de Gowda. Son attention était ailleurs.

La semaine précédente, quelques jours avant de partir, son fils avait voulu regarder avec lui *Les Experts* à la télé.

– Ça raconte comment on mène l'enquête sur une scène de crime aux États-Unis, lui avait-il dit sans quitter l'écran des yeux.

233

Dans la série, des hommes et des femmes travaillaient avec un matériel qui tenait plus du laboratoire spatial que de l'officine médicolégale qu'il connaissait. Nos techniciens ont-ils seulement entendu parler de ces procédés ? se demandait Gowda. Il avait suivi l'épisode un moment, puis s'était mis à bâiller.

— *Appa*, ne me dis pas que ça t'ennuie ! s'était exclamé Roshan.

— Tu ne crois tout de même pas que tout ça est vrai ? avait demandé son père en se levant.

— Bien sûr que si, c'est vrai !

Juste à ce moment, comme pour étayer la foi de Roshan, une information publicitaire s'était affichée à l'écran :

« Le saviez-vous ? La série *Les Experts* est reconnue pour poser un problème aux auteurs et aux enquêteurs des crimes commis dans la réalité. En poussant les criminels à une prudence accrue, l'effet *Experts*, ou "syndrome des *Experts*", oblige la science médicolégale à dépasser sans cesse ses limites. »

Gowda avait eu un rire railleur.

— C'est parce que c'est vrai que les criminels progressent dans leur façon d'agir, avait dit Roshan pour défendre sa série favorite.

Son père le regardait, émerveillé par sa naïveté.

— Peut-être. Mais moi, je vais te dire une chose : nos policiers sont presque tous des flemmards avachis, ils ne définissent pas de périmètre de sécurité pour geler les lieux, ils ne mettent pas toujours des gants, ils n'ont pas ce genre de matériel et de méthodes sophistiqués, mais ils résolvent un pourcentage d'affaires beaucoup plus élevé qu'en Occident.

— C'est toi qui le dis, avait répondu Roshan tandis que le générique défilait.

– C'est la vérité.

Gowda avait récupéré la télécommande pour changer de chaîne puis, jetant son dévolu sur une émission consacrée aux dauphins, il s'était laissé retomber dans son fauteuil.

– Je vais me coucher, avait dit Roshan en se levant.

Gowda prenait plaisir à regarder les documentaires sur la nature. Il aimait les informations qu'ils lui apportaient, ce qu'ils dévoilaient de passionnant sur le monde vivant. Ces films ne suscitaient pas en lui d'émotions brouillonnes, ni de réflexions qui lui auraient inspiré des pensées qu'il préférait éviter. Voir et connaître, voilà ce que proposaient ces émissions.

– Je ne comprends pas ce que tu peux trouver de fascinant à ces trucs sur les animaux et les insectes, avait conclu Roshan en quittant la pièce.

– Les détails, fiston, ce sont les détails qui me captivent. Et l'absence totale de tension dramatique.

Ce soir-là, cependant, c'était justement un détail qui le travaillait. Un détail essentiel dont il était certain de connaître l'existence, mais qui lui échappait.

Ces meurtres le préoccupaient comme peu d'affaires l'avaient fait depuis longtemps. Il n'existait certes pas de crime parfait, mais quand personne ne poursuivait le meurtrier, c'était tout comme. Gowda avait la certitude que les quatre homicides, y compris celui de Liaquat, avaient été commis par la même personne. Un tueur en série se promenait dans la nature et personne ne paraissait s'en rendre compte ni a fortiori s'en soucier. Qu'attendait-on pour saisir la gravité de la menace et déclencher les procédures adéquates ? La mort d'un gros bonnet dans les mêmes circonstances ? Seul avec Santosh et Gajendra, il n'irait pas loin. L'affaire exigeait une enquête à grande échelle et la participation de toute une équipe à l'affût du moindre indice, qui ne laisserait aucune faille, aucune piste inexplorées.

235

Vidyaprasad, se disait-il, n'était pas chaud pour s'occuper de l'affaire avec son personnel. Il préférait de loin voir Gowda prendre en main la sécurité de la réunion des évangélistes prévue sept jours plus tard. Le matin même, il l'avait rabroué une fois de plus, lui enjoignant de laisser ces homicides à la Criminelle. « Ils sont payés pour ça », avait-il conclu.

Mirza, le surintendant, avait fait annuler les congés du commissaire principal. Vidyaprasad, hors de lui, se défoulait sur tous ceux qui croisaient son chemin – l'inspecteur Gowda en particulier.

La voix off au timbre monotone typique du commentaire des émissions de ce type s'éleva :

« Dans la nature, seuls les animaux venimeux et les prédateurs peuvent se laisser voir sans effet négatif. La visibilité dessert souvent l'individu. Même le prédateur a parfois intérêt à passer inaperçu pour traquer sa proie. Le phasme est un maître du camouflage. Seul son mouvement le trahit. Son nom lui vient d'ailleurs du grec phasma, qui signifie "fantôme" ou "apparition". »

Gowda regardait ce qu'il avait pris pour une brindille avancer et quitter l'environnement dans lequel il s'était si bien fondu.

C'était la clé. Il fallait forcer le prédateur à bouger.

Son cœur battait à tout rompre. Elle ne l'avait pas encore revu. Ils se parlaient chaque soir au téléphone depuis une semaine. Elle croyait savoir l'essentiel le concernant, les faits bruts : sa taille, son poids, son niveau scolaire, sa famille, sa couleur favorite, le légume qu'il détestait, le nom de son chien, le nombre de pièces de la maison de ses parents… Mais le revoir en chair et en os lui apporterait beaucoup plus qu'une somme d'informations. Il serait Sanjay, son Sanju, ainsi qu'il se désignait lui-même.

L'autorickshaw s'arrêta en pétaradant près de Komala Refreshments, dans Wheeler Road. Il l'attendait, assis sur sa moto, devant le restaurant.

– J'ai cru que tu n'allais plus venir, dit-il.

Elle lui sourit et se dirigea vers l'ombre, loin des réverbères dont elle détestait l'éclairage implacable.

– On m'a donné un travail urgent à faire. J'ai dû rester un peu plus tard au bureau.

Ses façons réservées amenèrent un sourire sur les lèvres de Sanjay. Elle semblait vouloir se faire toute petite, avec son regard timide, son sourire à peine esquissé. Aucune fille de Bangalore n'avait plus ce comportement pudique, se dit-il avec tendresse. Certaines de ces citadines croisées dans la rue le faisaient grincer des dents, avec leurs décolletés plongeants, leurs jupes très courtes, leurs jeans à taille basse, si basse qu'on voyait leur slip quand elles s'asseyaient. Comment des parents pouvaient-ils laisser leurs filles se montrer en public dans ces tenues ?

Mais Bhuvana, sa Bhuvana, n'était pas une de ces traînées. Bhuvana ressemblait à ses sœurs dans sa façon d'être. Timide, docile, respectueuse de la tradition.

– Je ne peux pas rester très longtemps, dit-elle.

– Pourquoi ? Maître Chikka te tient à l'œil ? murmura Sanjay.

– Oui, sourit-elle avant de regarder sa montre. Je dois être de retour au foyer avant neuf heures et demie.

– Entrons, proposa le jeune homme.

– Non, pas ici, dit-elle à la hâte. Une de ses connaissances pourrait nous voir ensemble. Il y a un restaurant de l'autre côté. Viens.

– Comment le sais-tu ? fit-il, étonné.

– Chikka m'en a parlé. Il m'a dit qu'il m'y emmènerait manger un jour.

Il acquiesça et releva la béquille de sa moto. Tandis qu'ils tournaient au coin de la rue, il demanda :

– Tu as mangé quelque chose depuis le déjeuner ?

Elle fit signe que non.

– *Katthe*, murmura-t-il, tu ne devrais pas rester si long-temps l'estomac vide.

Il venait de la traiter d'âne. Cette familiarité, qui ne pouvait exister que dans un rapport de grande proximité, la fit sou-rire.

– Même si j'avais voulu, je n'aurais pas pu avaler une bou-chée.

– Pourquoi ? Tu suis un de ces jeûnes débiles ? dit-il en montant deux à deux l'escalier.

– Comment aurais-je pu manger, sachant que j'allais te voir ?

Sanjay, tout heureux, sourit à son tour et se mit à fredonner une chanson populaire kannada en remplaçant Gîta, le nom de la femme aimée, par Bhuvana. *Sangu mattu Bhuvana, sere-beku antha, baredaagide indhu brahmanu...*

Bhuvana était aux anges. Sanju et Bhuvana... Leur couple indissociable avait été voulu par Brahma en personne, créa-teur de l'univers...

Sanjay poussa les portes battantes. Il considéra un bref ins-tant les lumières tamisées et les oasis d'intimité qu'elles déli-mitaient. Le restaurant serait sûrement plus coûteux que Komala Refreshments, mais peut-être y trouverait-il un coin discret pour prendre la main de son amie sans l'effrayer outre mesure. Dans l'obscurité, une fille, si pudique fût-elle, aban-donnait un peu de sa timidité.

Elle buvait avidement à son sourire. Il lui semblait que son cœur allait exploser sous le poids de l'amour qu'elle lui por-tait.

Il attendit qu'elle se soit glissée sur la banquette en velours vert adossée au mur pour s'asseoir à côté d'elle plutôt qu'en face. Elle se recroquevilla. Le visage de Sanjay prit une expression de tendresse et il tendit la main vers la sienne.

– Détends-toi, murmura-t-il. Je ne te ferai rien, bien que...

– Bien que quoi ? demanda-t-elle.

– Bien que j'en aie une envie terrible. De te couvrir de baisers de la tête aux pieds, *mouam*, *mouam*, jusqu'à ce que tu demandes grâce.

Elle cacha son visage dans ses mains.

– Oh, Sanju ! minauda-t-elle en le regardant, espiègle, par un interstice entre ses doigts.

Il était jeune, vingt-six ou vingt-sept ans tout au plus. L'homme, en apparence banal, travaillait comme serveur dans un restaurant de la Grande Ceinture près de Marathahalli. Les horaires étaient contraignants et le salaire plutôt maigre, mais c'était une occasion de faire ses débuts qu'il avait saisie au vol, informé par un ami qui fournissait de l'eau minérale à l'établissement. « Quand tu auras acquis un peu d'expérience, je te trouverai une place dans un grand restaurant, lui avait-il dit. Ou dans les services d'entretien d'une entreprise d'informatique. »

Mohan aimait sa vie telle qu'elle était. Il avait fui son petit village natal près de Kannur, au Kerala, pour échapper au carcan de la pression familiale et de la conformité aux codes sociaux. Dans l'anonymat d'une grande ville telle que Bangalore, il pouvait se sentir maître de sa propre vie, être qui il voulait. Il était libre de porter le jean qui moulait son entrejambe comme une seconde peau, libre de flirter avec les clients, libre de trouver le réconfort entre les bras de qui il désirait. Femme ou homme, il aimait les deux : autres contours, autres jouissances.

« Tu n'es qu'un gourmand », lui avait dit un instituteur aux dents jaunies, à la langue longue et recourbée, une semaine auparavant. « Tu veux tout à la fois. » Oui, Mohan voulait tout. Mais il faisait attention, il ne prenait pas de risques inconsidérés. Il avait souri à l'homme agenouillé devant lui qui venait de lui tailler une des meilleures pipes de sa vie et s'apprêtait à le payer, par-dessus le marché, pour le plaisir tiré du plaisir donné. « C'est pour ça que je te plais autant », avait-il répondu.

Mais ce soir-là, Mohan commit une erreur. Un client, à la table 8, avait flirté avec lui dès son arrivée. Il lui avait décoché des regards entendus, s'était penché tout en passant sa commande, si bas que son visage frôlait l'entre-jambe de Mohan. Il n'avait cessé de le rappeler à sa table pour bavarder avec lui. Qu'était-il censé faire de ces avances ? Mohan aimait le physique et le comportement du client, il était flatté par l'attention évidente qu'il lui portait. En lui tendant l'addition, il avait effleuré sa main du bout des doigts. L'homme avait alors bondi sur ses pieds en hurlant :

— Dégage, enculé, pédé !

Mohan était resté pétrifié.

L'homme avait jeté le porte-addition en similicuir sur le sol, puis balayé du bras tout ce qui se trouvait sur la nappe, assiette, plats et couverts, le verre, la cruche à eau, le soliflore et son bouton de rose à demi fané. Dans le fracas de la vaisselle brisée, il avait tonné :

— Où je suis tombé ? C'est un restaurant ou un bordel ?

Les autres clients, stupéfaits, avaient levé le nez de leurs assiettes. Les chefs observaient la scène du seuil de leurs cuisine, les serveurs s'étaient immobilisés.

— Il m'a fait des avances ! Cet enculé d'homo m'a fait des avances ! vitupérait l'homme en s'adressant au gérant aussitôt accouru. Je croyais être dans un endroit respectable, pas dans une boîte à pédés !

— Monsieur, monsieur, je vous en prie ! répétait l'autre en tirant sur sa manche tout en adressant à Mohan des signes furieux pour qu'il disparaisse de leur champ de vision.

Lorsque le client s'était calmé, les autres étaient retournés à leur dîner et Mohan avait été proprement remercié.

— Mais je n'ai rien fait ! avait-il protesté.

– Si tu avais cassé des assiettes ou commis une erreur dans une commande, j'aurais passé l'éponge, mais là, c'est bien plus grave. Je ne veux pas savoir si tu étais en tort ou pas, je ne veux pas te revoir ici, un point c'est tout. Récupère ce qu'on te doit et va-t'en.

À neuf heures et demie, Mohan s'était retrouvé dehors, sans travail. Il s'était éloigné du restaurant pour la dernière fois, ivre de rage et brûlant de prouver que l'injure essuyée ne le concernait pas. Il n'était pas un enculé de pédé, il allait se trouver une femme, une putain s'il le fallait, et la baiser à lui faire exploser la cervelle. Il était un homme, un dur, un viril, un pur-sang.

Il monta dans un bus au hasard, descendit à un feu rouge près de Ramamurthy Nagar et se mit à marcher le long de la Grande Ceinture. Avisant une cannette de Coca light qui traînait là, il lui décocha un coup de pied furieux. L'objet décrivit un arc et atterrit quelques mètres plus loin, là où une petite venelle croisait la contre-allée. Il marchait dans cette direction quand une femme sortit de l'ombre et lui emboîta le pas.

– Vous êtes seul ? demanda-t-elle.

– Tout le monde est seul, marmonna Mohan.

– Vous êtes bouleversé, vous avez l'air tout retourné.

– Qu'est-ce que ça peut vous faire ? répondit-il, cinglant. Vous marchez à côté de moi, mais dans dix minutes vous allez hurler au viol !

– Je vous promets que non. Je vois que vous avez mal, et je sais comment faire pour que vous vous sentiez mieux.

Il se retourna dans la flaque de lumière d'un réverbère pour la regarder. Elle n'était pas mal du tout, et même jolie. Subitement, quelque chose le frappa, quelque chose qui ne tournait pas rond. Il vit un homme habillé en femme. Mais si c'était sa façon à lui de prendre du plaisir, Mohan n'y voyait aucune objection. Il voulait baiser, et la créature en face de lui était consentante.

– Vous savez où aller ?

– Bien sûr, dit-elle dans un sourire.

– Vous avez un nom ?

– Bhuvana.

Santosh regarda de nouveau sa montre. Vingt heures quarante-cinq. L'eunuque n'était pas ressorti depuis près de deux heures. Les temples ne fermaient-ils donc pas la nuit ?

Soudain, la créature apparut sur le seuil, l'air furieux. Un frisson parcourut l'échine de Santosh. Il n'en avait jamais vu d'aussi menaçante.

Elle marcha un moment, héla un autorickshaw. Santosh sentit s'accélérer les battements de son cœur. Où allait-elle ? Un rickshaw vide approchait, il lui fit signe et monta.

– Suivez-le, ordonna-t-il au chauffeur. Ne le perdez pas.

– Pour qui vous vous prenez ? aboya le conducteur. Pas question que je file qui que ce soit. Sortez ou j'appelle la police.

– La police, c'est moi, répondit Santosh avec un sentiment de satisfaction intense, lui qui avait si souvent entendu prononcer cette phrase dans les films sans avoir trouvé l'occasion de la placer. Allez, allez ! le pressa-t-il.

Le trois-roues emprunta une enfilade de rues et bientôt le paysage lui redevint familier. Ils avaient passé l'échangeur de Lingarajapuram, le quartier de Kacharanakanahalli, et coupaient la Grande Ceinture où s'étiraient des barricades, des cratères géants hérissés de pelleteuses... La juridiction du commissariat n'était pas loin. Puis, le rickshaw qu'ils suivaient prit dans Hennur Road et s'arrêta brusquement après avoir tourné dans une venelle. L'eunuque en sortit et frappa à la porte d'une bâtisse décrépite.

– Stop ! s'écria Santosh.

Le conducteur freina sèchement, le projetant presque hors de son siège.

– Faites attention ! maugréa-t-il.

L'eunuque, à qui l'on avait ouvert, entra dans la maison.

– Un groupe d'eunuques vit ici, l'informa le conducteur. C'est une sorte de maison de famille.

– De famille ? répéta Santosh, interdit.

Le conducteur époussetait son tableau de bord à l'aide d'un chiffon qu'il faisait claquer contre la surface.

– Ils sont comme vous, moi et tous les autres, ils ont besoin d'un foyer. Ils ont rompu tous leurs liens avec leurs familles d'origine, alors ils en recréent une autour d'un aîné ou deux qui leur servent de mère, de tante…

– Depuis combien de temps vivent-ils ici ?

– Ça, je ne sais pas. Ça doit bien faire dix ans que je les vois, en tout cas. Mais pourquoi est-ce que les eunuques vous intéressent autant ? s'étonna le conducteur en se fourrant un *gutka* au fond de la joue.

– Ça ne vous regarde pas. Garez-vous où je vous le demande et attendez-moi.

– Combien de temps ?

Son ton vindicatif énerva Santosh. Il avait faim, soif et sommeil, mais ce n'était pas le moment de se laisser aller.

– Aussi longtemps que je le jugerai bon, fit-il d'un ton coupant.

Une heure plus tard, toutes les lumières s'éteignirent dans la maison. Que devait-il faire, à présent ? Comme s'il avait senti son hésitation, le conducteur dit :

– Je dois partir, monsieur…

– Déposez-moi à Shivaji Nagar, décida Santosh.

Il devait récupérer sa moto, puis retourner chez lui. Le trajet était long, il ne serait pas rentré avant minuit. Il était si fatigué qu'il tomberait comme une masse sur son lit, mais à coup sûr, il ne pourrait pas s'endormir. Quelque chose avait mal tourné ce soir, mais quoi ? Il avait beau se torturer les méninges, il ne trouvait pas.

– Je vous dois combien ? demanda-t-il en descendant à l'orée de l'allée où était garée sa moto.

– Vous voulez me payer ? s'étonna le conducteur qui, sortant la tête de son habitacle, se dévissait le cou pour regarder le ciel nocturne scintillant d'étoiles.

– Qu'est-ce que vous faites ? demanda Santosh, curieux.

– Je regarde si je vois un corbeau voler sur le dos ou le soleil briller en pleine nuit. On dit que c'est ce qui se passe quand un policier propose de payer sa course !

– Vous aimez plaisanter, je vois, dit Santosh en sortant deux billets de cent roupies de son portefeuille.

Il avait perdu son temps et dépensé tout cet argent pour rien. Allait-il seulement pouvoir se faire rembourser ?

Samedi 20 août

Le député, attablé devant son petit déjeuner, déchira un morceau de *dosa*, le trempa dans une coupelle de chutney et le porta à sa bouche tout en observant son frère. Chikka tripotait la nourriture et faisait semblant de manger.

— Tu as l'air bien soucieux, Chikka. Quelque chose te tracasse ? lui demanda-t-il au bout d'un moment.

Chikka leva sur lui un regard vide :

— Quoi ?

— Je te demande si quelque chose te tracasse. Tu n'es pas toi-même depuis ce matin. Et tu n'as presque pas touché à ton déjeuner.

Chikka baissa la tête.

— Qu'est-ce qui ne va pas ? Raconte à ton grand frère, insista le député affectueusement, désemparé de le voir abattu.

— Rien, j'ai très mal à la tête.

— Tu as trop bu hier soir, c'est ça ? Tu es rentré tard ? s'esclaffa le député.

— Je suis revenu avant toi ! protesta Chikka.

Le député sentit ses joues s'empourprer.

— Tu m'as vu rentrer ?

— Non, mais je t'ai entendu, dit Chikka en repoussant sa chaise. Où étais-tu ?

Le député rejoignit Chikka près du lavabo.

– J'avais des choses à faire, dit-il en ouvrant le robinet pour se rincer les doigts.

– Quel genre de choses ? Je sais tout ce qui se passe dans ta vie. Il n'y a rien qui puisse te retenir dehors aussi tard.

Le député s'essuya les mains à l'aide d'une serviette qu'il jeta ensuite sur l'épaule de son frère.

– Tu *crois* que tu sais tout, ça ne veut pas dire que c'est le cas.

Après s'être rincé et essuyé les mains à son tour, Chikka plia soigneusement la serviette en long et la suspendit à son anneau de façon à présenter l'extrémité la plus sèche au prochain utilisateur.

Il se dirigea vers le salon où le député nourrissait ses poissons.

– C'est vrai ? demanda-t-il abruptement.

– Quoi donc ? répondit distraitement son frère tout en saupoudrant la surface du bassin d'une poignée de flocons.

– Que je ne sais pas tout ce qui se passe dans ta vie.

– C'est ma vie, Chikka. J'ai besoin d'un espace privé.

Il se tourna vers son cadet. Devant son expression fermée, ses traits se durcirent.

– Écoute, je préfère garder pour moi certains aspects de mon existence. Les connaître ne t'apporterait rien de bon et pourrait même te mettre en danger. Alors ne t'avise pas de fourrer ton nez dans mes affaires, tu m'entends ?

Chikka se tut.

Santosh était au téléphone, debout devant l'entrée, quand la Bullet de Gowda passa le portail du commissariat. Son adjoint raccrocha en hâte pour se précipiter vers lui :

– J'essaie de vous joindre depuis qu'il est six heures, mais votre portable sonne toujours occupé. J'ai envoyé un agent chez vous, et il est revenu en disant qu'il n'y avait personne.

Gowda fronça les sourcils. Il aurait cru entendre Mamtha.

– La Bullet avait besoin d'un réglage. Un petit problème d'allumage et de ralenti, dit-il en descendant de sa moto pour la garer. Je suis allé à Kammanahalli pour la montrer au mécano de KK Garage, un magicien !

Il tira de sa poche son portable. Le téléphone était en mode silencieux et le vibreur désactivé.

– C'est de ma faute. J'aurais dû me souvenir que je l'avais éteint. Qu'est-ce qui se passe ?

– Le central nous a signalé un cadavre près du lac Nagavara. Peut-être qu'il n'y a pas de rapport avec nos affaires, mais...

– ... peut-être que si, termina Gowda.

Sa montre indiquait dix heures moins le quart.

– Ce n'est pas dans notre juridiction et la Criminelle est sans doute déjà sur les lieux, mais allons-y quand même.

Le pic de circulation du matin n'était pas encore dépassé. Au carrefour de Hennur, ils se trouvèrent bloqués derrière un camion qui semblait avoir subi une avarie de moteur. Il leur fallut une heure pour parvenir sur la scène du crime. Tandis que l'agent David garait la jeep, une ambulance démarra sous leurs yeux.

À force d'admonestations doublées de regards furieux pour garder les spectateurs à distance, la police avait établi tant bien que mal un périmètre de sécurité. Gowda repensait aux *Experts* qu'affectionnait Roshan. L'enquêteur principal et son équipe passaient les lieux au peigne fin, et les hommes de la Criminelle étaient arrivés, eux aussi. Stanley salua Gowda d'un ton fâché :

– Je t'attendais. Pourquoi êtes-vous en retard ?

Gowda sourit :

– Problème de moto !

– Tu aurais dû demander à ton assistant de s'en charger, murmura Stanley en jetant un coup d'œil par-dessus l'épaule de son collègue en direction de Santosh, en train de parler avec un des enquêteurs.

– Je ne laisse personne monter sur ma moto.

Stanley fit une grimace.

– Je sais ce que tu penses, reprit Gowda. Que c'est une moto, pas ma femme. D'autres l'ont dit avant toi derrière mon dos.

Stanley eut un sourire discret.

– Tu ne pourrais pas comprendre, conclut Gowda d'un ton ferme. Maintenant, dis-moi ce que vous avez trouvé.

– On dirait que ton meurtrier a encore frappé, dit le commissaire en lui montrant les instantanés qu'il venait de prendre du cadavre.

Il avait fait bon usage de son appareil digital et photographié le corps sous tous ses angles. Comme les autres victimes, le garçon avait été étranglé par un lien qui l'avait égorgé en même temps. Le visage portait la blessure habituelle, la joue enfoncée par un objet dur, peau et chair en lambeaux, os brisé. La mort n'était jamais un spectacle facile à contempler, mais cette mort-là en rajoutait dans l'horreur.

– Quoi d'autre ? demanda Gowda en se mordant la lèvre.

Ils marchèrent vers l'arbre sous lequel le cadavre avait été découvert.

– Le vacher qui a trouvé le corps était trop effrayé pour y toucher, donc rien n'a été déplacé. Hormis les signes habituels de décès par strangulation, rien de particulier. L'agresseur a soigneusement disposé les membres du cadavre, il l'a allongé jambes tendues, les bras croisés sur la poitrine. Il a ôté la vie à cet homme, mais il n'a pas voulu le laisser derrière lui dans une posture négligée, soupira Stanley.

Gowda hocha la tête en repensant au cadavre de Kiran, qui donnait l'impression d'avoir été assis après coup sur sa chaise. Et à celui de Kothandraman. Un profil de meurtrier se dessinait peu à peu dans son esprit.

– Des empreintes de pneus montrent qu'une voiture a roulé aussi loin qu'elle le pouvait sur l'herbe, et tu vois ceci ?

demanda Stanley en se penchant vers deux sillons d'herbe aplatie qui allaient des marques de pneus à l'arbre.

– Le corps a été traîné de la voiture jusqu'ici, comprit Gowda.

– Oui. On l'a envoyé à la morgue pour l'autopsier. La Brigade canine sera là d'une minute à l'autre. L'affaire ne te concerne plus, conclut Stanley tandis que Gowda examinait de nouveau les photos une à une.

– Stanley, depuis le début, quelque chose chez ce tueur en série m'intrigue, dit-il lentement.

– On ne sait pas encore si c'est un tueur en série, argumenta Stanley.

– Arrête de te faire l'avocat du diable. Tu sais aussi bien que moi que c'en est un. Mode opératoire, position du corps, victimes de sexe masculin, tu sais ce qu'on dit, non ?

– « Deux fois, c'est une coïncidence, trois fois, c'est un profil. »

– Alors qu'est-ce qu'on attend ? grinça Gowda, les narines pincées de colère. Qu'une grosse pointure se fasse trucider pour donner du tonus à l'affaire ?

Stanley se frotta les paumes distraitement.

– Tu es injuste...

– Je sais, dit Gowda en se grattant le front. Excuse-moi. Mais parfois j'ai l'impression de me taper la tête contre un mur. Personne ne semble prendre ces crimes au sérieux.

Un vacarme presque constant de klaxons et de bruits de moteurs leur parvenait de la route. Dans le champ voisin, une vache avançait en broutant, indifférente aux allées et venues dans la parcelle adjacente, un corbeau perché sur le dos. Un énorme amas d'ordures stagnait sur le bas-côté du chemin. Un sac en plastique noir, poussé par le vent, s'envola du tas pour venir retomber aux pieds de Gowda. Il voulut l'y renvoyer d'un coup de pied rageur, mais le sac se prit entre deux touffes de lantana.

– Municipalité de merde ! Quand est-ce qu'on va faire quelque chose pour régler ce problème des ordures ? Cet État court à sa perte.

– Tu as mangé ? s'enquit brusquement Stanley.

– Non... pourquoi ?

– Ça explique ton humeur. Va déjeuner et je t'appellerai quand le rapport du légiste arrivera.

– Je veux assister à l'autopsie.

– Comme tu voudras, soupira Stanley. Elle aura lieu en fin d'après-midi. Tu as le temps d'avaler quelque chose avant, alors fais-le. Parce que quand tu es dans cet état-là, Gowda, tu es complètement inutile, et en plus tu fais chier.

Gowda sourit. Ils étaient des vieux de la vieille, tous les deux. Il n'y avait que Stanley pour oser lui dire ce genre de choses.

Gowda appela l'agent David pour qu'il vienne les chercher. En attendant la jeep, Santosh regardait son supérieur de profil, plongé dans ses pensées.

– Vous êtes resté devant la maison des eunuques jusqu'à quelle heure ?

– Vingt et une heures quinze à peu près. Il n'y a qu'une porte, je suis retourné vérifier ce matin. L'eunuque n'a donc pas quitté les lieux avant que je m'en aille.

Gowda grommela.

– Je ne comprends pas, ajouta Santosh en baissant la tête. L'eunuque n'aurait pu en aucun cas... Je n'ai jamais perdu sa trace...

– Et la fille ?

– Elle ? Elle est partie vers vingt heures. Elle a quitté l'eunuque devant le temple pour s'en aller de son côté. Vous ne pensez tout de même pas que... Comment serait-ce possible ? bafouilla Santosh. Une femme ! Et réservée, par-dessus le marché !

– Je ne sais pas, mais je crois que nous y verrons plus clair quand nous aurons les résultats de l'autopsie.

Durant le trajet, Gowda resta silencieux. Il fit signe à l'agent David de s'arrêter devant un Darshini. Il n'était pas particulièrement amateur de ce genre de restaurants de bord de route où la rapidité du service s'accompagnait d'une remarquable aptitude à rendre tout plat, quel qu'il soit, parfaitement insipide. Mais ils étaient d'une propreté raisonnable et l'on était sûr d'y être servi de six heures du matin à dix heures du soir.

Santosh le suivit à l'intérieur. Un garçon en short gris, un calot sur la tête, essuyait les tables une à une. Le chiffon qu'il tenait à la main en avait de toute évidence nettoyé un grand nombre avant la leur. Gowda lui lança un regard noir.

– Ton chiffon a l'air plus vieux que ton grand-père. Va en prendre un propre. Et que ça saute.

Santosh sourit intérieurement. Il avait entendu ce que Stanley avait dit à Gowda sur son humeur. Son côté irritable était amusant, aussi longtemps que lui-même n'en faisait pas les frais.

Le garçon se précipita vers la cuisine et revint avec une lavette propre. Des visages curieux apparurent à la fenêtre du passe-plat. Remarquant les uniformes, ils échangèrent des regards : la police ! Autant dire une source sempiternelle d'ennuis. Et ce flic-là était apparemment un emmerdeur de première.

Santosh s'approcha du comptoir pour commander. Gowda lui avait conseillé de déjeuner, lui aussi. Il revint avec un plateau chargé de nourriture. Son supérieur ne fut pas loquace durant le repas. Il mangea alternativement du *kara bâth* et du *kesari bâth*, éclusa d'un coup de glotte la timbale de café filtre, puis posa les yeux sur son adjoint et sourit.

Santosh faillit s'étrangler avec le morceau d'*uthappam* huileux qu'il venait d'enfourner.

– Vous savez, dit Gowda, je crois que nous devrions reprendre tous les éléments un par un. Commençons par le mort. C'est chaque fois un homme, mais ils ne sont pas d'un

251

âge ou d'un type physique spécifiques. Le meurtrier ne cherche pas des hommes jeunes en particulier. On dirait que ce sont des rencontres fortuites. C'est probablement l'alcool et la promesse de rapports sexuels qui les font tomber dans son piège.

Son téléphone sonna. C'était Stanley. Quand Gowda raccrocha, il avait l'air sombre.

— Les chiens ont suivi une trace jusqu'à la Grande Ceinture, puis plus rien, expliqua-t-il.

— Vous croyez que la compagne de l'eunuque pourrait avoir un lien quelconque avec le meurtre ? demanda Santosh, les yeux brillants d'excitation.

Gowda fit oui de la tête.

— C'est bien ce qui m'a traversé l'esprit, à moi aussi.

— Mais comment elle aurait pu ? C'est une femme, et elle n'avait pas l'air particulièrement costaud.

— Ce n'est peut-être pas une femme, dit Gowda d'un ton neutre.

— Comment ça ?

Santosh, bras tendus à plat sur la table, se penchait vers son supérieur presque à le toucher.

— Un travesti ? conjectura Gowda en haussant les épaules. Parmi ces hommes déguisés, il y en a de plus féminins que bien des femmes de ma connaissance.

— Si c'est le cas, je comprends mieux pourquoi les eunuques à qui j'ai parlé ont nié connaître la femme à la boucle d'oreille de la photo. Elle n'était pas des leurs.

— En fait, dit Gowda après avoir bu une gorgée d'eau, même s'ils l'ont reconnue, ils ne le diront pas. Ils sont très loyaux entre eux. Et puis, vous n'avez pas encore interrogé les occupants de la maison de Hennur, n'est-ce pas ? Il faudra que vous le fassiez.

— Alors, par où commençons-nous pour trouver ce criminel ? Ce pourrait être n'importe quel homme croisé dans la rue.

– Non. Vous oubliez que nous avons une idée de ce à quoi il ressemble. Nous possédons une photo de la femme à la boucle d'oreille, même si elle est floue, et vous l'avez vue en personne, bien que de loin. Il va falloir que j'en informe Stanley. Il pourra tirer un portrait-robot des éléments que nous avons à lui fournir. Nous avons là plus qu'un vague contour.

– Et ensuite ? demanda Santosh avec curiosité.

– Ensuite, nous devrons aviser, dit Gowda en montant dans la jeep, suivi de Santosh dont les pensées tourbillonnaient sous son crâne.

Ah, s'il avait suivi la compagne de l'eunuque ! Il aurait appréhendé le meurtrier avant qu'il tue à nouveau. Assis à l'arrière, il s'enfonçait peu à peu dans une rêverie où sa photo, celle du « policier qui a arrêté le criminel », paraissait dans les journaux. Il recevait des appels de félicitations. On l'adulait. Une cérémonie officielle le mettait à l'honneur. On lui offrait une promotion et d'autres affaires à résoudre. Il grimpait les échelons à pas de géant.

Gowda tourna la tête vers lui.

– Vous connaissez l'histoire de la paysanne partie vendre ses œufs au marché, qui bâtit des châteaux en Espagne pendant qu'elle s'y rend ? « Avec l'argent des œufs que je vais vendre, j'achèterai un poulet. Je l'élèverai, je le vendrai et j'achèterai une chèvre. Puis une vache, puis une maison, un mari... » Vous me faites penser à elle en ce moment. Vous vous rappelez ce qui lui est arrivé ?

Santosh sentit les blancs et les jaunes lui dégouliner sur le visage. Regarde où tu vas, lui murmuraient les morceaux de coquilles brisées en s'enfonçant sous sa peau.

Santosh sentait leurs regards le toiser, le détailler, le mettre à nu, s'arrêter sur le moindre follicule, le plus petit grain de beauté. Puis, quand elles eurent sondé les ténèbres de son esprit, elles se regardèrent en éclatant de rire.

253

– Alors, monsieur l'inspecteur, que pouvons-nous faire pour vous ? demanda l'une d'elles en s'approchant de lui.

Santosh sentit tout son corps se rétracter et regarda Gajendra, désemparé. Ils se moquaient de lui. Ils savaient qu'il était mal à l'aise en leur présence et ils voulaient qu'il sache qu'ils n'étaient pas dupes. Leur rancœur l'effrayait.

Gajendra ouvrit un calepin et leur dit avec sévérité :

– Arrêtez de l'embêter. Un jour, ce sera un grand ponte de la police, et si vous continuez, il vous fera fouetter jusqu'au sang.

– Si ça pouvait être vrai ! gloussa la dénommée Ruku.

– Ça suffit ! Nous avons quelques questions à vous poser. Plus vous y répondrez rapidement, plus vite vous pourrez retourner à vos affaires et nous aussi.

Les eunuques prirent place sur un banc.

– Allez-y, dit Sarita, assise près de Ruku, en battant des paupières.

Santosh détourna le regard.

– Pourquoi est-ce qu'on ne peut pas les convoquer ? s'était-il de nouveau étonné, cette fois auprès de Gajendra, tandis qu'ils roulaient vers la maison de famille où Gowda lui avait ordonné de retourner l'après-midi, avant de se rendre à la morgue.

– Vous êtes fou ! Vous voulez nous attirer des ennuis ! Elles se déshabilleraient ! Elles hurleraient ! Elles feraient un tel remue-ménage qu'on les croirait victimes d'un viol collectif ! Et vous pouvez être sûr de vous retrouver aussitôt avec l'Association pour le respect des droits de l'homme sur le dos, accompagnée de la presse et de la télé... C'est hors de question. Nous devons les voir chez elles.

Santosh commença :

– Hier soir, quelqu'un est venu ici...

– Quelqu'un ? répéta Sarita en plongeant ses yeux écarquillés dans les siens. Il vient beaucoup de monde, ici...

– Une personne comme vous, dit Santosh, embarrassé, en détournant à nouveau les yeux. Quelqu'un de grand, costaud, le teint sombre, d'un certain âge... Elle..., reprit-il après une longue inspiration, elle portait un sari bleu foncé à bordure jaune.

– *Akka !* s'écria Sarita en souriant. Si elle entendait la description que vous donnez d'elle, elle en ferait une tête !

– Pour quelle raison la suiviez-vous ? demanda Ruku en lui lançant un regard courroucé.

– Ça ne vous regarde pas, coupa Gajendra.

– Qu'est-ce que vous voulez savoir ? grimaça-t-elle pour bien leur montrer ce qu'elle pensait d'eux.

– Quel rapport a-t-elle avec le député Ravikumar ? glissa Santosh d'une voix soyeuse.

– C'est sa gouvernante, répondit Ruku.

– Voilà qui n'est pas banal, remarqua Gajendra en fronçant les sourcils.

– Il y a plusieurs années, quelqu'un a battu le député et l'a laissé pour mort près d'une voie ferrée. *Akka* l'a recueilli et l'a soigné jusqu'à ce qu'il se rétablisse. Quand la mère du député est morte, il lui a demandé de devenir la gouvernante de la maison.

– Bien, dit Santosh. Passons à autre chose.

Produisant un tirage de la photo repérée à l'exposition, il le leva à hauteur de leurs yeux.

– Savez-vous qui est cette personne ?

Elles répondirent non à l'unisson. Elles ne connaissaient pas la femme à la boucle d'oreille, ni d'ailleurs aucune de celles qui figuraient sur la photo. Ruku y jeta un dernier regard.

– Vous savez, nous ne sommes pas obligées de connaître tous les *hijra* de la ville.

– Ils peuvent aussi venir d'ailleurs, ajouta Sarita.

Le regard de Santosh se durcit.

– Votre *Akka* saura, je présume.

Les eunuques haussèrent les épaules.

– Vous n'avez qu'à le lui demander.

Santosh sortit d'un pas pesant, furieux contre les eunuques et son incapacité à leur faire cracher ce qu'ils savaient – car ils connaissaient l'identité de la femme à la boucle d'oreille, il en était certain. Ils allaient devoir convoquer la dénommée *Akka* pour l'interroger. Il laisserait Gowda arranger ça. Et comme, apparemment, le commissaire Stanley Sagayaraj lui mangeait dans la main...

– Vous voulez entrer ?

Santosh n'avait pas oublié sa dernière visite à la morgue. Il ravala avec détermination la bile qui lui montait à la bouche.

– Oui, monsieur, je viens.

Stanley eut un sourire. Ce n'était pas la première fois qu'il assistait à cette scène. Gowda et ses seconds. Ils seraient allés jusqu'au bout du monde pour lui plaire. Mais le garçon ne semblait pas mûr pour supporter la vue d'un cadavre disséqué. Stanley jugea plus prudent de se planter derrière Santosh, hors de la trajectoire éventuelle de son vomi, mais prêt à le rattraper s'il tournait de l'œil.

La viande crue. L'odeur assaillit les narines de Gowda dès qu'il passa le seuil. Après sa toute première visite à la morgue, il avait été incapable de manger fût-ce de la volaille durant plusieurs mois, incapable d'entrer dans une boucherie sans avoir envie de vomir. Homme ou chèvre, nous sentons tous la même chose quand on nous égorge, avait-il pensé. Sa réaction avait fait sourire Mamtha, qui avait veillé dès lors à lui éviter toute rencontre visuelle et olfactive avec l'objet de sa phobie. Il s'était remis progressivement à la nourriture carnée et maintenant il n'en était plus du tout incommodé.

– Voici le docteur Reddy. J'ai fait appel à lui parce qu'il est le meilleur, dit Stanley à son collègue en tapotant le bras du médecin d'une main paternelle.

Gowda hocha la tête pour le saluer. Le légiste, l'air confus, enfila une paire de gants.

– Peut-être souhaitez-vous mettre un de ces masques, dit-il en ajustant le sien.

Santosh accepta avec soulagement. Ainsi recouverts, peut-être son nez et sa bouche échapperaient-ils en partie à l'odeur putride de chair en décomposition et d'éther, à l'humidité montant du sol lavé à grande eau, au froid de la mort. Il regarda Gowda et Stanley se protéger pareillement le visage.

Le corps était étendu sur une longue table en inox.

Le docteur Reddy entreprit l'examen externe tandis que Gowda et Stanley patientaient. Il procédait avec minutie. Échantillons de salive, fibres relevées sur le T-shirt et le jean de la victime, cheveux, certains coupés, d'autres arrachés au cuir chevelu en six endroits différents. Le légiste fit glisser l'angle d'un papier filtre plié en quatre derrière chaque ongle au-dessus d'une enveloppe ouverte. Dix enveloppes, une pour chaque doigt.

– Il a beau être jeune, murmura Stanley, il fait les choses à l'ancienne, ce qui le rend extrêmement précis.

Des fibres de tissu beige tombèrent dans la béance de l'enveloppe en même temps qu'une sorte de peluche qui aurait pu provenir d'une corde végétale. À l'aide d'une pince fine, le légiste extirpa ensuite des extrémités digitales plusieurs particules minuscules de verre. Gowda et Stanley échangèrent un regard. L'autopsie confirmait ce qu'ils savaient, ce qu'ils s'étaient attendus à voir. Gowda hocha brièvement la tête à l'adresse de Santosh.

D'autres détails suivirent. Liste des vêtements portés, état général de la peau, excroissances, marques, défauts.

Puis deux assistants pathologistes s'approchèrent, puant le mauvais alcool.

– Vous voulez qu'on s'en occupe ? demanda le plus petit des deux au légiste en clignant des yeux comme pour mieux mettre l'accent sur le corps allongé devant eux et sur le service qu'ils étaient là pour assurer.

— On a l'habitude, marmonna le grand, l'air cadavérique et les yeux injectés de sang. À quoi bon vous salir les mains et les vêtements ? Ouvrir un corps, ce n'est pas un travail pour les cœurs sensibles.

Santosh blêmit.

— Non, je le ferai moi-même, dit le docteur.

Les deux assistants se regardaient sans comprendre. À quel type d'homme avaient-ils affaire là ? Aucun chirurgien ne se souillait à exécuter cette tâche, voilà pourquoi il existait des préposés, comme eux, à la découpe et au sciage, au sang et au plasma, à l'urine et à la merde... Ils y étaient si habitués qu'ils ne retenaient même plus leur souffle pour minimiser l'exposition à l'odeur. Et puis, pour émousser les sens et endormir les terminaisons nerveuses, il y avait l'alcool. Le brandy, quand il chantait dans leurs veines, les aidait à oublier qu'ils étaient les bouchers d'un abattoir d'hommes. Certes, ce n'étaient pas eux qui avaient égorgé les victimes et ils ne les entendaient pas crier, mais le gargouillis du sang, auquel la mort ne mettait pas fin, résonnait constamment à leurs oreilles. Le brandy remédiait à ce problème aussi.

— Ne partez pas, je pourrais avoir besoin de votre aide, leur dit le légiste en souriant.

Ils se retirèrent dans l'ombre, perplexes. Qui donc s'avisait de sourire, à la morgue ? Ce médecin était-il une goule travestie en homme ?

Ou alors il était défoncé. Il n'aurait pas été le premier, loin s'en fallait.

— Le corps peut nous apprendre beaucoup de choses, dit le docteur en remontant ses manches.

Il tira d'un sac en plastique une blouse qu'il avait apportée.

— Il suffit de savoir où et comment chercher.

Gowda riboula des yeux vers Stanley, d'un air de dire : « Qu'est-ce que c'est que ce dinosaure ressuscité ? »

Reddy regarda Gowda et Stanley tour à tour.

– Si vous êtes d'un naturel délicat, il vaudrait mieux que vous sortiez. Ce que j'ai à faire n'est pas très agréable.

– Nous en sommes conscients, soupira Gowda. Procédez, docteur, procédez, je vous en prie.

Nouveaux prélèvements, exploration de la région anale, puis pénienne, examen des poils pubiens, échantillons. De l'autopsie effectuée dans les règles de l'art se dégageaient lentement, à mesure que la nuit tombait, les contours d'une image.

Reddy s'apprêtant à examiner le cou, Gowda se rapprocha.

– Voilà qui est intéressant, dit le médecin comme s'il se parlait à lui-même.

Puis, s'adressant à Gowda en désignant les bords de la blessure :

– Vous voyez ceci ?

De part et d'autre d'une plaie béante, étirée comme un sourire, on apercevait des meurtrissures, une coloration rougeâtre et des gouttes de sang.

– Ça ressemble à une blessure par incision, mais regardez, ce n'est pas une incision nette, plutôt une lacération, et on dirait que le lien a servi à approfondir la coupure. Ici, vous voyez, les bords sont en dents de scie.

« L'épiderme, comme un oignon, est constitué de plusieurs couches, cinq pour être précis. L'arme du crime a tranché la première d'entre elles. Le corps humain est étonnant, poursuivit Reddy en relevant la tête vers les policiers, le regard étincelant derrière ses lunettes. D'abord, la peau résiste, elle sait qu'elle doit protéger ce qu'elle recouvre, mais passé un certain point, elle cède et, couche après couche, tout l'épiderme suit.

« La pression a été si forte que le larynx a été écrasé, les cartilages fracturés.

Il pressa sur la blessure, puis, à l'aide de pinces, en extirpa des esquilles.

259

– Du verre ! Intéressant...

Subitement, il retourna le corps sur le ventre et se mit à examiner la nuque.

– Très bien, je comprends !

– Selon vous, quelle était l'arme du crime ?

– Un lien. On a des marques typiques de ligature ici, vous voyez ? dit-il en passant le doigt au-dessus du sillon brunâtre creusé dans la peau. La trace fait tout le tour du cou.

Reddy s'éloigna de la table et considéra la scène, mains sur les hanches, tandis que Gowda et Stanley examinaient les meurtrissures de chaque côté de la fente.

– La victime était assise de dos quand son agresseur a croisé les deux extrémités de la corde, serré et tiré. Vous voyez ça ? dit-il en suivant la ligne en pointillé que dessinaient les marques. Cette oblique indique que l'agresseur était derrière sa victime. Il a exercé une traction vers l'arrière et vers le haut.

Gowda éprouva une étrange sensation de déjà-vu. Des années auparavant, le docteur Khan lui avait décrit le même scénario.

– Votre meurtrier est un individu précautionneux. Je m'explique. Son lien, une corde végétale souple, a été incrusté de verre au préalable, un peu à la façon d'un fil *manja* de cerf-volant. Il sert à étrangler, mais sous la pression, il fracture en même temps thyroïde, larynx et trachée, et tranche par-dessus le marché la carotide. En quelques minutes, la victime perd conscience, le cerveau privé d'oxygène. Quand elle cesse de se débattre, il reserre la corde. Si bien que nous ne saurons jamais à quelle heure précise la mort est survenue, et si elle est due à l'asphyxie ou à l'hémorragie. C'est qu'il est malin, ce fils de pute !

Santosh, qui avait écouté attentivement les explications du médecin, se pencha vers lui.

– Comment savez-vous que c'est un homme ?

– Pendant les deux ou trois minutes qui précèdent la mort, la victime se débat pour se libérer avec toute l'énergie du désespoir, et peu de femmes auraient la force de maintenir leur prise sur la corde. Regardez le corps ici. Il mesure un mètre quatre-vingt-quatre et pèse au moins soixante-douze kilos. Ça n'a pas dû être facile de le maîtriser durant ses derniers instants.

– Et s'il a été frappé à la tête ? demanda Gowda en pensant aux autres morts et à Ranganathan.

– J'allais y venir, sourit le médecin avec l'affabilité d'un chef mettant les dernières touches au plat concocté en dix minutes dans une émission de télé-cuisine. Je m'apprêtais à vous dire : voyons maintenant si l'on trouve signe d'un coup sur le crâne.

Il revint près de la table et écarta les cheveux pour examiner le cuir chevelu.

– Je vais devoir le raser pour vous faire un compte rendu précis. Mais nous pouvons d'ores et déjà identifier un traumatisme infligé par un objet contondant. Des contusions sont visibles, dit-il en montrant le côté du crâne, et voici une fracture en creux.

Un sourire de loup éclaira son visage, et il poursuivit :

– Or cette fracture, mes amis, c'est la *signature du crime* ! Son empreinte ressemble presque toujours à l'arme utilisée. Ici, c'est un objet lourd, avec une petite surface de contact, qui a servi à porter un coup tangentiel. Fracture localisée. Suffisant pour étourdir un homme. Puis, en quelques secondes, le lien a été utilisé pour étrangler et trancher.

De nouveau des propos identiques à ceux de Khan. Gowda hocha la tête et posa les yeux sur le cuir chevelu du mort.

– Seriez-vous en mesure de nous dire de quelle arme il s'agissait ?

– Un objet dur, petit, arrondi... Un marteau aurait brisé la surface différemment. Plutôt un coup porté avec élan par quelque chose comme une noix de coco, en beaucoup plus petit. Une sorte de balle, je dirais a priori...

Gowda ôta son masque.

– Merci, docteur, dit-il en s'éloignant vers la porte.

– Maintenant, je vais procéder à l'examen des viscères. Vous ne voulez pas voir ce que ça nous donne ?

– Je dois sortir, déclina Gowda, j'ai plusieurs coups de fil urgents à donner.

Gowda était toujours perdu dans ses pensées quand Stanley sortit un moment plus tard.

– Qu'est-ce qui se passe ? Pourquoi es-tu parti ? demanda Stanley avec curiosité en regardant son collègue allumer une cigarette.

– J'avais besoin de mettre de l'ordre dans mes idées. Il y a quelque chose d'évident que je ne vois pas, alors que ça crève les yeux, mais rien à faire, je...

Il aspira une longue bouffée de tabac.

– Le rapport d'autopsie sera capital, dit Stanley.

Le soleil s'était couché ; la véranda était tendue de longues nappes d'ombre.

Une grande lassitude descendait sur Stanley. Son équipe avait une affaire plus importante à régler. Des faux billets de mille roupies inondaient le Karnataka et il était primordial d'y mettre bon ordre. L'impact que pouvait avoir ce déluge de monnaie sur la stabilité du pays était effrayant. Certes, on avait un tueur en série, mais cela restait, après tout, du domaine des crimes ordinaires. Et s'il laissait l'enquête à Gowda ? Il fallait qu'il en parle à ses supérieurs.

Le docteur Reddy sortit sur la véranda :

– Vous avez dit qu'il était du Kerala, je me trompe ?

Stanley confirma de la tête. Le légiste se tourna vers Gowda avec un sourire gêné :

– Est-ce que je pourrais vous demander une cigarette ?

– Bien sûr, dit Gowda.

Il sortit son paquet d'India Kings, releva le rabat et le présenta à Reddy, puis à Stanley.

– Allez, grille-t'en une. Tu en meurs d'envie.

– J'imagine que ce n'est pas ça qui va me tuer, répondit-il avec un sourire ironique.

Il tira du paquet une cigarette qu'il tapota contre sa paume. Gowda présenta à ses collègues la flamme d'une allumette et les regarda aspirer la fumée avec satisfaction tandis que la nicotine infiltrait leur système sanguin.

– Pourquoi voulez-vous savoir si le mort était bien du Kerala ? demanda-t-il.

– Je viens de jeter un coup d'œil au contenu de son estomac, répondit Reddy, jetant ses cendres sur le sol, puis tapotant du pied comme pour les enfoncer sous terre. On dirait qu'il a pris son dernier repas dans un restaurant keralais. Le bol alimentaire contenait des morceaux encore entiers. Il a consommé des *parota*, accompagnés probablement de viande. Ce qui signifie, étant donné le stade de la digestion, qu'il a mangé aux environs de vingt-deux heures et qu'il est mort, approximativement, entre vingt-trois heures et vingt-trois heures trente. Autre chose, continua-t-il. Ce sera dans mon rapport, mais autant vous en faire part tout de suite ; votre homme aimait enculer son partenaire. Il s'est nettoyé après l'acte, à moins que son partenaire l'ait fait pour lui, mais des traces de matières fécales étaient nettement discernables sur son pénis.

– Quand pourrez-vous nous communiquer le rapport définitif ? demanda Gowda.

– Je viendrai le chercher demain à la première heure, intervint Stanley en se tournant vers Reddy. Les techniciens du laboratoire auront besoin d'un délai pour en étudier les informations, mais en ce qui nous concerne, le rapport nous suffira dans un premier temps pour donner une orientation à nos recherches.

Gowda crispa les mâchoires. Il sentait l'enquête lui filer sous le nez.

Plus tard dans la soirée, les deux policiers se retrouvèrent chez Gowda. Ce dernier sortit une bouteille de Old Monk et deux verres.

– Eau gazeuse et glace ? Coca ? demanda-t-il en versant à Stanley un double bien tassé.

– Bon Dieu, Gowda, tu veux me soûler ou quoi ? réagit le commissaire à la vue de son verre rempli presque à ras bord.

Gowda eut un grand sourire.

– Tu n'aurais pas des amuse-gueules ? ajouta-t-il en avalant une longue gorgée de son rhum-Coca.

Gowda partit chercher une assiette de *chakli* et de cacahuètes, puis se renversa dans son fauteuil.

– On y va ?

– Je croyais qu'on se voyait pour le plaisir…, fit Stanley en reniflant.

– Ça n'est pas exclu, une fois qu'on aura récapitulé.

– D'accord, soupira le commissaire.

Ils tentèrent ensemble de reconstituer le meurtre à partir des éléments qu'ils possédaient. Tout commençait avec un jeune homme qui venait d'être renvoyé de son travail.

Mohan avait quitté le restaurant de Marathahalli à vingt et une heures trente. Il partageait une petite maison avec trois autres jeunes Keralais à Kammanahalli, mais il n'y était pas retourné ce soir-là. Quelqu'un l'avait vu monter dans un bus Volvo en direction de Hebbal. On pouvait logiquement déduire des estimations du médecin qu'il était descendu soit à Eighty Feet Road, soit à Kalyan Nagar, soit encore à Hennur Cross.

– De Marathahalli à Hennur Cross, le bus met à peu près quarante-cinq minutes, dit Gowda.

Que s'était-il passé ensuite ?

Le patron du restaurant avait reçu un coup de téléphone à une heure un peu passée. « Il est mort. Mohan est mort », avait dit une voix. Mais l'homme tiré de son sommeil avait raccroché, dégoûté. Ce petit suce-bites cherchait à le faire se sentir coupable. Il s'était rendormi. Il avait lui-même rapporté les faits aux hommes de la Criminelle pendant son interrogatoire.

– Ça colle avec les coups de fil reçus par les amis ou la famille des autres cibles. Le meurtrier possède un sens pervers du scrupule. Tuer ne lui suffit pas, il lui faut en informer les proches, afin que le corps soit découvert à coup sûr, dit Stanley.

– La mort est survenue approximativement entre vingt-trois heures et vingt-trois heures trente. Il a donc probablement mangé à proximité, dans un rayon, disons, de quatre kilomètres, continua Gowda en encerclant la zone de Hennur Cross sur une carte de la ville.

– Combien de restaurants y a-t-il là-bas qui servent de la cuisine keralaise ? demanda son collègue.

– Un bon paquet, répondit-il en haussant les épaules, avant d'étouffer un bâillement, la main devant la bouche.

Stanley examinait minutieusement le plan de la ville.

– Bon, par où on commence ?

– On recense tous les restaurants où il a pu manger. Je demanderai à Santosh de s'en charger, puis de prendre deux agents avec lui, d'emporter une photo du mort et de partir interroger le personnel au cas où quelqu'un se rappellerait l'avoir vu. Tout le monde doit y passer, les serveurs, les employés au nettoyage, le gérant, les gardiens de parking, les vendeurs de bétel des environs. Il faut savoir s'il est allé dans un de ces endroits et, si oui, avec qui et combien de temps il y est resté. Voilà qui va accélérer notre enquête, Stanley.

– Attends, Gowda, je ne crois pas que ce soit à Santosh de faire ça. C'est à moi d'envoyer mes hommes. Tu sais bien que c'est nous qui sommes chargés de l'affaire, théoriquement.

– Qu'est-ce que tu veux dire ? gronda Gowda.

– Tu sais très bien ce que je veux dire, rétorqua le commissaire en haussant les épaules.

Gowda détourna le regard, trop furieux pour répliquer. C'était reparti pour un tour ! Une fois de plus, il se sentait comme l'Arabe de l'histoire, qui laisse naïvement un chameau passer la tête par l'ouverture de sa tente pour la garder au chaud. Avant qu'il ait compris ce qui lui arrive, le chameau a envahi sa tente et l'homme grelotte dehors dans le vent du désert.

Dimanche 21 août

Gowda se trouvait à l'intérieur d'une petite échoppe de thé, dans une allée ombreuse qu'il ne reconnaissait pas. Au plafond, un ventilateur ronronnait doucement. Ils étaient assis tous deux à une table en bois dont le plateau en formica présentait des entailles. Il souriait à Urmila qui faisait de même, puis il la voyait porter à ses lèvres et lâcher aussitôt la tasse au bord ébréché, qui se brisait au sol en mille morceaux blancs. Le thé formait une flaque d'un brun laiteux, éclaboussant au passage les chaussures de Gowda.

– Qu'est-ce qui te prend, *U* ? commençait Gowda.

Mais la suite de sa phrase s'égarait quelque part dans son cerveau. Il venait d'apercevoir Santosh et le député s'avancer vers eux.

Puis, horreur, Urmila tendait la main pour prendre la tasse à laquelle il n'avait pas encore bu, pleine de thé brûlant, et la laissait tomber à son tour. Le son de la porcelaine brisée lui emplissait les oreilles. Tous s'esclaffaient devant sa consternation – le député, Santosh et Urmila. Mais n'étaient-ce pas le docteur Reddy et ses deux assistants morbides qui s'approchaient derrière eux ? Leurs éclats de rire se succédaient, se superposaient, dessinant un motif de gaieté qui se métamorphosait en un long bourdonnement en se rapprochant inexorablement de lui.

Il se dressa sur son séant, le souffle court, le cœur battant, un brouillard devant les yeux comme s'il venait d'escalader une montagne. On sonnait à la porte. Sa montre, posée sur la table de nuit, indiquait neuf heures moins le quart. Shanti avait demandé à prendre sa journée. Avait-elle changé d'avis ?

Il passa les doigts dans ses cheveux et alla ouvrir.

— Je croyais que vous étiez de congé aujourd'hui, dit-il avant de découvrir Urmila, un grand sourire aux lèvres.

— Si Mahomet ne vient pas à la montagne, la montagne... Tu connais la suite.

Il la regardait, bouche bée.

— Je viens de rêver de toi, fit-il, dérouté.

— Venant d'un autre, je croirais à une technique de drague... Qu'est-ce qui se passait, dans ton rêve ?

— C'était compliqué, plutôt décousu. Mais qu'est-ce que tu fais là ?

— J'ai eu envie de te faire une surprise... C'est dimanche, et tu m'as dit que ta bonne prenait sa journée... Alors...

Sa voix semblait perdre à chaque syllabe un peu de sa confiance.

— Entre.

Elle le suivit au salon, chaos de verres sales, d'assiettes à demi pleines et de bouteilles vides.

Il sourit, espiègle et gêné à la fois.

— Tu te rappelles Stanley ? Stanley Sagayaraj, le capitaine de l'équipe de basket ? Il est dans la police, lui aussi, à la Criminelle. Nous travaillons ensemble sur une affaire et nous avons décidé d'en discuter ici.

— La discussion a abouti ? demanda Urmila, qui rassemblait les verres pour les emporter sous l'œil de Gowda.

— Pas vraiment, répondit-il au bout d'un moment.

Le sérieux de sa voix la saisit et elle reposa les verres pour s'approcher de lui.

— Tu veux qu'on en parle ? proposa-t-elle, la main sur son épaule.

Il tourna la tête et lui embrassa le bout des doigts sans réfléchir.

– Non, mais je suis content que tu sois venue.

Elle sourit et nicha sa joue dans le creux de son bras.

– Je vais faire du thé et quelque chose à manger. Va prendre ta douche.

– Ce serait une bonne idée si elle marchait, mais elle est en panne depuis Dieu sait quand !

Elle le poussa dans la direction qu'elle supposait être celle de sa chambre.

– Allez !

Gowda entra dans la salle de bains et leva les yeux vers le pommeau d'un air contrit. Un de ces jours, il faudrait absolument qu'il s'en occupe, qu'il appelle un plombier. En une demi-heure, le tour serait joué et il pourrait s'ébrouer sous de longues cascades chaudes... En attendant, il allait encore devoir faire avec un seau.

Il tourna le robinet, ajusta le chaud et le froid. Le bruit de l'eau tombant dans le seau emplit le silence de la maison. Il se demandait ce qu'Urmila était en train de faire et fredonnait à voix basse. Il entendit son téléphone sonner dans la chambre. Il plongea le verseur en plastique bleu dans le seau et fit couler l'eau lentement sur son corps. Mais la sonnerie se faisait insistante et gâchait son plaisir. S'il avait été sous la douche... Quoi qu'il arrive, il allait appeler le plombier ce week-end.

Urmila préparait des toasts sur une plaque en fonte.

– Comme tu n'as pas de grille-pain, ce sera du grillé *tawa* pour toi ce matin.

Il vit qu'elle avait ouvert les placards et déniché les assiettes en porcelaine. Peut-être que chez elle seuls les domestiques et les chiens mangeaient dans de l'inox.

Il haussa les épaules.

– Tu n'aurais pas dû te donner tout ce mal. Shanti a

269

sûrement laissé quelque chose au frigo qu'on aurait pu réchauffer.

Elle continua à beurrer le toast sans répondre. Il l'observait avec amusement.

– Je suis capable de beurrer mes tartines.

– Ah bon ? fit-elle en le regardant droit dans les yeux.

Le sang lui monta aux joues. Dans la pièce, l'électricité produisait un grésillement accompagné d'étincelles.

– C'est bon ? demanda-t-elle après l'avoir regardé manger un moment.

Il hocha la tête. L'omelette *masala* d'Urmila fondait dans la bouche et le toast était exactement comme il l'aimait. Juste assez brun, croustillant à point et généreusement beurré, répandant un goût salé, une douceur soyeuse lorsqu'il le pressait des dents et de la langue.

– Merci, dit-il en avalant une gorgée de son thé, fort, modérément sucré, tel qu'il le préférait.

– Et maintenant ?

Des non-dits planaient entre eux comme une nuée d'insectes.

– Nous allons nous asseoir côte à côte au salon pour lire les journaux. Puis, à onze heures, nous ouvrirons deux bières et je m'occuperai de quelque chose que je dois terminer, te concernant.

Elle fronça les sourcils.

– À terminer me concernant ! Quoi donc ?

Il éclata de rire et se pencha vers elle.

– En fait, les journaux et la bière peuvent attendre. Ça, par contre, non.

Elle gloussa de rire contre sa poitrine.

– Mais tu viens de déjeuner...

– Et alors ?

– Alors, rien.

Il la souleva vers lui, mais ce fut elle qui trouva sa bouche.

– Tu as un goût de toast beurré... C'est délicieux, murmura-t-elle.

Gowda n'avait jamais rien entendu d'aussi érotique de toute sa vie. Bigre ! Alors qu'il se demandait comment il allait faire le premier pas, elle l'emportait déjà vers un royaume de désir inexploré.

Les doigts d'Urmila escaladaient son torse à petites touches, ouvraient un à un les boutons de sa chemise.

– Hé ! Tu me piques mon rôle..., protesta-t-il en lui prenant la main. Théoriquement, c'est l'homme qui déshabille d'abord la femme.

– La théorie, Borei, on s'en branle, murmura-t-elle.

– Ho ho... La jouvencelle aime les gros mots..., s'amusa-t-il avec un grand sourire. Qui l'eût cru, Lady Deviah...

– On va rester debout toute la matinée à bavarder ? fit-elle en le menant par la main vers sa chambre.

Qui s'arrêta sur le seuil, elle ou lui ?

Subitement, ça n'avait plus d'importance. La soif de sentir sa peau contre la sienne submergeait toute autre considération. Il la souleva dans ses bras dans un effort qu'il trouva presque surhumain, pour l'emporter un peu plus loin, dans la chambre d'amis. Et merde ! pensa-t-il en découvrant qu'il était essoufflé. Les héros de cinéma qui faisaient ça si facilement, comment s'y prenaient-ils ?

Ainsi, faire l'amour, ça pouvait être ça ! se disait Gowda tandis que le rire ponctuait le va-et-vient des vagues de leur passion. La joie, une joie solaire, frisait la sensation pure quand leurs bouches se rencontraient, quand aux caresses d'Urmila répondaient les siennes, qu'elle recevait avec un abandon éhonté.

Car elle n'était pas timide. En fait, c'était Gowda qui se sentait novice tandis qu'elle lui dévoilait tous les chemins par lesquels il pouvait l'amener au plaisir. Elle l'entraînait dans un voyage de découverte de son propre corps et du sien. Quand il se plaçait au-dessus d'elle, elle le retournait, le chevauchait, et ses seins lourds frôlaient son visage dans leur mouvement. L'aisance avec laquelle elle se livrait au

271

plaisir excitait Gowda autant que ses longues plaintes gutturales.

Soudain, se penchant, elle lécha la sueur à son front.

Il s'abandonna dans un gémissement à elle, à la pulsation des sensations qui se précipitaient sans relâche à l'intérieur de son être.

Quand il ouvrit les yeux, elle était assise à côté de lui. Elle l'avait regardé dormir.

— Si on m'avait dit que je ferais un jour l'amour avec un homme tatoué..., le taquina-t-elle en souriant, le doigt sur la roue ailée à son biceps.

Il lui rendit son sourire. Il ne savait pas quoi dire.

— Pourquoi ne m'as-tu pas réveillé ? demanda-t-il finalement en caressant son bras d'un doigt.

— J'avais quelque chose à terminer, répondit-elle en écho aux mots qu'il avait prononcés un peu plus tôt.

— C'est-à-dire ?

— Viens, dit-elle en le tirant hors du lit.

Il se leva avec réticence.

— On ne peut pas rester couchés ?

— On pourrait, mais je veux te montrer quelque chose.

Elle l'entraîna dans la salle de bains de la chambre principale.

— Passe sous la douche.

— La douche ne marche pas, grimaça-t-il. Je dois la faire réparer.

— Je sais, murmura-t-elle en tournant le sélecteur, et une averse de gouttes d'argent jaillit du pommeau.

— Sapristi ! Comment tu as fait ? s'exclama-t-il, surpris autant que ravi en se précipitant sous le jet.

— J'avais récupéré un flacon de WD-40 chez une amie hier. Il était resté dans mon coffre. J'en ai vaporisé le pourtour de ton pommeau de douche, que j'ai ensuite dévissé et fait tremper dans de l'eau chaude savonneuse. Pour déboucher les buses, j'ai utilisé la pointe d'une épingle, et voilà le travail. Tu aurais pu le faire depuis longtemps, Borei.

Gowda se savonnait paresseusement.

– Oui, je sais. Mais qu'est-ce que c'est, le WD-40 ?

– Un produit miracle qui dégrippe les pas de vis rouillés…, commença-t-elle, mais elle s'arrêta en voyant de quelle intention étaient animés les petits yeux plissés de Gowda.

– Viens voir un peu par ici.

Urmila était partie à dix-neuf heures, invitée à un dîner auquel, disait-elle, elle aurait préféré ne pas aller, si elle l'avait pu.

Gowda l'avait regardée s'éloigner. Elle ne lui avait même pas proposé de l'accompagner. Il aurait décliné, mais elle n'avait rien demandé.

Déjà le processus était en marche. La solitude qui ronge, les soupçons. Avec qui était-elle ? Que faisait-elle ?

Gowda pressa la fraîcheur de son verre contre ses yeux. Qu'est-ce que je suis en train de faire ? J'ai quarante-neuf ans et je suis foutu. Incapable d'aimer mon épouse, entortillé dans une relation passionnelle avec une autre femme dont je ne peux pas espérer partager la vie. Une carrière en miettes, et pas un rêve pour me propulser à travers le désert aride que s'annonce être le restant de mes jours.

S'il avait dû repartir de zéro, qui aurait-il pu être ? Par où aurait-il commencé ? Il n'aurait trouvé d'emploi nulle part, aucune entreprise n'aurait voulu de lui.

Il était près de minuit à sa montre. Assis, un verre niché dans sa main, il avait l'impression que son esprit s'était arrêté de fonctionner. Il éclusa son rhum, s'en servit un autre, passa sur la véranda, s'en versa encore un, puis encore un autre. Plus tard, dans l'hébétude, il rampa vers son lit.

Lundi 22 août

Au matin, Shanti jeta un regard désapprobateur à ses yeux injectés de sang. Il se sentait la peau rêche, desséchée. Des coups lancinants lui martelaient l'arrière de la nuque ; il avait un goût de métal dans la bouche. Quand il tendit la main vers sa tasse, il vit qu'elle tremblait. Shanti le vit aussi.

— Ce n'est pas à moi de vous le dire, monsieur, mais vous buvez trop.

Gowda avala une gorgée de café et lui trouva un goût d'eau de vaisselle amère.

— On compte sur des gens comme vous pour veiller sur nous, monsieur. Alors, si vous…, conclut-elle en gagnant la cuisine.

Gowda fit une grimace. Elle avait raison, il buvait trop. Le jour, il pouvait déguiser son sentiment d'insécurité en simple manque d'assurance, ou même en nonchalance, mais le masque se fissurait au fil des heures. Il lui était de plus en plus difficile de jouer à celui qui n'en a rien à foutre. Quand la première gorgée d'alcool dévalait sa gorge et se déversait dans son système sanguin, il retrouvait un peu de cette faculté d'encaisser. Cet état légèrement cotonneux amortissait la cruauté de certaines remarques. Les insinuations, les insultes ne le blessaient plus aussi profondément. Le gâchis qu'était sa vie ne lui semblait plus aussi terrible. Le rhum avait l'art de chasser ces hydres maléfiques avec une facilité qui n'appartenait qu'à lui. Pourtant, oui, il buvait trop. Il le savait.

Absorbé dans ses réflexions, Gowda déchirait machinalement un morceau d'*akki roti*, le trempait dans le *palya*, mâchait, déchirait, trempait, recommençait, sous le regard offusqué de Shanti qu'il sentait fixé sur lui. Elle lui avait préparé son petit déjeuner favori, mais à quoi bon ? À le voir actionner ses mandibules sans la moindre joie, il aurait pu aussi bien manger la nappe.

Au commissariat, il fut incapable de balayer le sentiment de découragement qui l'écrasait de tout son poids. Une montagne de dossiers l'attendaient. Et l'affaire des heures de fermeture des restaurants et des bars avait refait surface.

Les patrouilles de police avaient découvert qu'un établissement de Kothanur restait ouvert tard la nuit, bien après vingt-trois heures trente, l'heure légale, en dépit d'avertissements répétés. On avait entendu le patron déclarer : « Qu'ils fassent ce qu'ils veulent, moi, je continuerai à fermer quand ça me plaît. Personne n'en décidera à ma place. »

— Vous auriez dû amener cet imbécile ici et le bousculer un peu, dit Gowda d'un ton las.

— Mais sur quelle charge, monsieur ? marmonna l'agent Byrappa.

— Ne me faites pas le coup de celui qui connaît la loi, grogna Gowda.

— Monsieur, légalement, il n'a rien à se reprocher, protesta Byrappa. Chaque fois que nous allons sur place, les lumières sont éteintes, les volets tirés, tout. Il sort, innocent comme l'agneau qui vient de naître, et prétend qu'il ne comprend pas de quoi on l'accuse. Mais j'ai toutes les raisons de penser qu'il continue à servir à boire à l'intérieur !

— Perquisitionnez, trancha Gowda en feuilletant le dossier.

Il regarda sa montre. Stanley allait arriver d'une minute à l'autre.

— On ne trouvera rien, insista Byrappa. Il affirme que l'arrière du bâtiment est son domicile personnel et que les gens qui y boivent sont ses amis !

Gowda referma le dossier d'un coup sec. Il allait être obligé de rendre visite lui-même à ce type dans la journée.

À ce moment, Stanley apparut sur le seuil. Gowda se leva lentement.

— Tu as bu tout le week-end ? fit son collègue en manière de bonjour.

L'inspecteur se passa les doigts dans les cheveux. Il savait qu'il avait l'air défait et même complètement ravagé, mais il ne touchait pas encore le fond. Il avait au moins réussi à se raser.

— Voilà ! annonça Stanley en jetant une chemise sur le bureau. Le rapport d'autopsie est arrivé !

— C'est ton affaire. Pourquoi veux-tu que je le lise ? demanda Gowda sans pouvoir masquer sa mauvaise humeur.

Stanley se raidit.

— Écoute-moi, Borei, répondit-il sans chercher à cacher sa contrariété. Je joue gros pour que tu récupères cette affaire. Officiellement tu es mon assistant, dans la réalité c'est ton bébé. Mais si tu préfères tout foutre en l'air...

Il tendit la main pour récupérer le dossier. Gowda posa la main dessus.

— Non, dit-il avant de marquer une pause, le temps de prendre une grande inspiration. Je ne voulais pas... Merci, Stanley. Je sais que tu prends des risques pour moi.

— Alors, reprends-toi ! Tu tournes à la caricature : ivrogne d'âge mûr, fils de pute et bon à rien, qui croit le cacher aux autres en se faisant passer pour un flic.

Gowda accusa le coup. Stanley frappait toujours au-dessous de la ceinture. Il savait vous faire rendre vos tripes sans verser une goutte de sang. L'instrument contondant fait plus de dégâts qu'une lame.

– Je dirai à Santosh d'aller enquêter dans les restaurants keralais de la zone qu'on a délimitée samedi, dit-il.

– Tiens-moi informé au fur et à mesure, Gowda. J'ai besoin de savoir.

Stanley allait passer le seuil pour s'en aller quand il se retourna :

– Et toi, demanda-t-il avec curiosité, qu'est-ce que tu vas faire pendant ce temps-là ?

– Je rentre à la maison. Je vais débrancher mon téléphone et dormir tout mon soûl. À mon retour, j'espère que j'aurai moins l'air d'une caricature, marmonna-t-il.

Stanley eut un sourire. La dernière fois qu'il avait envoyé Gowda dans les cordes, son ami avait décroché la coupe de basket pour leur équipe.

Santosh et Gajendra étaient fatigués et affamés. Ils étaient partis sur la piste des restaurants keralais de Banaswadi et de Kammanahalli un peu après midi. Ils les avaient écumés un à un, mais personne ne semblait se rappeler le mort. La photo produite par Santosh n'y changeait rien.

– En plus, monsieur, c'était une heure de pointe, leur dit l'un des employés. J'ai vaguement l'impression de l'avoir déjà vu, mais ça pourrait être n'importe où. Il y a tant de monde qui passe ! Sauf quand un client a quelque chose d'inhabituel, on n'a aucune raison de se rappeler quelle tête il a.

Santosh jeta à Gajendra un regard désemparé. Il était parti avec la certitude de faire un tabac ce jour-là, mais apparemment ils allaient devoir rentrer bredouilles.

Gajendra s'éclaircit la gorge.

– Ce jeune homme, notre victime, n'était pas seul, mais accompagné d'une femme.

Le patron du Kerala Magic fronça les sourcils.

– Attendez voir. Montrez-moi la photo encore une fois.

Santosh, médusé, regardait Gajendra. Pourquoi diable n'avait-il pas pensé à inclure ce détail dans sa question ?

Gajendra aurait eu beau jeu de dire en se frottant délicatement un mollet de l'autre pied : « L'expérience, monsieur. Rien ne vaut l'expérience... »

– Alors ?

Le restaurateur scrutait la photo.

– Ça y est, je me rappelle ! s'exclama-t-il subitement en pointant un doigt furieux vers le carton. Gopal ! Gopal, viens voir ! hurla-t-il.

Un jeune homme accourut.

– C'est bien lui, non, le fils de pute, avec la traînée ?

– Oui, monsieur, c'est lui, dit Gopal après avoir regardé attentivement la photo. J'ai gardé le billet dans une enveloppe, je vous l'apporte.

– On a un service de repas à emporter, expliqua le patron. Cet homme, enfin, ce jeune type – il n'avait sûrement pas plus de vingt-deux ans – est venu vendredi soir. Il a commandé huit *parota* keralaises, un plat de curry de mouton et deux parts de poisson frit. Il y en avait pour trois cent dix roupies. La femme qui l'accompagnait a payé avec un billet de mille roupies. On leur a rendu la monnaie, remis leur commande et ils sont partis. Samedi matin, mon comptable m'a appris que le billet était faux.

– Comment est-ce que vous savez que c'était celui avec lequel vous avez été payé ? demanda Santosh.

– Nous avons deux caisses séparées, l'une pour le restaurant, l'autre pour le comptoir des plats à emporter. Vendredi soir, celle-ci n'a encaissé que trois billets de mille. Les deux autres venaient d'habitués de mon établissement. Quand est-ce que la police va faire quelque chose pour arrêter ces faussaires ? s'énerva-t-il.

Santosh leva le billet à contre-jour et l'examina minutieusement.

– Ça ne saurait tarder. La Criminelle s'en occupe, répondit-il distraitement.

Du moins, il l'espérait. Mais qu'aurait-il pu dire d'autre ?

– Avez-vous vu dans quelle direction ils partaient ?

– Il y avait beaucoup de monde, dit l'autre en secouant la tête.

– Moi, j'ai vu ! intervint Gopal. Ils ont marché vers la station d'autorickshaws.

La montre de Santosh marquait presque quatorze heures.

– Au point où nous en sommes, autant déjeuner ici, décida-t-il.

Gajendra sourit. L'arrestation du meurtrier ne lui tenait pas particulièrement à cœur. Il faisait ce qu'on lui demandait de faire, un point c'est tout. Son apathie mettait Gowda en rage, mais il n'en avait cure. À la place de Santosh, Gowda se serait précipité sans attendre à la station de rickshaws. Son adjoint était plus humain, décréta-t-il par-devers lui tandis qu'ils attendaient d'être servis.

Aucun des conducteurs ne se rappelait le jeune homme. Alors que Santosh et Gajendra s'apprêtaient à repartir, un type arriva et se mit à bavarder et à rire avec les autres. Il avait l'air jovial, en bons termes avec lui-même et avec le monde entier.

– Posez-lui la question, suggéra un des chauffeurs les plus âgés. Il lui arrive de conduire le trois-roues de son ami. Je crois qu'il était là vendredi, dans la nuit.

Si mince fût-elle, il fallait tenter cette chance, se dit Santosh tout en faisant signe à l'homme de s'approcher.

– Oui, je le reconnais ! s'exclama-t-il dès qu'il eut posé les yeux sur la photo. Il était avec une femme. Je les ai laissés devant un bâtiment qui ressemble à une usine près de Narayanapura. La femme a dit que sa maison était au bout de la ruelle et que la route était impraticable à cause de travaux.

Le regard de Santosh s'illumina. Sa main tremblait d'excitation en rangeant la photo dans son porte-cartes.

– Vous vous rappelez où c'était, j'imagine, enchaîna-t-il.

– Pas sûr, fit l'homme avec un sourire gêné. Il faisait noir et j'avais hâte de rentrer chez moi, alors je n'ai pas bien regardé autour de moi. Peut-être qu'en y retournant...

– Alors, venez ! dit Santosh d'un ton sans appel en marchant vers sa Cheetah.

L'homme regardait les flancs mouchetés de la moto.

– Là-dessus ? demanda-t-il avec espoir.

Sur cet engin, derrière un inspecteur portant une veste barrée du mot « police » !

– Non. Vous ouvrez la marche en rickshaw avec Gajendra. Je vous suis.

Un peu plus tard, lorsqu'ils atteignirent le commissariat, ils virent Gowda entrer dans son bureau. Santosh le suivit, incapable de retenir son excitation.

– Monsieur, votre intuition était juste ! Le député est sûrement impliqué dans notre affaire...

Gowda se retourna.

– ... et nous avons retrouvé le bâtiment. Il n'y a aucune maison autour, juste quelques hangars abandonnés. Apparemment, c'était un atelier de confection. L'usine est fermée depuis longtemps et les lieux sont restés en l'état.

– Alors, quel est le lien avec le député ? demanda Gowda.

Il se leva pour s'étirer. Sa sieste lui avait fait du bien. Il se sentait prêt à affronter le monde entier, et le député en particulier.

– J'ai fait quelques recherches, monsieur. Le bâtiment appartient au député. Il l'a acheté il y a quelques mois.

Gowda semblait pensif.

– Il nous faudrait un mandat pour perquisitionner, dit Santosh en détachant les syllabes.

– Le faux billet, où est-il ?

– J'allais le déposer avec les pièces à conviction.

– Je sais comment nous obtenir ce mandat.

Gowda décrocha son téléphone :

– Stanley, il y a du nouveau, dit-il, mesurant ses mots. Il faut qu'on parle.

Stanley palpait le coin du billet de mille roupies entre le pouce et l'index. Aucun doute, il était faux.

– Est-ce que vous voyez la différence ? demanda-t-il en sortant un autre billet de son portefeuille. Parfois, ce n'est pas évident du tout. J'en garde toujours un vrai sur moi, pour comparer.

Il leva les deux billets devant lui.

– Je peux ? fit Santosh, penché en avant.

Stanley sourit et posa les billets sur la table, puis les fit tourner et passer plusieurs fois l'un sous l'autre pour brouiller les cartes.

Santosh prit un billet, puis l'autre, et les examina minutieusement.

– Qu'est-ce que vous cherchez ? demanda Stanley d'un ton docte.

– Le fil de sécurité. J'ai cru comprendre que les faux n'en comportaient pas. Mais ces deux-là en ont un…, répondit Santosh, perplexe, en reposant les billets.

– Ce n'est plus pertinent. Les nouveaux, ceux que produisent les services secrets pakistanais, sont très difficiles à distinguer des vrais.

Stanley avait repris les billets en main :

– Regardez, sur celui-ci, le fil et le sigle de la Reserve Bank of India sont bien nets, et plus flous sur celui-là. Les faux ne peuvent pas faire exactement aussi bien.

« Il y a toute une liste de points à vérifier. Le fil de sécurité peut être un peu flou et les trois filigranes – le pilier d'Ashoka, la dénomination et le sigle RBI – moins en relief sur les faux. Ici, vous voyez, l'alignement du registre à gauche du filigrane est différent. Ces abrutis n'ont même pas épargné le Mahatma. Le trait de ses yeux et de ses lunettes est plus épais. Les gouttes dont le fond est parsemé, détectables aux

UV, ne figurent pas sur les faux. Les types de la Reserve Bank les distinguent aussi à d'autres détails : la taille du préfixe et du numéro de série est plus petite, ils ne sont pas alignés comme sur les vrais. Quant au papier utilisé, il est à base de pâte de bois.

Santosh semblait étourdi par toutes ces révélations.

– Et je ne parle que des billets produits et infiltrés du golfe Persique par la D Company, les sbires de Dawood Ibrahim. Ces salauds se servent de nos compatriotes pour les faire entrer en Inde.

– Comment ça ? s'inquiéta Gowda.

– Hyderabad, c'est là qu'ils arrivent. Les ouvriers de Nizamabad, Kadappa, Karimnagar qui s'expatrient pour travailler dans le Golfe leur servent de passeurs. Ces types-là sont tellement contents qu'on leur offre un aller-retour pour chez eux en échange du convoyage d'une valise pleine de parfums, de vêtements et autres objets qui recouvrent à leur insu les faux billets empaquetés dans du papier carbone, ou planqués dans un album photo... Nous faisons de notre mieux, mais à présent le trafic se réoriente vers Bangalore, et il se fait par la route. Il n'y a rien de très nouveau dans votre découverte, soupira Stanley.

– Peut-être que si. Tu sais qui a payé avec ce billet ? La femme qui accompagnait Mohan !

– Mais ça ne nous dit pas d'où elle le tenait, rétorqua Stanley, irrité par l'euphorie quasi puérile manifestée par son collègue.

– Non, mais on pourrait lui poser la question. J'ai quelque chose à te dire, mais promets-moi de ne pas péter les plombs, d'accord ? fit Gowda en jetant à son adjoint un coup d'œil entendu. Sur une impulsion, vendredi dernier, Santosh est allé à Shivaji Nagar. Il s'est retrouvé près de Gujri Gunta, et, de fil en aiguille, il a fini au pied de la maison du député Ravikumar.

La bouche de Stanley se crispa.

– Ça n'a pas l'air de te faire plaisir, s'étonna Gowda.

– J'y viendrai plus tard. Dis-moi ce que tu as à me dire.

– Eh bien, Santosh a repéré deux individus qui sortaient de la maison dans la soirée. L'un était un eunuque, l'autre avait l'air d'une vraie femme. Comme on se demandait si le meurtre n'avait pas un rapport avec les eunuques, Santosh les a observés. Il a eu le temps de bien voir la femme : poids, taille, couleur des vêtements, etc. Malheureusement, il est resté à surveiller l'eunuque et l'a laissée filer quand ils se sont séparés.

« Et maintenant, le personnel du Kerala Magic et le conducteur d'autorickshaw mentionnent tous deux une femme qui semble être celle de ce soir-là. Et le conducteur dit qu'il les a déposés, Mohan et elle, près d'une usine abandonnée dont on a découvert qu'elle appartient au député.

– Je devrais te poursuivre pour ça, Gowda, fit Stanley, le visage fermé. Tu n'avais pas à mettre le député sous surveillance sans d'abord m'en référer.

– Quelle surveillance ? s'étonna son collègue, blessé, d'un ton aussi sincère que possible.

– Ne me prends pas pour un con, Gowda.

– Monsieur, j'étais parti chercher une pièce pour ma moto, intervint Santosh. Je me suis trouvé par hasard…

Stanley le fit taire d'un regard fulgurant.

– L'arbre te cache la forêt, Stanley, glissa Gowda en inspectant ses ongles.

– Ne me fais pas le coup des citations littéraires. Moi aussi, j'ai lu *Macbeth* à la fac.

– Non, Stanley, écoute-moi. Je crois que le député est impliqué d'une manière ou d'une autre. Les meurtres en série et les faux billets semblent l'avoir pour dénominateur commun. En outre, l'eunuque qui était avec la femme est sa gouvernante. Ce que je ne sais pas, c'est s'il existe un lien direct entre tout ça, ou un lien au deuxième degré.

Stanley renifla.

– C'est précisément pourquoi je ne vais pas poursuivre sur cette voie. Gowda, tu suis une pente très savonneuse, tu m'entends ? Et tu ferais bien de te rappeler que tu m'entraînes avec toi dans ta chute. Tu dois en référer à moi pour tout ce que tu décides de faire. Dans cette affaire, je suis ton supérieur, est-ce que tu comprends ?

Gowda fit oui de la tête. Le désespoir familier reprenait racine en lui. Stanley était guidé par la nécessité de démanteler le réseau des faux-monnayeurs. Les meurtres constituaient pour lui une affaire annexe, en quelque sorte. Il ne ferait rien pour mettre son enquête en péril. Un mandat ou une convocation de l'eunuque pour interrogatoire mettrait la puce à l'oreille au député et ruinerait probablement ses propres plans. Avant qu'ils aboutissent, le meurtrier, quelle que soit son identité, aurait quartier libre.

– Ce n'est pas tout, fit Gowda, essayant de formuler l'idée qui venait de lui traverser l'esprit. La première victime a été attaquée il y a un mois, la suivante trois semaines plus tard, la suivante seulement une semaine après la deuxième, et la dernière il y a une semaine. Le meurtrier a accéléré la cadence. Presque comme s'il ne pouvait plus s'arrêter. Il nous reste quatre jours avant qu'un nouvel homme soit tué. Est-ce qu'on doit se croiser les bras en attendant ?

Stanley regardait au loin.

– Monsieur, intervint Santosh, je ne sais pas si c'est d'une importance quelconque mais la vieille usine a été vendue au député il y a seulement deux mois. Peut-être que ça ne veut rien dire...

– ... ou tout dire, compléta Gowda.

Stanley se laissa tomber sur une chaise, tendit la main vers le presse-papiers en verre et le plaça sur la paume de son autre main. Gowda et Santosh le regardaient fixer le vide comme s'il contenait la réponse qu'il cherchait.

Gowda se racla la gorge.

– On pourrait lui dire qu'on a besoin de fouiller l'usine pour une affaire qui remonte à six mois, à l'époque où il n'en était pas propriétaire. Et si on trouve quelque chose, on pourra passer à l'étape suivante.

À force de retenir son souffle, Santosh sentait sa cage thoracique sur le point d'exploser. Et si la suggestion de Gowda avait raison des hésitations du commissaire, mais dans le mauvais sens ? Si, entrant en collision avec la planète Stanley, elle était repoussée et détournée de son objectif ? Lui-même, Gowda l'avait rembarré pour de bien moindres offenses.

Stanley considérait obstinément le presse-papiers.

– On n'en voit plus beaucoup des comme ça, aujourd'hui, dit-il en le tenant dans la lumière.

Gowda crispa la mâchoire, tendit la main et lui prit l'objet.

– Je t'en ferai venir toute une cargaison s'il te plaît tant.

– Pas tant que ça, en fait, fit Stanley en souriant.

– Alors ? l'aiguillonna Gowda.

– Alors je vais mettre sa maison sous surveillance vingt-quatre heures sur vingt-quatre. Pendant ce temps-là, tu auras ton mandat pour perquisitionner l'usine. Seulement l'usine. Après, on avisera.

– Quand viens-tu à Hassan ? demanda Mamtha au téléphone.

Gowda sentit la peau de son front se plisser.

– Je suis au milieu d'une affaire. Ne t'attends pas à ce que je puisse me déplacer tous les quinze jours.

– Que se passe-t-il ? fit-t-elle d'un ton déterminé à savoir.

– Qu'est-ce que tu veux dire par là ? tonna Gowda.

– Roshan me parle d'expositions culturelles et de dîners, d'endroits où tu l'as emmené. Des gens qu'il a rencontrés... On dirait que tu ne manques pas de temps pour tout ça.

Gowda grommela une vague réponse.

– Et qui est cette Urmila ? Roshan dit que tu passes beaucoup de temps avec elle.

Gowda se sentit sombrer.

– Mamtha, qu'est-ce qui t'arrive ? C'est une ancienne amie de fac qui est de retour à Bangalore.

Gowda disait la vérité, du moins en partie, sachant qu'elle masquait souvent la réalité mieux qu'un mensonge.

– Ah, fit simplement sa femme.

Il sentait son embarras. Pour un poisson mort de son espèce, exprimer une émotion, c'était perdre la face.

– Alors, comment s'est passée ta journée ? demanda-t-il d'un ton faussement sincère.

Quand Mamtha eut terminé de lui décrire les longues heures fastidieuses passées à travailler, Gowda s'attendait à ce qu'elle lui retourne la question. Mais elle n'en fit rien. Elle devait partir. Puis le téléphone sonna de nouveau.

Urmila. Gowda retint son souffle. Un sentiment proche de la culpabilité se répandit en lui. Cette « amitié » avec Urmila, cette chose qui ne portait pas de nom, était contraire à la morale dans l'univers de Mamtha. Une relation pourtant si bonne à vivre, si pleine de justesse.

– Comment était ta journée, Borei ?

Gowda étudiait ses ongles. Pourquoi ne venait-il pas à l'idée de son épouse, censée être sa compagne et son âme sœur, de lui demander s'il avait passé une bonne journée ? Alors qu'une autre, qui tenait pourtant un rôle ténu dans sa vie quotidienne, était intéressée par tous les moments qu'il vivait ?

– Plutôt bizarre, dit-il.

Mamtha semblait lui avoir cloué la langue.

– Tu as l'air troublé. Qu'est-ce qu'il y a ?

Sa voix avait la douceur d'une caresse sur son front.

Mais il ne pouvait pas parler, en proie à un trop grand chaos interne. Les nombreuses inconnues de l'enquête flottaient devant lui tels des fils épars. Il ne serait peut-être même pas autorisé à les relier entre elles, puisque, officiellement, l'affaire n'était pas la sienne.

Il mit fin à la conversation par une platitude.

Mardi 23 août

Le député grattait la tête de Tiger.

– J'ai une curieuse impression depuis ce matin, dit-il.

Chikka leva les yeux du relevé de compte qu'*Anna* l'avait chargé de contrôler.

– Quel genre d'impression ?

– Comme si on me surveillait. J'ai envoyé plusieurs de mes hommes vérifier, mais ils n'ont vu personne dans la rue.

Le député quitta son fauteuil pour gagner la fenêtre. Il écarta le lourd rideau, scruta les environs, puis le laissa retomber.

– Tu es sûr que tu ne te fais pas des idées ? demanda Chikka lentement.

– Je ne me fais pas d'idées, confirma le député en se frottant le menton du dos de la main.

Après avoir longuement regardé son frère, il ajouta d'une voix calme :

– Il y a des jours où je me demande si tout ça en vaut la peine. Il y a des jours où j'ai envie de tout laisser tomber et de recommencer une autre vie sous une autre identité.

Le député se passa les doigts dans les cheveux, en pleine confusion.

287

– Tu es sûr ? Absolument sûr ? articula-t-il en fixant son interlocuteur.

L'homme fit oui de la tête.

– Mon informateur est un type fiable, *Anna*. Il ne mentirait pas sur ce genre de chose, je vous assure.

Jamais il n'avait vu *Anna* aussi agité, aussi démonté, s'étonnait-il en suivant des yeux le député qui arpentait la pièce. D'ordinaire, rien ni personne n'aurait pu déclencher une réaction de panique chez lui. Si on lui avait dit que le ciel était en train de tomber sur la Terre, il se serait contenté de répondre avec ce lent sourire dont il était coutumier : « Qu'à cela ne tienne, je trouverai bien quelqu'un là-haut pour l'obliger à s'arrêter. Il suffit d'y mettre le prix, comme toujours ! »

Mais ce matin-là, *Anna* se comportait comme n'importe quel quidam conscient d'être épié par la police.

– Je suis en train de tout liquider, tu le sais, non ?

Le député s'arrêta près de la fenêtre, écarta les rideaux, regarda au-dehors. La rue était déserte. Aurait-il pu s'attendre à autre chose ? Ils se faisaient de plus en plus discrets, et maintenant, ils avaient accès à l'historique des téléphones portables.

L'homme se racla la gorge.

– Je l'ai entendu dire.

– Le jeu n'en vaut pas la chandelle. Mais il me reste un dernier chargement à faire parvenir au Kerala. Où est le type que tu devais me présenter aujourd'hui ?

Le député referma le rideau et reprit la timbale de café qu'il buvait quand on lui avait annoncé qu'Ibrahim désirait lui parler sur-le-champ. Une peau s'était formée à la surface du breuvage refroidi. Il le reposa violemment sur la table en maugréant :

– Depuis ce matin, ça n'arrête pas. Quel visage néfaste ai-je donc vu au réveil pour que tout aille aussi mal ?

Le regard au sol, Ibrahim semblait dire : « Pas le mien, en tout cas. Demandez-vous plutôt avec qui vous avez couché

cette nuit. » Il courait toutes sortes de rumeurs sur les fré-
quentations d'*Anna*, mais personne n'y prêtait foi. *Anna* était
leur grand frère et il était parfois nécessaire de regarder
ailleurs quand votre grand frère présentait des comporte-
ments bizarres.

– Tu as trouvé quelqu'un qui fasse l'affaire ? demanda de
nouveau le député en pressant un bouton.

– Oui, commença Ibrahim, un garçon.

– Je ne veux pas d'enfant. Je te l'ai déjà dit.

Une femme s'insinua dans la pièce. Ibrahim la regarda, surpris. Ainsi, la rumeur disait vrai, *Anna* hébergeait des *chakka*

– *Akka*, apporte-moi un café, et un thé pour lui. Avec du
nâstha, s'il en reste.

Les yeux de l'eunuque sondaient Ibrahim. *Anna* n'offrait
l'hospitalité à aucun de ses mignons. Pour quelle raison cet
homme-là... Du thé, à manger, et puis quoi encore ?

Ibrahim se passa la langue sur les lèvres. Qu'arrivait-il à
Anna ? De toute leur association, il ne lui avait jamais proposé
un verre d'eau, et voilà qu'il le conviait à une collation...

Anna n'était pas un *kanjûs*, il était même plus que généreux. Des vêtements neufs, des sucreries et une enveloppe
pour les hindous le jour de Dîvali, pour les musulmans le
jour de l'Aïd. Parfois, on recevait un cadeau chez soi, sans
raison précise. *Anna* ouvrait volontiers les cordons de sa
bourse à ceux qui travaillaient pour lui, mais pas les portes
de sa maison. Pourquoi faisait-il soudain preuve d'hospitalité
à son égard ? Il devait être vraiment troublé.

– Merci, *Anna*, mais je suis le jeûne, s'empressa-t-il de
répondre. Non, vraiment, je ne veux rien.

Il vit l'eunuque retenir un sourire, aussi surpris que lui,
semblait-il, par ce comportement saugrenu.

Le député balaya la question d'un geste signifiant :
« Comme tu voudras. »

– Ce n'est pas un enfant, *Anna*, mais un homme jeune qui
approche de la trentaine. Il ressemble au fils que tout le

monde voudrait avoir. Bien élevé, physique agréable. Personne ne le suspectera de quoi que ce soit.

— Où l'as-tu déniché ?

Ibrahim rougit, puis lâcha avec un petit sourire mi-timide, mi-espiègle :

— Chez Boubi Ma.

Les sourcils d'*Anna* se levèrent. Boubi Ma tenait — ou avait tenu, car peut-être avait-elle pris sa retraite — un bordel vers Tannery Road.

— Elle est toujours dans le métier ?

— Oh non, elle est trop vieille. Mais certains de ses anciens clients viennent encore la voir et sa fille, elle, est jeune. Il y a aussi des nouvelles.

L'expression d'Ibrahim s'adoucit à la pensée de la jolie prostituée au nez en trompette qu'il avait entrevue. Il la demanderait, la prochaine fois.

— C'est le fils de Boubi Ma qui me l'a présenté. En l'entendant parler de ce garçon, il m'a semblé qu'il serait parfait pour notre projet.

— Tu lui fais confiance ?

Le député se frottait la tempe de l'index pour tenter d'alléger la pression qui ne cessait de croître derrière son front.

— C'est moi qui l'ai choisi. Oui, on peut lui faire confiance, si tant est qu'on puisse faire confiance à qui que ce soit... Il faut bien prendre le risque.

Le député se boucha une narine d'un doigt et inspira bruyamment par l'autre.

— J'ai les sinus complètement bouchés, expliqua-t-il.

— Des inhalations vous feraient du bien.

Le député hocha la tête avant de demander :

— Tu lui as déjà parlé ?

— Je lui ai dit ce qu'on attendait de lui, sans lui fournir de précisions. Il vaut mieux garder les détails pour la dernière minute, dit Ibrahim en baissant la voix, surtout si la police semble s'intéresser à nous.

L'eunuque apparut avec une timbale de café chaud sur un plateau. L'une et l'autre en argent, constata Ibrahim. Le bruit courait que le chien d'*Anna* buvait lui aussi dans un bol en argent et qu'*Anna* déféquait dans un pot de chambre en or.

— *Akka*, ton portable, ordonna le député en tendant la main.

L'eunuque eut d'abord l'air déconcerté, puis sortit son téléphone des profondeurs de son corsage.

— Il va falloir que j'utilise ta ligne quelque temps, *Akka*. Tiens, Ibrahim, voilà le numéro, celui auquel tu m'appelleras pour tout ce qui est confidentiel. Mais n'oublie pas de me donner un coup de fil anodin de temps à autre à mon numéro personnel, pour ne pas éveiller les soupçons.

Ibrahim lui adressa un grand sourire entendu.

— Je t'appellerai ce soir ou demain, reprit le député. Il faut que je rencontre ce garçon pour m'assurer qu'il est comme tu le dis.

Il avala bruyamment plusieurs gorgées de café. Ibrahim quittait déjà la pièce quand il lui cria :

— Une dernière chose ! Je ne veux pas recevoir la visite de qui que ce soit dans les prochains jours. Fais passer le mot.

Akka suivit des yeux Ibrahim qui s'éloignait. Elle se passait la langue sur les lèvres, incapable de se décider à parler.

— Ruku a appelé ce matin, dit-elle enfin.

Le député attendit qu'elle continue.

— La police a débarqué à la maison de Hennur Road. Ils voulaient des informations sur moi et sur les fonctions que j'occupe chez vous. Ne pensez-vous pas que je devrais m'en aller quelques jours ?

— Non, *Akka*, tu ne t'en iras nulle part. Et de toute façon la police est en planque près de chez nous. Il faut juste être prudent.

— Qu'est-ce qu'on va faire ? murmura l'eunuque, le regard fixe.

– Rien. Aussi longtemps qu'on ne bouge pas, on est en sécurité. Et pendant ce temps, je vais réfléchir aux prochaines mesures à prendre. Pour le moment, on reste le cul sur sa chaise et on attend.

– Mes hommes viennent de m'appeler, dit Stanley. Rien d'anormal, pas d'allées et venues inhabituelles. Les appels téléphoniques n'ont rien révélé d'intéressant pour toi.

– Dis-moi, murmura Gowda dans son portable, est-ce qu'ils ont remarqué quoi que ce soit qui puisse avoir un lien avec les faux billets ?

– Hum... En début de soirée, un certain Ibrahim est arrivé. Nous le tenons à l'œil depuis déjà un moment, lui. Après son passage, on a noté une baisse significative des appels sur le téléphone du député.

– Et alors ?

– Alors, je crois que l'un d'entre nous émarge au budget du député et a fait passer le mot au sujet des écoutes.

– Tu peux serrer Ibrahim ?

– Quoi ?

– Je disais : est-ce que tu peux coffrer Ibrahim ?

– Écoute, Borei, ces types ne cracheront pas le morceau, quoi qu'il arrive. Ils n'ont à la bouche que les instructions de l'Association des droits de l'homme. Je ne veux pas d'ennuis.

– On peut le faire parler sans lui faire le moindre bobo. Gajendra s'en chargera. C'est un expert en la matière. J'en apprends de lui tous les jours.

– Qu'est-ce que tu veux dire ?

– Tu verras, fais-moi confiance. Mais il faut faire vite, avant la fin du Ramadan.

– Quel rapport avec le Ramadan ?

– Je ne peux pas t'expliquer tout de suite, mais c'est un facteur de première importance, qui nous rendra les choses beaucoup plus faciles. Crois-moi, Stanley, il parlera.

Mercredi 24 août

D'un côté de la route se dressait l'usine au milieu d'un champ, de l'autre béait une carrière enveloppée d'un voile de poussière grise. Gowda plissa les yeux à la vue du paysage ravagé, des excavations, des montagnes de gravier, de la broyeuse qui réduisait des plaques entières de roc en billes grosses comme des pois dans un vrombissement permanent.

– L'atelier a cessé de fonctionner il y a quinze ans, expliqua Santosh tandis qu'ils prenaient le virage menant à la bâtisse. La femme a dit au conducteur de l'autorickshaw que sa maison était au bout de cette allée et que la route était complètement défoncée.

La route n'était pas seulement défoncée, c'était une rivière de boue. Il avait plu la veille au soir, ce n'était plus qu'une succession de flaques et de pentes glissantes. Elle débouchait sur une vigne abandonnée où des piquets en ciment s'alignaient sous le vaste ciel comme des sentinelles. Plus loin, on arrivait à une rangée d'arbres rabougris, suivis de quelques bâtiments en ruine, puis d'un temple décrépit. Aucune maison n'était en vue.

– Drôle d'endroit, dit Gowda, piqué par la curiosité.

– Si j'ai bien compris, le propriétaire avait une araignée au plafond, répondit Santosh. J'ai fait des recherches. Il dirigeait une fabrique de vêtements, ici. Bien avant que les entreprises d'informatique s'y mettent, il avait un bus pour amener ses employés et les raccompagner chez eux. La vigne poussait à côté. Les douze hectares lui appartenaient. Il est venu ici tous les jours de sa vie. À sa mort, les héritiers ont tout arrêté et le député a racheté l'usine.

Derrière le mur d'enceinte, un homme s'approchait du portail fermé au cadenas. Le véhicule de police attendit qu'il ouvre les battants, puis remonta l'allée de gravier jusqu'à la porte de la bâtisse pendant qu'il refermait derrière eux.

– *Anna* m'a annoncé votre visite, dit-il en accourant. Je vous ai attendus toute la matinée, ajouta-t-il pour expliquer sa présence.

Gowda leva un sourcil. Santosh se pencha vers l'homme.

– *Anna ?*

– Le député Ravikumar. Nous l'appelons *Anna*. Il est notre grand frère à tous.

Il se retourna vers la porte pour introduire une clé dans l'énorme cadenas. Puis il souleva le loquet et le vantail s'ouvrit sans peine.

– *Anna* vient donc ici souvent ? demanda Gowda d'un ton neutre.

– Presque jamais, répondit l'homme en penchant la tête sur le côté. Il n'y a rien ici. Que des vieilles machines à coudre en pièces détachées. *Anna* veut en faire une laiterie. Avec à côté un orphelinat et une maison de retraite.

– Votre *Anna*, ce ne serait pas Mohandas Gandhi ? fit Gowda.

Santosh pouffa, mais l'homme secoua la tête sans prendre ombrage de la pique.

– Il pourrait très bien devenir le Gandhi de notre époque.

Santosh décida de pousser l'homme à parler avant qu'il se referme comme une huître.

– Dites, Manjunath – c'est bien votre nom, n'est-ce pas ? –, et la carrière ? Ça ne sera pas un inconvénient majeur à ce beau projet, la carrière, avec son bruit et sa poussière ?

– Voyez-vous, sourit l'homme, la beauté de la chose, c'est qu'elle appartient elle aussi à *Anna*. Il la fera fermer dès que les nouvelles installations seront prêtes à fonctionner.

Gowda voyait très bien la « beauté de la chose ». La carrière en activité avait écarté tout acheteur potentiel de l'usine et de son terrain. Les propriétaires avaient dû accueillir le député comme un sauveur à la première offre qu'il leur avait faite. Le salaud avait probablement acheté les lieux – un sacré morceau – pour une bouchée de riz.

Emboîtant le pas à Manjunath, ils passèrent le seuil d'une véranda. La porte du fond ouvrait sur un labyrinthe de pièces qui avaient probablement abrité les bureaux de l'administration. Dans la première, le sol était recouvert d'une épaisse couche de poussière et le crissement aigu de la broyeuse emplissait tout l'espace. Un nuage s'éleva lorsque le gardien ouvrit une fenêtre. Gowda toussa et sortit un mouchoir de sa poche pour s'en couvrir le nez. L'homme les conduisit par un couloir central à l'atelier proprement dit.

Le faux plafond, sous les tôles en amiante du toit, était crevé par endroits. Des restes de luminaires pendaient encore à des poutres maintenues en place par des cordes dans la seule intention de conserver cet éclairage. Il planait sur les lieux une odeur de moisi et d'urine de rongeur. Manjunath ouvrit largement les battants d'une des fenêtres, fermées au loquet. Un rat, surgi d'un tas de détritus, déguerpit et disparut dans ce qui avait été un ensemble de rayonnages.

Gowda regarda autour de lui. Les lieux étaient pratiquement vides, à l'exception d'une machine à coudre, de pièces détachées, d'un tas de planches et d'une chaise cassée.

– Trois cents personnes travaillaient ici, déclara Manjunath. Vous vous rendez compte !

Gowda frissonna. Trois cents ouvriers entassés dans une pièce à peine assez grande pour en contenir deux cents. Rien d'étonnant à ce que le premier propriétaire ait choisi cette usine loin de tout. Cet atelier avait été un lieu d'exploitation de la misère, où la sueur de l'un tombait sur le bras de l'autre. Comment les ouvriers avaient-ils pu supporter de telles conditions ?

– Et les machines ? demanda Santosh.

– La fille a tout vendu à la mort de son père. Il n'avait pas de garçon, sinon le fils aurait poursuivi ce que son père avait commencé. Mais une femme... qu'est-ce qu'elle pouvait faire ?

Gowda se retint de sourire. Si Urmila l'avait entendu, elle l'aurait empalé sur une pique avec un commentaire du genre : « Espèce de mufle sexiste, voilà ce que les femmes sont capables de faire ! »

De l'atelier, on accédait au service d'emballage et d'expédition.

– Et voici le bureau du directeur, dit Manjunath en les conduisant dans une pièce aux parois de verre, meublée de deux chaises, d'un bureau et d'un canapé-lit en skaï bordeaux.

Alors que le reste de l'usine était recouvert d'un linceul de poussière et de toiles d'araignées, tout y était propre, nota Gowda.

– Où mène cette porte ?

– Au parking. Le propriétaire avait son entrée personnelle. Regardez, c'est lui. Il désigna une série de photos encadrées au mur. Gowda s'approcha. L'une d'elles représentait un homme en costume dans une rue animée, quelque part à l'étranger. Sur une autre, il serrait la main de Venkatasubbiah Pendekante, gouverneur du Karnataka. Sur la dernière, il posait à côté de sa famille : fille, gendre, petits-enfants.

– Je crois bien qu'il s'appelait Ranganathan, ajouta Manjunath.

Gowda ne pipa mot, mais scruta la photo avec une attention redoublée en pensant à l'épisode de la morgue douze ans plus tôt, au cadavre, à sa fille éplorée, au gendre et à ses relations.

– Vous savez, reprit Manjunath en tirant sur le cordon des jalousies pour vérifier que le système fonctionnait, le père d'*Anna* a travaillé ici comme gardien. *Anna* venait souvent avec lui. Et plus tard, ce fils d'ouvrier est devenu propriétaire et patron de tout ça. Si ce n'est pas l'œuvre du destin, qu'est-ce que c'est ?

Gowda fixait l'homme sans le voir. Il tendit la main, tira sur le cordon, et les lattes du store retombèrent doucement, plongeant le sol dans l'obscurité. Il reprit son examen des lieux.

Quelqu'un venait ici régulièrement, quoi qu'en dise Manjunath. Cette personne utilisait l'entrée latérale, dépoussiérait les meubles, ouvrait et fermait les jalousies.

– Où est la clé de la porte ?

– Je crois que c'est *Anna* qui l'a. Vous avez vu ce que vous vouliez voir ? demanda Manjunath en regardant sa montre.

– Pas encore...

Gowda suspendit sa phrase. Il venait d'apercevoir quelque chose du coin de l'œil. Tirant son mouchoir de sa poche, il se pencha pour extraire de l'interstice entre le dossier et le siège du sofa un débris végétal brun pâle attaché à un fil noir.

C'était une fleur de jasmin fanée, reste d'une de ces guirlandes dont les femmes se paraient les cheveux. Gowda l'enveloppa dans son mouchoir, qu'il glissa dans sa poche. Quelqu'un était venu ici quelques jours plus tôt.

Il se redressa et jeta un dernier coup d'œil aux photos encadrées.

– Alors, vous avez trouvé ce que vous cherchiez ?

Gowda se retourna précipitamment. Le député se tenait face à lui, suivi à quelques pas, comme toujours, par son nabot de frère. Quand s'étaient-ils faufilés à l'intérieur ? Rompu à dissimuler ce qu'il ressentait, l'inspecteur répondit d'un ton sec :

– Ça dépend !

Le député hocha la tête, comme s'il s'était attendu à cette réponse. Les yeux de son frère se plissèrent, nota Gowda. Il était très protecteur à l'égard de son aîné, disait-on.

— Je ne suis propriétaire que depuis deux mois, inspecteur. Vous ne pouvez pas me tenir pour responsable de ce qui s'est passé ici avant…, fit le député dans un sourire.

Désarmant, ce sourire, pour un interlocuteur moins avisé que moi, se dit Gowda.

— Mais vous connaissez bien cet endroit, répondit-il calmement.

— Qu'est-ce que vous insinuez, inspecteur ? intervint le frère.

Gowda le regarda, surpris. Il s'était adressé à lui en anglais, alors que son aîné ne connaissait pas cette langue, mais uniquement le kannada, le tamoul et l'ourdou du Deccan.

— Ramesh a fait des études supérieures, expliqua le député en jetant un coup d'œil affectueux au cadet qui prenait la mouche pour lui. Je n'ai pas dépassé l'école primaire, mais il est allé jusqu'à la maîtrise, c'est le premier diplômé de la famille, et il est ceinture noire de karaté. Êtes-vous diplômé de l'université, inspecteur ?

— Ça suffit ! coupa Gowda en levant la main. Je ne vous ai pas demandé le curriculum vitae de votre frère, je veux seulement savoir si cet endroit vous est familier, oui ou non.

— Oui, dit Chikka. Notre père y travaillait comme gardien, nous venions ici étant enfants. Nous connaissons donc bien les lieux tous les deux.

Il avança pour se placer à côté de son aîné.

— Quand êtes-vous venu ici pour la dernière fois ?

— Il y a une semaine, je crois, répondit le député en se concentrant. L'ingénieur qui va convertir l'usine en laiterie m'accompagnait. Pourquoi cette question ?

— J'ai entendu dire que vous aviez de grands projets pour transformer cet endroit. Un orphelinat, une maison de retraite…

Les deux frères se regardèrent.

– Quelqu'un a été bavard, je vois.

– Je te l'avais dit, *Anna*. Tu n'avais pas à discuter de tes plans avec Manjunath. Sa bouche est un tonneau percé, marmonna Chikka.

– Quel mal y a-t-il à aider les miséreux, inspecteur ?

Le député souriait, ouvrait les mains, joignant le geste à la rhétorique.

Gowda l'ignora et se tourna vers son cadet.

– Bien. Maintenant, monsieur l'étudiant, dites-moi tout sur les tableaux de Ravi Varma qui décorent la maison que vous habitez tous les deux.

La question de Gowda surprit Santosh. Qu'est-ce qu'il était en train de faire ?

Chikka se mordit la lèvre comme pour contenir sa fureur, avant de répondre avec circonspection, d'un ton suave qui imitait apparemment celui de son frère :

– Est-ce un crime d'accrocher des œuvres de ce grand artiste chez soi ?

– Je n'ai rien dit de tel. Pure curiosité.

– Eh bien, j'aime sa peinture. Et l'art en général. *Anna* m'a donné quartier libre pour choisir la décoration de ses murs. Cela vous satisfait-il, inspecteur ?

Santosh émit un soufflement exacerbé. Son supérieur eut un grand sourire.

– Je vous aime bien, Chikka.

– Je ne peux pas dire que ce soit réciproque, grogna l'autre. Je n'aime pas les gens comme vous. Trop contents d'eux-mêmes. Si sûrs de nous être supérieurs, de connaître toutes les réponses, alors qu'ils ne distingueraient pas une fourmilière d'un trou du cul.

– Du calme, Chikka ! fit le député en posant la main sur son bras. Qu'est-ce qu'il y a ? Pourquoi tu t'énerves ?

– Soupe-au-lait, pas vrai ? ironisa Gowda en prenant une expression désolée et inquiète. Ce n'est pas bon, pas bon du tout pour lui. Vous devriez le lui faire comprendre.

– Qu'est-ce que vous voulez, inspecteur ? Qu'est-ce que vous cherchez ?

– Comme si j'allais vous le dire, Caddie Ravi ! s'exclama l'inspecteur en marchant vers la porte. Est-ce que vous aviez prévu que je découvrirais l'homme que vous étiez ?

– C'était il y a longtemps, inspecteur. On ne reste pas toujours ce qu'on a été.

Seuls les yeux du député trahissaient l'intensité de sa fureur.

– C'est ce que je vois, répliqua Gowda en avisant la voiture garée dehors.

Le 4 × 4 Honda était flambant neuf, d'un blanc éclatant sous le soleil. Une montagne d'homme, les bras croisés, y était adossé. Le chauffeur et garde du corps du député. Comment s'appelait-il déjà ? Godzilla ? Ah non, King Kong.

Les individus de l'engeance du député faisaient grincer Gowda des dents. Ils savaient exactement comment manipuler le système à leur avantage. Ils savaient quels trous combler, quels nœuds dénouer pour le faire fonctionner à leur bénéfice. Le député et ses semblables renforçaient chez Gowda l'impression d'être un looser.

Mais pas cette fois-ci. Il était las de se retrouver toujours dans la case du perdant.

– C'était donc une impasse, constata Santosh sur le chemin du retour. Je ne comprends rien à cette affaire, monsieur. Tous ces éléments disparates qu'on n'arrive pas à relier entre eux...

– Regardez ça.

Gowda ouvrit son mouchoir et désigna du menton la fleur fanée et le bout de cordon qu'il y avait déposés.

– Le député prétend être venu il y a une semaine. Cette fleur n'est pas aussi vieille que ça et, par ailleurs, pourquoi le député ou son ingénieur aurait-il pris ça dans ses cheveux ? Quelqu'un d'autre est venu dans ce bureau. Quelqu'un qui portait du jasmin dans sa chevelure. Quelqu'un qui pourrait bien être notre meurtrier. Cette personne est liée à la maison du député, d'une manière ou d'une autre.

Il rangea le mouchoir dans sa poche avant d'ajouter :

— J'appellerai Stanley, c'est à lui de s'occuper de l'indice. Vous le porterez au laboratoire dès notre arrivée au commissariat.

— Si seulement on pouvait coffrer le vieil eunuque et commencer l'interrogatoire ! regretta Santosh.

— Si seulement, oui, mais Stanley ne voudra pas.

Gowda se replongea dans ses pensées en quête du maillon manquant. S'il laissait émerger ses idées sans forcer, il finirait par lui apparaître.

Dans le monde des indics, personne n'est inabordable. On peut toujours acheter une information. La seule chose qui peut différencier son vendeur d'un autre, c'est la forme sous laquelle il se fait payer, et son prix. Lorsque le marché est conclu, il se met à chanter comme un bel oiseau en cage. Tels sont les principes de base de toute collaboration avec un informateur.

Alors qu'Ibrahim se dirigeait vers la boucherie de Tannery Road où il préférait acheter sa viande, une Tata Sumo s'arrêta à sa hauteur, manquant de le renverser dans le caniveau.

— *Maa ki chut !* jura Ibrahim en brandissant le poing. Vous vous croyez où ?

Deux hommes sortirent du véhicule. Ibrahim s'approcha d'eux, furibond, le cœur battant à tout rompre. Les autres échangèrent un regard, vinrent à sa rencontre, le saisirent chacun par un bras et l'entraînèrent vers la voiture.

D'abord trop surpris pour crier, Ibrahim tenta de se dérober à l'étau qui l'emprisonnait, puis se mit à hurler :

— Lâchez-moi, bande de *lund ka baal*. Qui êtes-vous ? Lâchez-moi ! Qu'est-ce que vous faites ?

Suivit un torrent d'injures.

Plusieurs passants se retournèrent. Mais quelque chose dans l'allure de ces hommes baraqués, muets, aux visages impassibles et aux cheveux courts les retenait d'intervenir. Ils détournèrent les yeux et s'éloignèrent en hâte.

— Ferme-la ! finit par lui intimer l'un des deux d'une voix râpeuse.

À son ton menaçant, un frisson parcourut Ibrahim des pieds à la tête et il se tut. De qui étaient-ils les gros bras ? De Nanû ? De Shabir ? Les noms se pressaient en désordre dans sa tête. Mais aucun de ces caïds n'avait de raison de l'enlever. *Anna*, puissant comme il l'était, s'était assuré de leur neutralité. Ibrahim avait entendu dire que des types descendus de Bombay traînaient dans le coin. Mais pourquoi auraient-ils jeté leur dévolu sur le menu fretin qu'il était ?

Il se laissa précipiter sur la banquette arrière et les regarda s'asseoir de chaque côté de lui. Les vitres fumées, presque noires, remontèrent dans un glissement silencieux, le coupant du monde extérieur.

— Qui êtes-vous ? demanda-t-il, teintant sa voix d'un soupçon de déférence. Que voulez-vous ?

L'homme à sa gauche, le bras pendu à la poignée fixée au-dessus de la fenêtre, se gratta l'intérieur de l'oreille avec l'auriculaire en grondant :

— Bien ! Nous, c'est ce ton-là qu'on aime entendre.

L'autre, marqué à la mâchoire d'une tache de vin dont la forme rappelait les contours de l'Inde, sourit :

— Ma parole ! Te voilà à court d'injures ?

Puis ils se turent. Ibrahim sentait la poigne de la peur se refermer sur lui de minute en minute. Un peu plus tard, la voiture freina brusquement. Ils étaient arrivés.

Il tenta de résister tandis que les hommes le forçaient à monter une volée de marches. Ils lui tordirent les bras dans le dos, lui démettant presque l'épaule, et le poussèrent en avant pour le faire entrer dans une sorte de pavillon de construction récente. Il jappa de douleur.

– Où est-ce que vous m'emmenez ? gémit-il, épouvanté par le mufle trapu du revolver pointé sur lui et comprenant que sa vie ne tenait qu'à un fil.

– Alors, on a peur ? railla Carte-de-l'Inde.

Ibrahim ravala sa fureur.

Puce-à-l'oreille frappa à une porte, qui s'ouvrit au bout d'une longue attente sur un clone des deux hommes. Projeté violemment à l'intérieur, Ibrahim trébucha.

– Allons, allons, du calme. Ce n'est pas un criminel. On veut juste avoir une petite conversation avec lui, dit quelqu'un au fond de la pièce.

Ibrahim cligna des yeux en direction de la voix. Celle d'un homme d'âge moyen, les cheveux poivre et sel coupés court, gagné par un léger embonpoint. Même assis sur un sofa, on voyait qu'il était de haute taille.

Carte-de-l'Inde lâcha brusquement le bras d'Ibrahim. Puce-à-l'oreille se racla la gorge, comme sous l'effet du dégoût.

– Approche, Ibrahim, et assieds-toi. Tu n'as aucune raison d'avoir peur, dit le grand type en ourdou du Deccan, la langue de sa communauté, alors que les autres s'étaient adressés à lui en kannada.

Ibrahim resta sans bouger, décidé à ne pas réagir. Il avait entendu parler de cette technique de douche écossaise, du gentil et du méchant, par des voyous qui en avaient fait les frais. « *Mamu*, un de ces trous du cul prétend être ton pote pendant que l'autre joue les gros durs, prêt à t'arracher les poils des couilles un par un, lui avait appris Soup Saïd seulement quelques jours plus tôt. Ces espèces de nique-ta-mère jouent avec toi tant et si bien que tu finis par tout leur cracher, y compris la date des règles de ta sœur ! »

Les flics. C'étaient eux. S'ils s'étaient mis en retraite anticipée, ils auraient pu se faire engager par un des caïds de la pègre. Tous des brutes finies. Seule différence, ils portaient l'uniforme et toucheraient une pension en fin de carrière.

Les doigts du grand type pianotaient sur le bras du sofa comme pour évacuer un trop-plein d'impatience. Puis il se leva et fourra ses mains dans ses poches. Le chef, comprit Ibrahim.

– Je te dois des excuses, Ibrahim. Mes hommes ont affaire tous les jours à des gangsters. À leurs yeux, toute personne amenée ici est un criminel ou un criminel en puissance.

– Alors je suis libre de partir, fit Ibrahim.

– Bien sûr. Mais d'abord, il faut que tu répondes à quelques questions. Considère notre échange comme une conversation ordinaire, rien de plus.

La voix était suave, mais sous la jovialité du ton filtrait une dureté d'acier.

– Tiens, dit le grand type en s'approchant d'une table et tirant une chaise. Assieds-toi.

Ibrahim examina la table ovale et les six chaises. Il avait été menuisier dans une autre vie, un artisan qui fabriquait des meubles, qui se couchait chaque soir et dormait toutes les nuits. Travail d'usine, salopé, se dit-il en prenant une chaise. Et sûrement vendu trop cher pour ce que c'est.

– Combien vous l'avez achetée ? demanda-t-il, incapable de se retenir.

Le grand type le regarda, l'œil vide.

– Quoi ?

Puis, quand il eut compris, il haussa les épaules.

– Aucune idée. Quelle importance ?

Ibrahim haussa les épaules à son tour.

– C'était pour bavarder. Je croyais que c'était ce que vous vouliez.

Ibrahim voyait bien que l'autre aurait aimé se pencher vers lui et le soulever par le col de sa chemise en grondant : « Pas de ça avec moi ! » Mais il se retenait. Seuls les doigts

304

pianotant sur le plateau de la table trahissaient son agitation.

Carte-de-l'Inde se matérialisa subitement à son côté et poussa Ibrahim contre le mur.

– Vous êtes trop gentil, monsieur. Laissez-moi m'occuper de ce salaud.

– Non, je vais le faire.

– Qu'est-ce que vous voulez, monsieur ? demanda Ibrahim. Qu'est-ce que vous voulez savoir ?

Le grand type regarda sa montre. Aux ombres qui s'allongeaient à l'intérieur, il n'était pas loin de six heures. Levant la main vers un panneau accroché au mur, il pressa un bouton et une ampoule s'alluma au plafond. La petite flaque de lumière métamorphosa la pièce en salle d'interrogatoire, semblable à celles qu'Ibrahim avait vues dans les films. Il déglutit bruyamment. Ses yeux rencontrèrent brièvement ceux du grand type et il baissa le regard vers la table.

– Tu veux quelque chose de fort à boire ?

– Je ne bois pas.

– Ne mens pas, Ibrahim, je sais que si. Un petit...

– Non, répéta Ibrahim. Je suis le jeûne. C'est le mois du Ramadan. Une fois par an, je m'efforce d'être ce que je voudrais être toute l'année, un bon musulman !

L'homme acquiesça de la tête et se pencha vers lui, les yeux brillants :

– Si c'est vrai, il va falloir être honnête avec moi, Ibrahim. Ça fait partie des devoirs d'un bon musulman. Pas de mensonges ni d'entourloupes !

Ibrahim se passa la langue sur les lèvres. Qu'est-ce qu'il cherchait ?

– Quelle est ta relation avec le député ?

L'espace d'une seconde, il crut que son cœur s'arrêtait de battre.

– Quel député ? Shamima Bibi ? Je la connaissais étant enfant. Récemment, elle a été élue dans ma circonscription...

– Non, pas Shamima Bibi. Je te parle de Ravikumar. Caddie Ravi, comme on l'appelait avant.

– J'ai fabriqué des meubles pour *Anna*, monsieur. Puis il m'a demandé de travailler pour lui... Je fais aussi de la plomberie, des installations électriques. Alors il m'a demandé de devenir le régisseur de ses propriétés. De m'assurer que tout fonctionne, résuma-t-il dans un large geste.

– C'est tout ce qui...

– C'est tout, monsieur. Je jure par tout ce que j'ai de plus précieux que je suis son employé, un simple petit employé, s'empressa Ibrahim en s'inclinant, paumes jointes, d'un ton éploré.

Le grand type se leva et s'éloigna dans l'ombre.

– Qui d'autre habite chez lui ?

– Son frère cadet. Leurs parents sont morts il y a quelques années. *Anna* n'est pas encore marié, bien qu'il cherche une épouse depuis dix ans. Et ça peut paraître bizarre, mais sa maison est tenue par un *chakka* d'un certain âge qu'on appelle *Akka*, dit Ibrahim dont la voix n'était plus qu'un murmure.

– Pourquoi n'est-il pas encore marié ?

– Je ne sais pas trop, mais le bruit court qu'*Anna* a obtenu un certificat disant qu'il est d'une caste défavorisée pour se présenter aux élections dans ce quota. Maintenant, parmi les gens de sa vraie caste, personne ne veut lui donner sa fille en mariage, ils disent qu'il a perdu sa position en se réclamant d'un statut inférieur. Je ne connais pas la vérité, mais c'est ce que tout le monde raconte.

– Personne d'autre ne vit là-bas ?

– Personne, à moins de compter tous ceux qui passent. Les sœurs d'*Anna* viennent le voir de temps en temps. Ah oui, et le député organise une *pûja* spéciale tous les vendredis. Un groupe d'eunuques vient l'aider et reste parfois jusqu'au lendemain. Je ne comprends pas pourquoi il faut que les *chakka* soient là... C'est un rituel bizarre associé à la déesse qu'ils vénèrent... Il n'y a personne d'autre.

L'estomac d'Ibrahim se mit à gronder. Il serait bientôt l'heure de la prière de *maghreb*. Qu'est-ce que Khadidja allait préparer, ce soir ? Il était parti acheter la viande quand ces enfoirés s'étaient saisis de lui.

– Ça fait partie de tes fonctions de transporter des petits paquets pour lui ? demanda une voix désincarnée mais impérieuse.

Ibrahim prit une longue inspiration.

– De temps en temps, monsieur. *Anna* me dit de le faire pour lui quand son chauffeur est occupé à autre chose.

– Des voyages hors de la ville ?

– Quelquefois, répondit Ibrahim, le cœur battant. Mais je n'aime pas partir de chez moi...

– Tu n'as jamais regardé ce qu'ils contenaient ?

– Non, monsieur. Des papiers à imprimer, je suppose. Un de ses parents éloignés tient une imprimerie. Comme *Anna* l'a aidé à démarrer, il prête beaucoup d'intérêt à son affaire.

– Et tu n'as jamais eu la curiosité d'y jeter un coup d'œil ? insista son interlocuteur qui se matérialisa soudain dans la lumière. Tu n'as absolument aucune idée de ce que ça peut être ?

– *Anna* est un bon patron. Pourquoi est-ce que j'irais risquer de perdre mon emploi ? aboya Ibrahim, incapable de retenir son irritation.

Il était fatigué. Ses pensées étaient axées toute la journée sur la prière du soir, qui annonçait l'heure de manger. Il pouvait tenir jusque-là, mais pas au-delà.

– Dis-moi encore une fois comment a commencé ton association avec Ravikumar.

Ibrahim cligna des yeux. Cet homme était borné ou quoi ?

– Je viens de vous le dire..., commença-t-il, furieux.

– Alors, répète-le-nous, intervint Carte-de-l'Inde émergeant de l'ombre.

Ibrahim regarda ses ongles.

– Même si vous me brisiez tous les os du corps, je n'aurais rien de nouveau à vous apprendre...

– Dis-nous juste comment tu as rencontré Ravikumar, dit le grand type.

– Comme je l'ai dit, je fabriquais des meubles.

Deux heures plus tard, Ibrahim défaillait de faim. Il n'avait pas démordu de sa version selon laquelle il n'était qu'un coursier occasionnel, feignant une parfaite ignorance de tout le reste.

Le grand type se leva.

– Après une telle coopération, servez-lui donc un *biriyani*, fit-il.

Carte-de-l'Inde sourit jusqu'aux oreilles. À travers le brouillard de la faim qui l'affolait, Ibrahim se demanda ce que signifiait ce sourire. Et si son épreuve était enfin terminée.

Il était minuit passé quand ils le relâchèrent. Ils le jetèrent à bas de leur voiture comme un sac d'ordures dans la rue où ils s'étaient emparés de lui. Il tituba, retrouva son équilibre et leur adressa un regard furieux.

– Bande de nique-ta-mère ! jura-t-il tout bas.

Puce-à-l'oreille agita de nouveau l'auriculaire dans son conduit auditif, le retira et en scruta l'extrémité comme s'il s'attendait à trouver un éléphant perché sur son ongle.

– Tu l'as bien cherché ! fit-il nonchalamment. Tu aurais pu t'éviter tous ces problèmes, et à nous aussi !

Carte-de-l'Inde se pencha par-dessus son compagnon pour lui crier en jubilant :

– Puisque tu as fini par bêler comme la chèvre du *biriyani* !

Ibrahim se racla la gorge pour cracher de toutes ses forces dans leur direction.

Puce-à-l'oreille plissa les yeux et se tourna vers Carte-de-l'Inde.

– Au fait, tu es sûr que c'était de la chèvre ?

– Qu'est-ce que vous voulez dire ? demanda Ibrahim, horrifié.

– Eh bien, l'agent que j'ai envoyé acheter le *biriyani* l'a trouvé à Johnson Market. J'ai lu l'autre jour dans le journal que la chèvre est devenue hors de prix. Alors, conclut Puce-à-l'oreille en pesant ses mots, c'était peut-être bien du cochon...

Carte-de-l'Inde jappa de rire. La portière se referma d'un coup sec et la voiture démarra tandis qu'Ibrahim, plié en deux, vomissait.

On l'avait fait attendre devant la table encore une demi-heure après que le grand type, dont il découvrit plus tard que c'était l'inspecteur Gowda, avait quitté la salle. Puce-à-l'oreille était entré et lui avait demandé s'il voulait aller aux toilettes. Ibrahim ne connaissait pas ce mot.

– Quoi ?

– *Kakûs ?* avait proposé Puce-à-l'oreille dans un rictus.

Ibrahim avait fait oui de la tête.

L'endroit était minuscule, mais comportait un lavabo. Après avoir uriné, Ibrahim s'était nettoyé et avait décidé d'accomplir le *wudu* comme il aurait dû le faire avant *maghreb.* Il se serait au moins acquitté du devoir dicté par sa religion de se purifier avant les prières.

Il s'était rincé par trois fois les mains, les poignets, puis la bouche, les narines, le visage et les bras jusqu'au coude. Il s'était essuyé la tête de ses mains mouillées, avait nettoyé l'intérieur de ses oreilles en utilisant son index et l'arrière à l'aide de ses pouces. Il avait ensuite humecté son mouchoir et l'avait passé sur sa nuque. Restaient les pieds. Après avoir rempli d'eau un verseur en plastique, il l'avait fait couler, une fois, deux fois, trois fois sur eux.

Puce-à-l'oreille s'impatientait.

– Hé, qu'est-ce que tu fabriques ? Tu prends une douche ?

Alors qu'Ibrahim, ouvrant la porte, allait sortir, l'autre avait vu le sol trempé et poussé un profond soupir :

– Qu'est-ce que c'est que ça ? Tu as pissé par terre ?

Ibrahim l'avait fusillé du regard sans rien dire.

Un paquet enveloppé dans du journal était posé sur la table. Ibrahim avait déchiré l'emballage et s'était jeté sur le *biriyani*. Et Khadidja ? Et les enfants ? Quelqu'un leur ferait porter à manger, à coup sûr. Mais lui, quand ces salauds le laisseraient-ils manger son prochain repas ? Ils allaient le garder toute la nuit…

Pris de hoquet, il avait bu le verre d'eau posé sur la table, puis continué à enfourner d'énormes bouchées. Il était conscient du jeu auquel ils jouaient. Celui du bon flic, pour le moment. « On est des amis. On ne te veut aucun mal. Dis-nous seulement… » Mais Ibrahim ne deviendrait jamais au grand jamais un *haramzaada*, ça non, s'était-il dit dans un rot, on pourrait le traiter de tous les noms, mais pas de balance.

Ibrahim aurait tué pour un *suleimani*, un thé à l'arôme de citron vert tel qu'on en trouvait à Bombay Tea House. Le meilleur du monde. Après *maghreb* et la rupture du jeûne, le soir, il avait pris l'habitude de se promener du côté de Shivaji Nagar. Il trouvait toujours un de ces trois-roues dits Bombay-Goa pour rentrer chez lui. Ces autorickshaws à trajet fixe offraient l'avantage d'être très bon marché.

Il avait eu un sourire en y pensant. Prendre un Bombay-Goa reliant Shivaji Nagar à Nagavara par Tannery Road garantissait un moment plutôt agité. Bourré d'au moins huit passagers, le véhicule allait, poussif, bringuebalant, tressautant au-dessus des nids-de-poule et des dos-d'âne, si bien que votre nez frôlait l'aisselle de l'un pour cogner le cou de l'autre la seconde d'après. Mais personne ne se plaignait. Les cahots faisaient partie de l'atmosphère festive, on se serait cru au carnaval. Même l'inconfort de la promiscuité, des corps pressés les uns contre les autres, des effluves corporels, *attar* et haleine confondus, était vécu comme un plaisir.

— Puisque c'était si bon, voici un autre *biriyani*, avait dit Carte-de-l'Inde en faisant glisser vers lui un nouveau paquet enveloppé dans du journal.

Ibrahim trouvait qu'ils poussaient un peu loin la tactique du bon flic.

– Non, ça ira, j'ai assez mangé.

– Je ne t'ai pas demandé si tu avais encore faim. Mange !

– Je ne peux pas, avait répondu Ibrahim en secouant la tête.

– Mange, Ibrahim, ça vaut mieux pour toi. Ou tu veux que je t'aide à avaler ?

Il avait obtempéré. Arrivé à la moitié, n'en pouvant plus, il avait repoussé le carton.

– Finis-le, Ibrahim, mange jusqu'au dernier grain de riz, lui avait dit Carte-de-l'Inde très doucement.

Quel était ce nouveau jeu ? Ibrahim avait senti sa gorge se contracter. Il avait tiré le paquet à lui et s'était remis à manger lentement. À un moment, il avait eu des haut-le-cœur, mais il avait persisté. Grain après grain, jusqu'à ne laisser sur le papier gras que deux morceaux d'os, trois clous de girofle et une écorce de cannelle. Il s'était léché les doigts un à un, avec un regard fulgurant à Carte-de-l'Inde. Personne ne pouvait soumettre Ibrahim !

– Lève-toi ! avait ordonné Carte-de-l'Inde.

Il l'avait suivi dans ce qui ressemblait à une réserve, hésitant à l'instant de passer le seuil. Qu'est-ce qui l'attendait encore ?

– Reste là, debout.

Il s'était exécuté. Le repas lui pesait sur l'estomac. Alourdi par toute cette graisse, il avait du mal à respirer. Une vague nausée lui montait à la bouche. Il avait sommeil et une envie irrésistible de s'allonger. Il s'était assis, prêt à s'étendre dans le minuscule espace, juste assez grand pour la longueur de son corps. Mais Carte-de-l'Inde s'était approché de la porte en aboyant :

– Debout ! On ne s'assoit pas, on ne se couche pas. Tu te crois où pour vouloir ronfler comme un pacha après t'être empiffré ? Au palais de ta belle-mère ?

Alors Ibrahim s'était mis à arpenter les quelques mètres de la cellule, quatre pas dans un sens, quatre dans l'autre. Un air torride emplissait ses narines, il avait de plus en plus mal au cœur. Il s'était arrêté et adossé à une étagère. Les aiguilles d'une pendule gigantesque se mouvaient à une vitesse d'escargot dans sa tête. Une seconde, Dieu que c'était long !

Une éternité plus tard, Carte-de-l'Inde était apparu sur le seuil.

— Viens.

Il l'avait reconduit dans la salle à manger. Peut-être le grand type était-il revenu, pensait Ibrahim, une lueur d'espoir dans les yeux. Puis ses pieds avaient refusé de poursuivre : sur la table, il venait d'apercevoir un nouveau paquet de *biriyani*. L'envie de vomir lui avait envahi la bouche. Il avait serré les lèvres.

— C'est l'heure de manger ! avait jubilé Carte-de-l'Inde en lui montrant son repas.

Ibrahim n'avait pas bougé du seuil.

— Tu as le choix. Soit tu nous dis ce que tu sais, soit on te bourre de *biriyani* toutes les heures. Cracher ou avaler. Ton sort est dans tes mains. Ou, si l'on peut dire, dans ta bouche.

Ibrahim n'aurait su dire quand il avait senti sa volonté se briser. Après le quatrième ou le cinquième paquet ? Quand ses jambes avaient refusé de le porter ? Quand la douleur, dans sa colonne vertébrale, avait été trop forte ? Était-ce le besoin irrésistible de se coucher qui avait eu raison de lui, ou l'envie folle de se précipiter au *kakûs* pour y chier la montagne de merde qui s'était accumulée dans son intestin ? Il ne se rappelait qu'une chose : sa main levée, sa voix enrouée croassant : « Ça suffit. Je vous dirai ce que je sais. »

Elle regardait le téléphone, incapable de se décider. Il avait déjà appelé trois fois. Elle n'avait pas décroché, elle n'avait pas eu le cœur de rejeter l'appel ni de lui parler. Elle était assise au milieu d'un groupe qui ne connaissait pas son existence, qui n'aurait rien compris de toute façon.

– Je n'aime pas ça, lui avait dit son Sanjay le vendredi précédent, prenant sa main dans la sienne. Je n'aime pas te rencontrer en cachette. Nous sommes tous les deux jeunes et célibataires. Alors de quoi as-tu peur ? Tu as de jolies mains, avait-il murmuré. Et ta peau est si douce, douce comme une aile d'oiseau !

Un oiseau, oui, son cœur était un oiseau en cage dans sa poitrine. Elle l'entendait battre des ailes dans ses tympans. Qu'aurait-elle pu dire ? Elle avait été inconséquente, stupide de pousser aussi loin cette relation. Elle avait soustrait sa main à ses caresses.

– Maintenant que j'habite le foyer, je n'ai plus d'ustensiles à récurer ni de vêtements à frotter. Ça doit être pour ça.

Elle essayait d'atténuer la passion qui sous-tendait ses cajoleries en lui rappelant la platitude du quotidien.

– Je dois y aller.

– Je te dépose au foyer, avait-il dit.

Puis, devant le portail :

– Il y a un nouveau film qui sort la semaine prochaine. On ira le voir ensemble ?

Elle avait fait oui de la tête. Elle allait encore devoir trouver une excuse en temps utile pour se dédire.

Et voilà qu'il appelait, qu'il insistait, qu'il voulait sortir avec elle.

Elle aurait vendu son âme pour faire ce que les femmes de son âge faisaient sans devoir beaucoup réfléchir ou planifier. S'asseoir collée à lui sur sa moto, marcher dans un jardin public en sa compagnie, quitter la protection de l'ombre et se montrer à lui en pleine lumière. Mais comment pouvait-elle échapper à cette existence qui l'avait emprisonnée dans un corps d'homme ?

313

Jeudi 25 août

Le député fronça les sourcils. Il avait pris ses quartiers à l'étage supérieur, près d'une fenêtre d'où il avait une vue imprenable sur le portail. La maison était construite comme une forteresse. Personne n'aurait pu y pénétrer en escaladant les murs, mais n'importe qui y avait accès par le portail, qu'empruntaient tous les solliciteurs porteurs d'une requête ou d'un dessous-de-table pour le représentant de la circonscription.

La mise sous surveillance d'Ibrahim par la police le poursuivait. Il cultivait la plus grande prudence depuis qu'il avait appris la nouvelle.

Il n'était pas trop difficile d'échapper au Lok Ayukta, la commission de défense contre les exactions des membres du gouvernement, et à son cerbère farouche, le juge Santosh Hedge. Le député avait prudemment enregistré au nom de Chikka et de ses deux sœurs toutes les propriétés et tous les biens qu'il avait amassés. Il s'était également assuré qu'en cas de descente chez lui, ils pourraient trouver un délit mineur à se mettre sous la dent. Se révéler blanc comme neige aurait mis la puce à l'oreille de Hedge, qui possédait un flair sans égal pour débusquer les fraudeurs. Le raid entraînerait un banal scandale, les médias publieraient quelques inepties, et assez rapidement le temps ensevelirait les choses dans l'oubli.

Mais la Criminelle le tenait à l'œil, et là, c'était une autre affaire. S'ils découvraient ce qui se tramait réellement, tout ce pour quoi il avait travaillé si dur s'effondrerait. La vision d'Ibrahim passant le portail moins de deux jours après sa précédente visite ne fut pas pour le rassurer. Il dévala l'escalier.

– Ils m'ont enlevé, déclara l'homme sans préambule. Ils m'ont enlevé hier soir.

Le député s'assit dans son fauteuil sans laisser transparaître ni peur ni colère.

– Et ensuite ?

Ibrahim déglutit avec difficulté. Qu'allait dire *Anna*, quand il saurait ?

– J'ai résisté. J'ai résisté aussi longtemps que j'ai pu. Ils voulaient tout savoir sur notre association. J'ai fait comme on avait dit, je leur ai dit la vérité. Mais ils ne m'ont pas cru. Si ces salauds m'avaient tabassé pour me faire parler, j'aurais tenu le coup. Je me serais évanoui sans rien dire. Mais là... c'était une torture inhumaine. Seul un esprit satanique a pu inventer une chose pareille.

Le député l'écoutait sans l'interrompre.

– À la fin, j'ai craqué, *Anna*, je n'avais plus la volonté de tenir, de résister, alors...

– Alors ?

– Alors il fallait que je leur donne un nom. J'ai dit que je ne savais rien, mais que quelqu'un était au courant de toute l'opération. Je leur ai donné le nom du nouveau. C'est le seul qui ne dira rien, pour la bonne raison qu'il ne sait rien. Tous les autres auraient parlé. Ce qui signifie qu'il nous faut attendre un peu avant d'envoyer le prochain chargement. Nous devons trouver un autre pigeon voyageur.

Anna hochait la tête, sans un mot, pensif.

– Je n'avais pas le choix, *Anna*...

– Où est-il ?

316

– Il est parti à Mysore pour un dépannage. Il travaille comme mécanicien qualifié dans un réseau de garages.

– Il faut le faire disparaître, dit *Anna* en regardant ses ongles.

– Mais on vous soupçonnera si quelque chose lui arrive.

– Pas si on s'arrange pour faire croire que d'autres l'ont eu avant nous. Que c'était un pion dans une guerre des gangs. Ça détournera l'attention des flics.

Ibrahim hocha la tête. Il savait qu'il devait se faire pardonner, ce qui impliquait parfois un sacrifice. Dieu, intervenu pour sauver Ismaël, le fils de cet autre Ibrahim, avait condamné sans état d'âme un bélier à sa place. Le nouveau messager serait ce bélier.

Il était presque vingt heures quand Gowda rentra chez lui, recru de fatigue. La journée avait été une longue série de tâches fastidieuses et il n'avait pu s'isoler tranquillement pour faire le point sur l'affaire. Il avait besoin de dresser un tableau, d'y trouver une place pour chacun des éléments épars dont il disposait. Mais comment faire quand sur son bureau s'entassaient des dossiers aussi absurdes qu'un problème de bovins errants, un vol de matériel sur un chantier, une plainte contre une salle des mariages qui passait régulièrement de la musique à plein volume... À la fin, Gowda avait décidé de s'occuper de ces délits mineurs avant de passer à cette affaire sans queue ni tête.

Sur la véranda, il secoua les pieds pour se débarrasser de ses chaussures, puis ôta ses chaussettes et les plaça par-dessus. Il rangerait plus tard les unes sur l'étagère conçue à cet effet, les autres dans le panier à linge de l'office, près de la cuisine. Ou bien il oublierait et le lendemain matin, Shanti, venue mettre de l'ordre dans son foyer et dans sa vie, le ferait à sa place. Toutefois, il n'aimait pas qu'elle s'en charge. Elle avait déjà bien assez à faire. Gowda considéra ses chaussures, puis, dans un soupir, il se pencha et

317

les déposa sur l'étagère. Il ouvrit la porte et entra, ses chaussettes en boule à la main.

La maison manquait d'air et sentait – justement – la chaussette sale. Il émit un juron qui ricocha sur les murs et lui revint. Il ouvrit les fenêtres. Le vent léger souffla vers lui des effluves de jasmin. À une extrémité de la véranda, Shanti en avait planté une liane qui avait fini par fleurir. Il inspira profondément et le parfum lui remit presque aussitôt en mémoire la fleur fanée attachée à son fil. Elle faisait sans doute partie d'une guirlande, laquelle était peut-être tombée. Ou bien elle avait été enlevée pour supprimer tout indice, et une seule fleur avait été laissée là par mégarde cachée dans les plis du canapé-lit.

Gowda fit le tour de la maison, alluma les lumières et l'arrosage automatique. Une douche avant toute chose, se dit-il en buvant longuement à une bouteille d'eau tirée du frigo. Tout homme a droit à quelques minutes en compagnie de lui-même.

Debout sous le jet chaud, il sentait sa fatigue s'écouler hors de lui. Lorsqu'il leva les yeux vers le pommeau, l'eau projetée par les buses lui picota le visage. Sans Urmila... Il n'avait pas eu un moment pour l'appeler de la journée. Elle devait être furieuse. Il entendit le téléphone sonner. Non, il n'allait pas se précipiter pour décrocher, se dit-il en passant la serviette entre ses orteils. Il revêtit un pantalon de sport et une chemise, s'aspergea d'eau de Cologne et se peigna soigneusement. Où vas-tu comme ça, se dit-il en souriant, tiré à quatre épingles comme un jeune marié ?

Il se versa un rhum arrosé de Coca, emporta son verre et son téléphone sur la véranda, s'assit dans son fauteuil et regarda enfin l'écran de son portable. Trois appels en absence, un de Santosh, deux d'Urmila qui avait envoyé en outre trois textos successifs :

Essayé t'appeler. Appelle-moi.
Où es-tu ?
???

Après avoir regardé pensivement l'écran quelques instants, puis avalé plusieurs gorgées, Gowda se leva pour cueillir une fleur de jasmin et en inspira longuement la senteur.

D'abord Urmila. Il écouta patiemment ses remontrances. Il ne trouva rien à dire pour sa défense, sinon qu'il était en plein dans une affaire.

— C'est toujours comme ça, Borei, répondit-elle d'un ton fâché. Pourquoi est-ce que je ne suis pas tombée amoureuse d'un employé de banque ? De quelqu'un qui termine à cinq heures et demie et qui ne pense pas à son boulot quand il est avec moi ?

Gowda se rembrunit. L'amour ! Il y avait longtemps ! Il fit tourner la fleur sur sa tige.

— Tu savais bien que j'étais flic...

— Est-ce que je peux t'aider d'une manière ou d'une autre ?

— Non, pas vraiment.

— Ce sont toujours ces meurtres ? Vous n'avez pas encore de suspect ?

Il grommela.

— Quand j'habitais dans le Sussex, un de mes voisins était psychologue du comportement. Il aidait la police en traçant le profil des criminels. Tu veux que je lui écrive ? Il pourrait t'être utile, le cerveau humain doit être le même partout.

Gowda entendait une musique douce tinter derrière elle. Il l'imaginait assise au salon, les chevilles élégamment croisées, le téléphone à la main. Il voyait les lampes de table allumées, le verre de vin posé près de l'ordinateur portable. Que faisait-il donc avec une femme de son rang ? Ou plutôt, que faisait-elle avec un rustre comme lui ?

— Quoi ?

Urmila répéta sa proposition.

— Ça ne coûte rien d'essayer. Tu tâtonnes dans le noir, tu n'en vois pas le bout, insista-t-elle, et le timbre satiné de sa voix était comme une caresse. Il est très bon, tu sais, Borei.

Qui était ce spécialiste ? Que représentait-il pour elle ?

– Quel âge a-t-il ? fit brusquement Gowda.

– Il doit avoir la soixantaine, murmura Urmila. Pourquoi ? Qu'est-ce que ça peut faire ?

– Simple curiosité.

– Bon, je vais lui écrire pour lui dire que tu vas prendre contact avec lui. Quand est-ce qu'on se voit ?

– Bientôt.

Le coup de fil de Mamtha le poursuivait, mais il ne voulait pas laisser échapper Urmila. Il ne voulait pas la perdre, même s'il ne savait pas où cette relation les menait. Un de ces jours, elle exigerait qu'il prenne position. Et ce jour-là...

– Bientôt, Urmila. Laisse-moi reprendre mon souffle. Donne-moi l'e-mail du psychologue.

Il lui restait un coup de fil à donner, à Santosh. Mais son cerveau était une éponge complètement imbibée d'eau, lourde, incapable d'absorber une goutte de plus. Il décida de faire l'impasse. S'il y avait urgence, son adjoint viendrait le relancer jusque devant sa porte.

La nuit était calme. Le vent avait cessé. Un chien hurlait dans le lointain.

Le couple du premier était parti pour la semaine à Goa, en vacances, et ils avaient placé le chien au chenil pendant ce temps. Gowda fit la grimace. Ses aboiements haut perchés et le son de ses pattes au-dessus de sa tête lui manquaient.

Il vida son verre et rentra. Un dîner en solitaire, une nuit sans rêve, c'était tout ce dont il avait besoin pour l'instant.

Vendredi 26 août

Stanley était encore au travail quand Pradîp apparut à la porte. Il leva la tête vers son assistant qui semblait hésiter à le déranger.

Pradîp effleura du doigt la tache de vin sur sa mâchoire. Une tache de naissance, brune, aux contours de l'Inde.

– J'apporte de mauvaises nouvelles, monsieur.

Stanley leva un sourcil.

– L'homme dont nous a parlé Ibrahim...

Stanley attendit un moment avant de l'inviter à poursuivre :

– Eh bien ? Qu'est-ce qui lui est arrivé ? Il s'est enfui ?

– Non, monsieur, il est mort.

– Quoi ? s'écria Stanley d'une voix qui se fêlait.

– On est allés le cueillir hier. Mais son colocataire nous a dit qu'il était à Mysore et qu'il devait revenir aujourd'hui dans la soirée. On y est retournés et on l'a trouvé poignardé dans sa chambre.

– Le député a eu sa peau, commenta Stanley d'un ton sombre.

– Je ne crois pas qu'il s'agisse de lui, monsieur. On dirait qu'il était lié en même temps à la mafia du sable. Tout indique que c'est l'œuvre de Ricki-le-Népalais.

– Le poignard est un *kukri* ?

– Oui, le meurtrier le lui a planté dans l'abdomen et l'a fait pivoter. Les blessures sont en forme de triangle. Il a extirpé les intestins, et il a signé son crime en lui tranchant le poignet droit. C'était à vomir.

– Je croyais que le Népalais avait pris sa retraite, dit Stanley en s'essuyant le front de son mouchoir.

– Avec ces types-là, on n'est jamais sûr de rien, monsieur.

Pradîp se passa les doigts dans les cheveux. Il avait du mal à dissimuler sa déception. Tous ces jours de travail partis en fumée. Ils allaient devoir repartir de zéro.

– Et la surveillance, monsieur ?

– Maintenons-la encore quarante-huit heures, après on verra, répondit le commissaire en se dirigeant vers la porte. Allons-y. Je ferais bien de jeter un coup d'œil à la scène du crime.

Elle alluma l'écran de son portable pour la énième fois. Où était-il donc ? Elle lui envoya un nouveau message, sans réponse. Était-il encore fâché qu'elle n'ait pas répondu à ses appels de l'avant-veille ? Elle l'avait pourtant appelé plus tard dans la soirée, elle lui avait expliqué qu'il lui serait impossible d'aller avec lui au cinéma. Ils s'étaient mis d'accord pour se retrouver le surlendemain, un vendredi soir, comme à l'accoutumée.

– Tu me devras un gage pour te faire pardonner, avait-il dit.

– Je te paierai une glace.

– Je n'ai pas six ans pour qu'on me console avec des glaces ou des ballons, avait-il murmuré, lui donnant le frisson.

– Qu'est-ce que je peux t'offrir d'autre ? Je n'ai pas beaucoup d'argent. Peut-être quand j'aurai touché mon salaire…

– Tu peux me donner quelque chose qui ne te coûtera rien, mais qui comptera beaucoup pour moi.

– Quoi donc ?

– Un baiser...

– Oh, Sanju, tu ne devrais pas me parler comme ça, avait-elle protesté.

– C'est la seule chose qui peut racheter ton refus d'aller au cinéma avec moi.

Dix-neuf heures quarante-cinq. Il n'avait pas appelé de la journée. Après le texto qu'il lui avait envoyé le matin de bonne heure, plus rien.

Et s'il avait eu un accident ? Il conduisait sa moto trop vite, elle le lui avait dit, mais il avait répondu qu'il savait ce qu'il faisait.

– Et je suis prudent, Bhuvana. Pourquoi est-ce que je risquerais ma vie après avoir rencontré une femme comme toi ?

Et s'il avait abandonné l'idée de la conquérir ? Pourquoi se donner du mal avec quelqu'un comme elle, qui mettait tant de conditions et d'obstacles à leur relation, alors qu'il pouvait se trouver une petite amie plus facile à fréquenter ?

Elle enfouit la tête dans ses mains, incapable d'envisager l'existence sans lui.

Où était-il ? Quand allaient-ils se rencontrer ?

– Les filles veulent sortir.

Akka se tenait sur le seuil. Elle la regarda sans répondre.

– Tu attends toujours son coup de fil ?

Toute réponse était inutile. *Akka* savait lire sur son visage et déchiffrer sa détresse.

– Tu devrais être plus prudente, la prochaine fois, ajouta l'eunuque.

– Mais Sanjay est un homme bien.

– C'est comme ça qu'il s'appelle ? dit *Akka* en s'éloignant.

Les hommes ! Oui, *Akka* avait raison, ils étaient tous pareils et, à la fin, elle se retrouvait dépossédée de tout, un goût de cendre dans la bouche. Elle n'allait pas rester assise à l'attendre. Qu'il aille se faire voir, se dit-elle. S'il ne voulait pas d'elle, elle ne voudrait pas de lui.

D'autres la désiraient, alors… Un léger gloussement de rire lui échappa. Dans leurs bras, elle redeviendrait Bhuvana, la belle femme.

Samedi 27 août

Chikka observait *Anna* tout en buvant son café à petites gorgées. Il ne l'avait jamais vu éplucher les journaux avec autant de soin. Qu'espérait-il trouver ? Les feuilles crissaient sous les doigts impatients, il s'arrêtait à chaque page, la scrutait de haut en bas.

— Qu'est-ce que tu cherches ?

Le matin s'était levé dans la grisaille et la fraîcheur. Chaque soir ou presque, des nuages sombres s'amoncelaient et crevaient. Un déluge aux gouttes piquantes s'abattait sur la ville, faisait déborder les égouts, transformait les rues en ruisseaux et immobilisait la circulation.

— Tiens, dit *Anna* en lui jetant le journal. Je ne trouve pas. Cherche, toi. Une dépêche concernant un meurtre commis par Ricki-le-Népalais.

Chikka fronça les sourcils. Mieux valait ne pas questionner son frère.

— Je veux juste m'assurer qu'Ibrahim a tenu parole, expliqua *Anna* en bâillant. Ce con s'est fait cueillir par la Criminelle.

— Et... ? demanda Chikka, les yeux ronds.

— Et il a eu le bon goût de leur livrer quelqu'un. Un nouveau. Alors, pour détourner les soupçons, il a fallu s'occuper de lui.

325

Chikka reprit minutieusement l'examen du journal. Il n'eut pas à chercher bien loin. Le quotidien kannada favori de son frère consacrait un quart de page à la nouvelle, dont un encart pour une photo de la scène du crime.

LA MAFIA DU SABLE A ENCORE FRAPPÉ : UN MORT

De notre correspondant

Ricki-le-Népalais,
le caïd de Banaswadi, serait en fuite.

Bangalore : Hier soir, un jeune homme a été trouvé mort poignardé dans la chambre de location qu'il occupait à Banaswadi. La police soupçonne une implication de la mafia du sable dans ce crime.

Avec la nouvelle flambée immobilière que connaît la ville, les fournisseurs de sable engrangent depuis plusieurs mois des bénéfices considérables. La victime, Sanjay Patil, s'était introduite en force sur le territoire de la mafia du sable, sous l'égide d'un autre caïd dont la police refuse de donner le nom pour ne pas nuire à l'enquête en cours.

Selon les résultats de l'enquête préliminaire, Sanjay aurait provoqué la colère de la mafia en rackettant les fournisseurs de sable.

Une équipe spéciale de police a été affectée à la traque des suspects, comprenant des officiers de la Police criminelle fédérale (CCB) et de plusieurs commissariats du secteur est.

« Jusqu'ici, nous n'avons procédé à aucune arrestation », nous a indiqué le commissaire principal Stanley Sagayaraj (Criminelle).

Un autre officier de la CCB nous a confié que des enquêteurs avaient été envoyés dans les districts voisins et que leurs homologues des États mitoyens avaient été alertés.

Interrogés, les voisins du jeune homme ont affirmé tout ignorer de ce crime.

Deux choses étaient venues simultanément à l'esprit de Gowda : d'une part, que le docteur Robert King, recommandé par Urmila, était un très bon profileur ; de l'autre, qu'il existait bel et bien quelque chose entre cet homme et elle.

« Appelez-moi Robert », avait-il suggéré dans son courriel en réponse à celui de Gowda, écrit et envoyé par l'entremise de Santosh. La phrase s'était imprimée dans son esprit. Appelez-moi-Robert avait étudié les données de l'affaire et donné ses conclusions dans un second message. Curieusement, c'étaient les mêmes que celles de Gowda, mais il y était arrivé d'une autre façon, plus cohérente, ajoutant des motifs et des liens déductifs qui les rendaient beaucoup plus plausibles. Il les accompagnait de schémas, de courbes et de comparaisons avec d'autres crimes horribles grâce auxquels les hypothèses de l'inspecteur perdaient un peu de leur caractère spéculatif et ressemblaient à de véritables percées dans les ténèbres de l'affaire.

Gowda se remémorait son professeur de maths du secondaire, un homme maigre au visage étroit, des lunettes perchées sur un nez osseux. « Expliquez-nous votre raisonnement, Borei, l'admonestait-il souvent. Je veux savoir comment vous arrivez à ce résultat. Il est juste, je ne le conteste pas, mais j'ai besoin de savoir par quel chemin vous y parvenez. Le raisonnement est d'une importance capitale. C'est lui qui convainc les examinateurs. »

Gowda n'avait jamais réussi à expliquer comment il parvenait à une conclusion, et il n'avait pas changé. D'où la suspicion qu'éveillaient ses intuitions, alors que les analyses d'Appellez-moi-Robert étaient lues avec beaucoup d'attention par Stanley.

Tout en le regardant éplucher la photocopie mot après mot, Gowda se mordait la lèvre au souvenir du dernier paragraphe du courriel qu'il avait reçu du profileur : *Et comment va Urmila ? Dites à ma chère amie que l'été anglais perd un peu de sa splendeur quand sa gracieuse silhouette ne se découpe pas sur l'horizon.*

On aurait pu porter ces lignes au compte de l'affection, mais une photo les accompagnait, représentant Urmila et

Appelez-moi-Robert dans un jardin, arborant tous deux un sourire à l'eau de rose. Le profileur entendait clairement marquer son territoire. Qu'y avait-il vraiment entre eux ? Gowda se mordit la lèvre de plus belle.

Stanley, levant les yeux, le surprit dans cette humeur, se dévorant la bouche, à mille lieues de ce qui se passait au commissariat. Dehors, une femme gémissait et un homme tentait de la réconforter. Regardant par la fenêtre, il vit Gajendra se diriger à grands pas vers le duo. Gajendra était le genre de type responsable de la mauvaise réputation de la police, arrogant, grossier, persuadé d'occuper un échelon supérieur et qui ne souffrait aucune remise en question de son autorité. Mais il était aussi d'une loyauté inébranlable et n'avait pas son pareil pour désamorcer les situations difficiles. Il le vit se pencher avec une expression de colère vers la femme, puis se tourner vers l'homme en se grattant l'intérieur de l'oreille à l'aide du petit doigt. À ce qu'il lui dit, celui-ci le regarda bouche bée, d'étonnement ou d'horreur, Stanley n'aurait su le dire... Mais dans la seconde qui suivit, le couple déguerpit sans demander son reste ! Stanley sourit, puis se tourna vers Gowda, dont la lèvre devait être maintenant réduite en bouillie.

– Borei...

– Alors, qu'en penses-tu ? demanda son collègue, revenant à la réalité.

– Il corrobore ce que tu penses depuis toujours, répondit Stanley en feuilletant le rapport.

Gowda haussa les épaules.

– L'agresseur est un homme, aucun doute. Ce genre de blessure exige de la force. Si les victimes avaient été soûles ou droguées, elles ne se seraient pas défendues, mais ce n'était pas le cas. Toutefois, le pendant d'oreille, le gardien de parking du cinéma, le patron du restaurant et les déclarations du conducteur de rickshaw indiquent la présence d'une femme. C'est donc soit un eunuque, soit un travesti.

Rien n'a été volé et, excepté celui de Rûpesh dont l'état de décomposition était trop avancé pour en juger, tous les cadavres révèlent que les victimes ont eu un rapport sexuel. L'agresseur ne visait donc pas un gain matériel, mais sexuel. Cependant, pourquoi les tuer ? C'est ce point-là qui m'échappait, mais le docteur King semble nous guider vers l'explication, commenta Gowda.

Le regard de Stanley se posa sur le paragraphe qui disait : « Traumatisme subi dans l'enfance. Blessure narcissique. Besoin désespéré de maîtrise, d'où l'utilisation de la corde. » Les termes sautaient aux yeux comme autant d'évidences. À la fin, le profileur signalait que chez la plupart des tueurs en série, le passage à l'acte, à l'orgie de meurtres était amorcé par un facteur déclenchant.

– Et tu crois avoir identifié ce facteur déclenchant ? demanda Stanley, dubitatif. Ce ne sont que des suppositions, Borei.

– Je n'en suis pas certain, mais si tu maintiens le député et sa maison sous surveillance, j'en aurai le cœur net, répondit Gowda en jouant avec son presse-papiers.

Le téléphone du commissaire se mit à sonner. Il regarda l'écran avant de décrocher.

– Oui, qu'est-ce qu'il y a ?

Peu après, il raccrocha, pensif.

– Sanjay, le garçon qu'Ibrahim nous a donné a été tué hier.

– Je le savais. Ibrahim a dû aller le leur raconter.

– C'est ce que je pense, moi aussi. Mais sa mort n'a rien à voir avec Ibrahim. C'est Ricki-le-Népalais qui l'a tué, et il est en cavale. Mes hommes sont en train d'éplucher le téléphone de Sanjay. La liste des contacts a été effacée. Mais il reste quelques brouillons de messages, tous adressés à une certaine Bhuvana. Rien que de très banal, si ce n'est que le numéro fait partie d'un lot de cartes SIM au nom du député... Je maintiens la surveillance.

Dimanche 28 août

– C'est ici, vous êtes sûr ? demanda Santosh.

Gowda confirma d'un signe de tête.

Dans le hall d'entrée de l'hôtel Country Club, sur Dodda-ballapur Road, des regards curieux les accueillirent. Ils ne portaient pas l'uniforme, mais quelque chose dans leur allure laissait deviner qu'ils n'étaient pas en villégiature.

– Où pensez-vous qu'il soit ? demanda Santosh en buvant des yeux tout ce qu'il voyait, les plantes en pot, les sofas profonds en rotin et leurs coussins bleu-vert, les natures mortes accrochées aux murs, les baies vitrées ouvrant sur des pelouses luxuriantes. Un gigantesque yucca pied d'éléphant se dressait au milieu du patio et tout un pan de mur était recouvert de lianes.

– Faisons un tour. Il doit être au bord de la piscine, ou au bar, répondit Gowda, la tête ailleurs.

Il pensait à son père. L'endroit lui aurait plu, il faudrait qu'il revienne avec lui un jour. Cette étendue de vert, ce luxe effronté, l'idée que son fils l'amène dans un endroit aussi coûteux... Il protesterait contre le prix de tout : « Ma parole, tu dois accepter des dessous-de-table, sinon tu n'aurais pas les moyens de m'inviter ici ! »

Peut-être proposerait-il à Urmila de les accompagner. Il prétendrait qu'elle possédait une carte de membre et qu'ils étaient ses invités. Il demanderait à Michael de faire le quatrième. Son père ne se douterait de rien. Quant à Urmila, il était certain qu'elle accepterait. Elle serait ravie de voir qu'il lui faisait partager chaque fois qu'il le pouvait son quotidien et ses petites embrouilles.

Ils le trouvèrent près de la piscine, drapé de la taille aux pieds dans une serviette bleu et blanc, étendu sur une chaise longue sous un parasol. Il portait des lunettes de soleil et, enfilé sur une épaisse chaîne en or, un pendentif serti de rubis à l'effigie d'une déesse reposait sur son torse. Un serveur déposa deux cocktails décorés d'une cerise et d'une tranche de citron vert sur une table attenante. Ils attendirent qu'il se soit retiré pour s'avancer discrètement vers l'homme. Il dormait.

– Bonjour, monsieur le député, dit Gowda.

Ravikumar s'éveilla en sursaut. Il ôta ses lunettes noires et se dressa sur son séant, l'air fâché.

– Encore vous ? Ça tourne au harcèlement !

– Pourquoi avez-vous si peur de nous ? Quelqu'un nous a invités ici, et quand nous vous avons aperçu, nous avons trouvé tout naturel de venir vous saluer. Mais à présent que nous sommes là, ajouta Gowda en tirant une chaise longue à lui, autant vous poser la question que je vous réservais de toute façon.

– De quoi s'agit-il, Gowda ? demanda le député, les lèvres crispées.

– Où est l'eunuque qui habite chez vous ?

Le front de Ravikumar se fit soucieux.

– Nous le cherchons depuis hier, mais on dirait qu'il a disparu, poursuivit Gowda.

– Je ne sais pas où se trouve *Akka*. Elle est libre, elle va et vient à sa guise, jappa le député.

– Dans ce cas, vous pourrez sûrement répondre à la question que nous souhaitions lui poser : qui est Bhuvana ?

– Qui ?

– C'est bien ma question. Bhuvana, qui est-ce ? On a trouvé un jeune homme assassiné il y a deux jours. Son téléphone contenait des messages à une certaine Bhuvana. Son numéro correspond à une carte SIM enregistrée à votre nom.

Gowda tendit le bras, saisit le verre du député et en but une gorgée.

L'autre se raidit.

– Je ne connais pas de Bhuvana. Vous devez faire erreur. Personne de ma famille ne porte ce nom. Mes sœurs s'appellent Jayanti et Sarasvati, leurs filles Ammu et Ratna.

– L'eunuque le saurait peut-être, qu'en dites-vous ?

– *Akka* régit ma maison, pas ma vie, répondit le député avec un regard furibond.

– Peut-être une de ses amies se sert-elle de votre numéro ? suggéra Santosh.

– C'est plus que douteux, dit le député en baissant les yeux.

– Vous nous cachez quelque chose, fit Gowda. Il est étrange que vous ne nous ayez pas demandé qui était le jeune homme trouvé mort, comme si vous le saviez déjà.

– Qu'est-ce qui se passe, Gowda ?

Le commissaire principal Vidyaprasad, debout derrière eux, observait la scène.

– Vous êtes là à titre officiel ? ajouta-t-il.

Gowda haussa les épaules.

– Sinon, je vous prie de laisser mon invité tranquille.

Gowda plaqua violemment le verre du député sur la table, faisant déborder son contenu et bousculant les autres.

– Bon dimanche !

En sortant, il avisa la nouvelle Honda City de Vidyaprasad, garée le long d'un mur. Il se fit un plaisir de laisser filer la pointe de sa clé tout le long de la carrosserie, de l'aile avant jusqu'au coffre.

– Mais, monsieur, qu'est-ce que vous faites ? s'écria Santosh, horrifié.

– « Vous êtes là à titre officiel ? » répliqua Gowda en imitant son supérieur d'un ton pompeux. « Sinon, je vous prie de me laisser tranquille. »

Ils lui réglèrent son compte le soir même, un peu après Kothanur, alors qu'il revenait de SR Wines où il était allé s'approvisionner en rhum vers vingt heures trente. Dans le virage de la petite route qui traversait Greenview Residency, non loin de chez lui, tandis qu'il parlait à Urmila du Country Club sur son portable, une Scorpio surgie de l'ombre faillit le renverser. Il quitta la route et fit une embardée dans le fossé.

– Putain de...

– Borei, qu'est-ce qui se passe ? retentit la voix d'Urmila alors qu'il tentait de reprendre le contrôle de sa lourde moto.

Avant de pouvoir lui répondre, il vit le dénommé King Kong et trois autres hommes sortir du véhicule et fondre sur lui.

Il n'eut que le temps de descendre de la Bullet. À travers le brouillard de douleur provoqué par le premier coup, il entendit le phare se briser et pria les dieux qu'ils épargnent sa moto. Aucun mot ne fut prononcé pendant qu'ils le giflaient, le tabassaient à coups de poings et de pieds dans le ventre et dans les tibias. Un direct au visage lui brisa l'arête du nez.

Gowda sentit ses jambes se dérober sous lui et tituba. Le député cachait un secret qu'il était prêt à tout pour garder, comprit-il avant de perdre conscience.

Lundi 29 août

En ouvrant les yeux, il avait mal partout, comme si un marteau lui défonçait la tête et que les coups résonnaient dans tout son corps. Il palpa son visage avec précaution. Un bandage semblait maintenir son nez en place.

Les rideaux avaient été tirés et l'obscurité rendait la pièce à la fois étrange et familière. Il se demanda un instant où il se trouvait, avant de se rendre compte qu'il était dans sa chambre. Mais comment y était-il arrivé ?

À ce moment, Urmila entra.

– Comment te sens-tu ?

Il voulut hausser les épaules, mais ce simple mouvement déchaîna une vague de douleur.

– Dans la bataille, ton portable a été éjecté de ta poche, mais ton système Bluetooth est resté accroché à tes oreilles avec son micro. J'ai entendu tous les coups qu'ils te portaient...

– Est-ce que j'ai crié ? demanda-t-il en soutenant son regard.

– Non.

Après un silence, Urmila reprit :

– J'ai cru qu'ils allaient te tuer. J'ai pris ma voiture et en route je me suis souvenue que j'avais le numéro de Santosh. Je l'ai appelé. Il est intervenu avec Gajendra avant qu'ils ne te démolissent complètement. Quand je suis arrivée, je t'ai emmené à l'hôpital.

– Verdict ?

– Commotion, deux côtes contusionnées, fracture de l'arête nasale. Tu devrais être sur pied dans deux jours, mais tu ne dois pas quitter le lit d'ici là.

Gowda fixa le plafond.

– Quelle heure est-il ?

– Six heures du soir. Tu étais sous sédatifs, Borei, dit-elle d'une voix qui se fêlait soudain. En roulant vers chez toi, j'ai cru mourir de ne pas savoir ce qu'ils t'avaient fait, si tu étais vivant ou mort... Qui sont ces types ?

Gowda tourna la tête vers elle et lui prit la main ·

– Je suis là...

– Oui, tu es là...

– Et Mamtha ? murmura Gowda.

– J'ai dit qu'il était inutile de l'informer, répondit Urmila en soutenant son regard. À quoi bon l'inquiéter ? J'ai aussi suggéré à Santosh de ne pas signaler cet épisode à qui que ce soit. Gajendra et lui ont raconté au commissariat que ta moto avait dérapé et que tu étais tombé.

– Tu devrais peut-être prendre ma place pendant que tu y es, fit Gowda en souriant. Tu t'en tirerais sûrement mieux que moi.

Urmila se pencha au-dessus de lui pour lui murmurer :

– Quand il aura désenflé, tu auras l'air drôlement sexy avec ton nouveau nez. Dans le genre empereur romain décadent...

Mardi 30 août

Le blessé était réveillé lorsque Santosh parut sur le seuil. Il était huit heures passées et Gowda était assis dans son lit, adossé à des oreillers. Il s'ennuyait, il piaffait d'impatience. Il avait passé ses nerfs sur les démarcheurs téléphoniques. À la femme qui tentait de le persuader de changer de banque, il avait affirmé qu'il ne pouvait effectuer aucun transfert de compte à cause de sa mère qui ne lui donnerait jamais son accord.

– Quoi ? avait couiné la femme au bout du fil.

– Oui, avait-il expliqué d'un ton peiné. Ma mère est très stricte. Elle n'acceptera pas. Vous voulez essayer de lui parler ?

À l'homme qui lui proposait de contracter un emprunt, Gowda avait répondu avec enthousiasme :

– Oui, oui, j'ai justement besoin d'un prêt. En fait, j'en ai même besoin de douze. Un pour une maison, un pour une voiture, un pour mon chien, un pour mon nez cassé...

L'autre avait raccroché.

– Comment vous sentez-vous, monsieur ? demanda Santosh en s'efforçant de ne pas fixer le visage bouffi de son supérieur.

– Vous avez vu qui c'était ? demanda Gowda sans le saluer.

– Non, monsieur. Pas vraiment. Et vous ?

– Oui, les hommes du député.

– Ils ont cassé le phare de votre moto.

– Rien d'autre ? demanda Gowda, inquiet.

– Non. Ils ont sans doute considéré qu'il s'agissait d'une vieille bécane, et qu'elle ne valait pas de s'échiner à la mettre en pièces. Qu'est-ce qu'on fait ?

– Rien pour le moment. Donnez-moi juste le temps de me remettre sur pied.

Le visage de Gowda ne laissait rien paraître de ce qu'il pensait.

– J'ai vu le tatouage sur votre bras. Très intéressant...

Le regard noir que son supérieur lui décocha eut pour effet de le démonter. Il se tut un moment puis, n'y tenant plus :

– Un nouveau cadavre vient d'être découvert, monsieur. Même mode opératoire. Encore un homme. Il a été identifié, il était vendeur dans une bijouterie. Marié, mais sa famille vit à Anantpur. L'un de ses collègues a reçu un coup de téléphone pour lui annoncer qu'il était mort. Le commissaire principal Stanley Sagayaraj a dit qu'il allait passer vous voir demain pour vous communiquer ce qu'il sait et que, d'ici là, il fallait que vous vous reposiez, parce que si vous étiez au courant, vous vous précipiteriez sur la scène du crime. C'est pour ça que je ne vous en ai pas parlé plus tôt. En plus, monsieur, la presse était là, elle. Ce sera dans tous les journaux demain.

À ce moment, Urmila entra dans la chambre, portant un plateau de thé et de porridge.

– Qu'est-ce que c'est que ça ? fit Gowda, entrevoyant une espèce de colle blanchâtre parsemée de morceaux de cafards.

– Des flocons d'avoine avec des dattes. C'est bon pour toi, dit-elle, puis, s'adressant au jeune inspecteur avec un sourire : Vous voulez du thé, Santosh ?

– Non, merci, madame.

Gowda se demandait ce que son adjoint pensait de cette maisonnée peu orthodoxe. Il n'avait pas encore rencontré

Mamtha, mais il semblait être tombé sous le charme de la maîtresse intérimaire des lieux.

— Sans la présence d'esprit de Madame, qui m'a appelé tout de suite, ces brutes vous auraient fait la peau, dit Santosh.

Avec Urmila, Santosh se transformait en chiot frétillant, éperdu d'amour, de loyauté et d'une dévotion éternelle. Elle semblait aussi avoir conquis Shanti, venue dire au moins une bonne dizaine de fois à Gowda combien il avait de la chance qu'Urmila l'ait emmené à l'hôpital, qu'elle soit là pour le soigner, pour lui. Contrairement à son épouse, sous-entendait-elle clairement. Au mieux, Shanti et Mamtha se supportaient puis celle-ci était partie à Hassan, au grand soulagement de la bonne. Avec Urmila, par contre, on aurait dit que Shanti avait signé un pacte de sang.

Gowda inspira profondément. Il éprouvait un léger malaise, dont il n'aurait su dire s'il résultait des coups reçus ou de voir subitement avec quelle facilité sa femme avait été écartée.

Jeudi 1er septembre

Stanley Sagayaraj, ancien de St Joseph, n'eut pas un battement de paupières en découvrant Urmila, elle-même ancienne de St Joseph, chez Gowda.

— Tu te rappelles Urmila ? dit celui-ci, comme si le fait d'être soigné à domicile par son ex-petite amie de fac était la chose la plus naturelle du monde.

— Bien sûr, répondit Stanley en souriant à Urmila. Mais je croyais que tu vivais en Angleterre.

— C'est le cas, je suis à Bangalore seulement pour quelques mois. Michael Hunt m'a dit que Gowda avait eu un accident. Comme il vit seul, c'est moi qui me dévoue !

Stanley hocha la tête. Gowda la regardait, émerveillé par son aisance à revêtir la vérité de formes parfaitement plausibles. Mais le commissaire principal Sagayaraj n'était pas si facile à convaincre.

— Qu'est-ce que tu as foutu, Gowda ? C'était quoi, ce cirque ?

L'inspecteur ouvrit les yeux aussi grand que le lui permettait son visage bouffi et murmura sans malice :

— Quel cirque ? La moto a dérapé...

— Écoute-moi bien. Si tu veux faire le tour du monde sur la roue arrière de ta Bullet, c'est ton affaire. Moi, je te parle de ta visite au Country Club. Vidyaprasad s'est plaint à moi.

Tu aurais rayé volontairement la carrosserie de sa nouvelle voiture – ce n'est pas que je te le reproche : si tu m'avais prévenu, je t'aurais bien demandé d'ajouter une éraflure de ma part. Mais il m'a parlé d'autre chose, de harcèlement. Tu n'avais pas le droit d'interroger le député sans mon accord. Tu as enfreint le protocole et compromis les efforts de mon équipe.

– L'eunuque qui vivait chez lui a disparu, tu le savais ? répliqua Gowda. J'ai envoyé Byrappa en civil devant chez lui samedi soir. Le gardien lui a dit qu'il était parti vendredi en fin d'après-midi et qu'il ne l'avait pas revu depuis.

Le commissaire se grattait le front d'un air soucieux, hésitant sur la marche à suivre.

– Le député nous cache quelque chose, Stanley. Je ne sais pas si ce truc a quelque chose à voir avec la fausse monnaie, mais ça a un rapport avec la mystérieuse Bhuvana, à coup sûr.

Stanley se leva pour aller se planter devant la fenêtre.

– Pourquoi dis-tu ça ?

– Regarde-moi...

Stanley se retourna, surpris.

– Je ne suis pas tombé de ma moto. Ce sont les gros bras du député qui m'ont mis dans cet état.

– Quoi ?

– C'était un avertissement. Une façon de me dire de rester à l'écart. Vidyaprasad a dû lui apprendre que l'affaire n'était pas de mon ressort. L'autre en aura déduit que je fourrais mon nez là où il ne fallait pas et qu'on devait me donner une bonne leçon.

Stanley retourna au chevet de Gowda et se laissa tomber sur sa chaise.

– On a trouvé un autre corps.

– Oui, Santosh me l'a dit et je l'ai lu dans les journaux ce matin. On ne pourra plus rester discrets très longtemps.

– Le surintendant nous a convoqués en réunion ce soir, dit Stanley en approuvant de la tête. Tu te sens d'attaque ?

341

Gowda posa un pied par terre avec précaution, puis l'autre, et se mit debout, grimaçant sous l'effort.

– Je serai là.

Elle était roulée en boule sur le lit, la joue enfouie dans l'oreiller trempé de ses larmes.

L'après-midi était moite. Il avait plu toute la matinée, puis, brusquement, le soleil s'était imposé avec une ardeur farouche, asséchant l'atmosphère. Mais peu après les nuages s'étaient amoncelés de nouveau, écrasant la ville, privant les venelles étroites et les rues engorgées du plus petit souffle d'air.

Elle se tourna sur le ventre, la tête au creux de ses bras. Elle se sentait les yeux chauds et lourds. Un gnome malveillant logé dans son crâne lui martelait sauvagement le cerveau au niveau de la nuque. Quand cette douleur allait-elle cesser ? En serait-elle jamais guérie ?

Le ventilateur ronronnait au plafond. Dehors, la cour se remplissait de monde.

C'était comme ça qu'ils étaient, les hommes. Ils prenaient ce dont ils avaient besoin sans jamais se demander ce qu'ils pouvaient détruire au passage. Tous ceux qu'elle avait connus possédaient ce fond d'égocentrisme. Ils ne veillaient qu'à satisfaire leurs désirs et à se protéger, les dommages infligés à l'autre importaient peu. Cruels, égoïstes, brutaux, ils étaient tous pareils. Ils ne s'intéressaient qu'à eux-mêmes.

On croyait leur avoir pardonné, mais ce n'était pas vrai, jamais. En réalité, on faisait semblant, et puis, un jour, tout remontait à la surface et la douleur revenait plus forte qu'avant, plus forte même qu'au premier jour.

Il avait tout juste neuf ans quand sa mère l'avait emmené avec elle pour la première fois dans l'immeuble de Palace Cross Road où elle travaillait comme femme de ménage.

Quand M. Ranganathan, un vieil homme aimable, l'avait fait entrer chez lui pour lui montrer son écureuil apprivoisé.

– C'est une créature très, très timide, lui avait dit ce vieux monsieur d'une grande douceur en refermant la porte, avant de le guider vers la véranda.

Depuis tout petit, l'enfant rêvait d'avoir un animal domestique. Mais un soir, après avoir bu, son père, dans une crise de rage, avait décoché au chiot qu'il avait rapporté à la maison un coup de pied si violent qu'il l'avait envoyé rouler sur la chaussée. Le petit garçon ne devait jamais oublier le bruit horrible, à vomir, de la chair et des os écrasés par la camionnette qui n'avait pu freiner. Un voisin lui avait proposé de lui apporter un autre chiot, mais il avait refusé. Son père n'allait pas arrêter de boire, il le savait.

À présent, l'enfant souriait, soulevé par une vague délicieuse. Un écureuil ! Une petite vie à toucher, à tenir, une vie chaude et palpitante à aimer et à chérir, même s'il ne pouvait en prendre soin en permanence.

La véranda était protégée de la lumière par des stores en bambou. Des plantes, certaines de la taille d'un arbre, étaient disposées autour d'une table.

– C'est ici que je passe le plus clair de mon temps quand je suis chez moi. Et c'est ici que se cache mon écureuil.

Le garçon avait jeté des regards curieux autour de lui. Où était-il ?

– Comment il s'appelle ? avait-il soufflé.

– Tu peux lui donner le nom que tu veux. Il te répondra.

Le petit s'était passé la langue sur les lèvres avant de murmurer :

– Miami... Miami !

– Quel joli nom, Miami ! avait approuvé le vieil homme dans un sourire en penchant la tête de côté. Il me plaît beaucoup et à lui aussi, j'en suis certain. Mais Miami ne viendra pas si tu te contentes de l'appeler. Viens, je vais te montrer ce qu'il faut faire.

L'enfant s'était approché de sa chaise. S'était laissé soulever et jucher sur ses genoux. L'avait laissé lui prendre la main dans sa main toute ridée aux doigts raides.

– Là, comme ça, avait dit M. Ranganathan en poussant la main du garçon entre les plis de son *dhoti*. Caresse-le, lentement... oui, lentement. Il va se réveiller, tu vas voir.

L'enfant avait fait glisser ses doigts le long de l'écureuil. Comme il était petit ! Si petit ! Et sans défense.

– Miami, avait-il murmuré, Miami...

Peu après, il l'avait senti se dresser et s'était écrié, tout excité :

– *Uncle !*

Mais le vieil homme semblait devenu sourd. Les traits de son visage s'étaient crispés, une goutte de salive perlait au coin de sa bouche ouverte. De peur, le garçon avait laissé échapper l'écureuil. Le vieillard lui avait saisi la main et l'avait remise fermement en place.

– Tiens-le bien, petit, ne le lâche pas. Tiens bien Miami !

Alors il l'avait caressé, caressé, et s'était senti gagné par une chaleur qui ne cessait de monter... Durant les deux mois qui le séparaient de la rentrée des classes, il avait recherché la compagnie de Ranganathan avec une ferveur égale à celle du vieil homme.

Chaque fois, il retrouvait Miami, qui vivait entre les jambes de son *Uncle*. Miami revenait à la vie quand il le touchait, quand il lui embrassait le bout du nez. Quelques mois plus tard, Miami s'était introduit dans sa bouche et déversé tout entier en lui. Il avait dix ans lorsqu'il avait découvert la vérité sur lui-même. Ranganathan était devenu son bienfaiteur. Et, dans la foulée, celui de sa famille.

M. Ranganathan leur donnait de l'argent pour les inscriptions à l'école, les livres et toutes leurs autres dépenses. Il avait offert un emploi à son ivrogne de père dans son atelier et il avançait de l'argent à sa mère de temps à autre.

– Il me rappelle mon petit frère quand nous étions enfants, avait-il dit un jour en lui caressant distraitement la joue d'une main, tout en remettant de l'autre le montant des frais de scolarité à sa mère.

Au bout d'un moment, tout le monde savait qu'il rendait visite au vieil homme deux fois par semaine. C'était devenu tout naturel. Aussi banal que les cuites paternelles du samedi.

Quand le garçon avait eu douze ans, Ranganathan avait décidé de l'emmener à Madras où il devait rencontrer des acheteurs. Il s'y rendrait en voiture, avait-il dit à sa mère.

– Je veux lui montrer la plage. Et il me tiendra compagnie pendant que je conduis.

La vue de la mer, son étendue bleue à perte de vue, avait soulevé l'enfant d'exaltation. Rien ne l'avait préparé à cette découverte et plus tard, quand Ranganathan l'avait fait entrer dans son lit, il s'était senti voler au-dessus des vagues.

À leur retour, Ranganathan avait décrété que l'appartement présentait un trop grand risque. Sa fille habitait le logement mitoyen et possédait une clé du sien. Et si un jour elle les découvrait ensemble ?

Ils se rencontrèrent dès lors à l'usine, sous un prétexte parfaitement plausible. L'enfant venait, amené dans la voiture de M. Ranganathan, juste au moment où les ouvriers quittaient l'atelier. Son protecteur l'aidait dans ses devoirs de classe et, sur le chemin du Club, à son retour, il le déposait au coin de la rue où il habitait avec sa famille.

Ils étaient les seuls à savoir, tous les deux, qu'à l'heure où se taisaient les grincements chaotiques des tapis roulants et le ronron des machines à coudre, dans le silence de l'usine désertée et des machines muettes, le vieil homme éveillait dans son corps mille et une nuances de plaisir.

Peut-être Ranganathan était-il devenu imprudent. Ou peut-être était-ce lui qui était devenu gourmand, car un soir où il n'aurait pas dû se trouver là, l'enfant s'était rendu à l'usine.

– Quelle bonne surprise, cher petit ! s'était exclamé Ranganathan en levant les yeux du dossier qu'il étudiait.

Puis, le regardant poser son cartable sans rien dire pour aller fermer les stores devant les parois en verre du bureau, il avait ajouté :

– Tu es devenu une vraie petite vicieuse, on dirait...

Il l'avait déshabillé doucement et étendu sur le sofa en skaï. Il avait fait glisser sa langue le long de sa colonne vertébrale, lui avait caressé le postérieur et, brusquement, l'avait fessé. La claque, intense, brûlante, avait déchaîné en lui une vague de désir. Vibrant de toutes ses fibres, il avait éclaté de rire, d'un rire haut perché de fille, de pure jubilation.

À ce moment, la porte s'était ouverte sous une violente poussée. Dans un réflexe, il avait tourné la tête vers l'intrus et un spasme glacé lui avait pétrifié le cœur.

– Tu n'as pas déjeuné, tu n'as rien mangé de la journée. Pourquoi ?

La voix venait du pas de la porte.

– Je n'ai pas faim, répondit-elle sans chercher à dissimuler sa mauvaise humeur.

Akka insista sans relever :

– Qu'est-ce qui t'arrive ? Tu es toute défaite. Il suffit que je m'en aille pendant trois jours pour que tout aille mal ici.

– Laisse-moi tranquille.

Un sanglot étouffé s'échappa de l'oreiller dans lequel elle avait enfoui son visage.

Akka se dirigea vers le lit :

– Dis-moi ce qui ne va pas. *Akka* s'en occupera, elle arrangera les choses. *Akka* peut le faire, tu le sais bien !

Elle leva vers l'eunuque un visage inondé de larmes.

– Non, *Akka*, même toi tu ne peux pas rendre la vie à ce qui est mort.

– Qu'est-ce qui est mort ? demanda *Akka*, soudain soucieuse.

– Tout ce que j'avais avec Sanjay...

– Sanjay ? Qu'est-ce que tu veux dire ? fit lentement *Akka*. Puis elle se pencha au-dessus du lit et prit doucement dans ses bras la créature éplorée.

– Oh, lui ! Qu'est-ce que tu veux, je te l'avais bien dit que ça finirait dans la souffrance pour toi. Les gens comme lui ne sont pas faits pour nous...

La cour de devant de la demeure avait été convertie en espace de fête. Des pointillés de lumière couraient le long des arêtes du bâtiment et de chaque côté de la rue. Des *shamiana* aux motifs joyeux avaient été dressés et festonnés de fleurs tissées en guirlandes dont on avait également recouvert les piquets. Sur une plateforme érigée un peu plus loin, trônait un Ganesh polychrome de deux mètres de haut. Un prêtre, debout près de l'idole, psalmodiait des prières. Pour une fois, le portail était largement ouvert et tous ceux qui le souhaitaient pouvaient entrer pour prendre part aux festivités. Quelques chaises en plastique, d'immenses récipients emplis de nourriture attendaient le visiteur, accueilli avec une assiette en carton garnie de sucreries et de bouchées gourmandes. Les haut-parleurs braillaient des chants dévotionnels et, pour le soir, on avait prévu un orchestre.

« Des mélodies, rien d'autre », avait ordonné King Kong au responsable du groupe.

Le député, depuis son balcon, observait la scène pleine d'animation qui se déroulait sous le *pandal*. Chikka, morose, se tenait à côté de lui.

– Je ne vois pas l'intérêt de faire ça tous les ans. C'est parfaitement vain...

– Nous le faisons parce que c'est ce qu'on attend de nous, répondit le député, contrarié.

– Je suis las de faire ce qu'on attend de moi et rien d'autre, comme si je n'avais pas de désirs propres. Comme si je n'avais pas le droit d'en avoir. Pourquoi faut-il toujours se conformer à tes plans ?

Sous l'effet de l'émotion, la voix de Chikka était montée dans les aigus. Brusquement, il se tut, tourna les talons et rentra.

Akka se présenta à la porte.

– Que se passe-t-il ? Il m'a semblé entendre des voix.

– Tu voulais me dire quelque chose ? demanda le député en se tournant vers elle.

– Oui. On vous demande sous le *pandal*. C'est l'heure de commencer la *pûja*.

Le député poussa un soupir.

– Vous avez des soucis, *Anna* ?

Il haussa les épaules sans répondre puis, après un silence, il demanda :

– Est-ce que Chikka aurait fait une rencontre ?

– Pourquoi cette question ? Vous avez vu ou entendu dire quelque chose ?

– Non, dit le député en crispant les doigts sur la balustrade pour contenir son irritation. C'était juste une impression. Je me demandais si tu avais la même que moi.

– Qui sait, *Anna*. Pour un jeune homme de son âge, ce serait bien naturel.

– Ça ne me plaît pas. J'ai d'autres projets pour lui et toutes ces bêtises ne font qu'alimenter mon stress. Je fais tout pour lui et pour vous tous. Quel besoin a-t-il de fréquenter quelqu'un d'autre ? Elle ne convient peut-être pas à notre famille. Comme si je n'avais pas assez de problèmes ! Tu sais que la police ne me lâche pas d'une semelle, qu'elle renifle partout ? Dieu sait ce que Chikka a bien pu dire à cette fille. À l'instant, il déblatérait je ne sais quoi à propos de ses rêves, de ses désirs personnels. Si j'agissais comme ça, nous n'aurions pas le quart de ce que tu vois là.

– Vous devriez peut-être partir tous les deux quelque part, trois ou quatre jours. Pour l'éloigner de ce qui le tracasse.

348

– Bonne idée ! s'exclama le député avec un sourire reconnaissant. J'aurais dû y penser. Je l'emmènerai rendre visite à nos sœurs. Il y a un moment que je ne les ai pas vues. Quant à toi, *Akka*, il vaudrait mieux que tu ne restes pas dans les environs en notre absence. Je ne veux pas que les flics en profitent pour te harceler. On partira demain après-midi. Dis à Chikka de se tenir prêt, tu veux bien ?

L'eunuque acquiesça sans joie. Comment le cadet allait-il réagir ?

Mardi 6 septembre

Il était près de neuf heures du soir quand ils atteignirent la maison. Ils étaient restés absents plus longtemps que prévu. Tant de parents à voir, tant de choses à faire. Un de leurs beaux-frères avait tenu à ce qu'ils rendent visite à un membre de la famille souffrant depuis six mois, pour lui faire plaisir. « Vous ne venez presque jamais, alors quand on vous voit enfin, il faut bien qu'on en profite au maximum », leur avait dit un cousin en amoncelant de la nourriture sur une feuille de bananier à leur intention.

À présent, il se retournait dans son lit sans pouvoir trouver le sommeil. Vers onze heures, il se leva et monta sur la terrasse. De la réserve du premier, il sortit une boîte en carton dans laquelle il rangeait son matériel.

D'abord, la corde. Robuste, blanche, d'un peu plus d'un centimètre de diamètre. Il en coupa une longueur de soixante-quinze centimètres à l'aide d'une lame de rasoir, fit un nœud à chaque extrémité et l'attacha par un bout à un barreau de la fenêtre, tout en fredonnant.

Après être retourné dans la réserve chercher une chambre à air de bicyclette, il en découpa deux bandes d'environ deux centimètres et demi de large. Il enroula la première, bien serré, autour de l'extrémité libre de la corde sur une dizaine de centimètres, fit un nœud pour la maintenir en place et coupa le morceau qui dépassait. Il décrocha ensuite la corde, l'attacha par l'autre extrémité et répéta l'opération avec la deuxième lanière. Puis, tenant la corde par ses deux poignées en caoutchouc, il tira pour vérifier la tension de la fibre et sourit, satisfait.

Il étala alors sur une feuille de journal de minuscules éclats de verre et, les mains enroulées dans des bandes de tissu, il se mit à les écraser en fines particules à l'aide d'un rouleau à pâtisserie. Il ouvrit un pot de colle, en enduisit soigneusement la corde, la déposa sur la feuille de journal et la fit rouler dans un sens puis dans l'autre jusqu'à ce qu'elle soit entièrement recouverte d'une couche de verre pilé, chatoyante, étincelant par endroits.

Pendant qu'il attendait que son travail sèche, il rangea la longueur restante de corde, la chambre à air, la colle et le verre. Le matériel nécessaire pour fabriquer un lien sans défaut.

L'idée d'utiliser une corde souillée de sang lui donnait des haut-le-cœur ; il tenait à en fabriquer chaque fois une nouvelle qui, en outre, se révélait beaucoup plus efficace. Il s'en était rendu compte avec Liaquat le giton : la corde, qui avait déjà servi, n'avait pas fait correctement son travail, du coup il était encore vivant quand ils avaient mis le feu à son corps. Sale boulot. Et c'était entièrement de sa faute.

Il glissa un doigt le long du lien incrusté de verre. À son immense satisfaction, une fine ligne rouge colora presque instantanément sa peau.

Il suça le sang qui perlait à son index, éteignit la lumière et retourna dans sa chambre, la corde dans l'autre main. Il lui avait fallu un peu moins de quarante minutes pour fabriquer son arme fatale.

Jeudi 8 septembre

16 h 21

Gowda s'était posté près de l'antenne de police de la basilique et Santosh à la sortie de Gujri Gunta d'où, disait-il, il bénéficiait d'un point de vue panoramique sur les lieux.

Neuf jours plus tôt, l'archevêque avait hissé le drapeau en haut du mât de la basilique St Mary. D'innombrables hommes et femmes vêtus de safran avaient surgi Dieu sait d'où, encombrant les toits, obstruant les routes, perchés sur les murs. Partout où portait le regard, ils étaient là, simples spectateurs ou, pour la plupart, fidèles venus avec une requête dans le cœur et une prière aux lèvres. Certains avaient amené leurs bébés, habillés en safran eux aussi, pour venir rendre grâce à la Vierge Mère qui leur avait accordé un enfant.

Le ciel du soir n'était pas du bleu coutumier de septembre. Les nuages s'étaient amoncelés vers la fin de l'après-midi pour former une couverture grise, épaisse, étouffante. Quand les premières gouttes tombèrent, les dévots levèrent les yeux avec effroi. Personne n'avait apporté de parapluie ; en tenir un au-dessus de sa tête en suivant la procession du char aurait relevé de l'exploit.

La réunion du 6 s'était terminée sur la décision de maintenir la maison du député sous surveillance et d'engager une chasse à l'homme (« ou plutôt à la femme », s'était corrigé Stanley) avant que l'escalade des meurtres ne devienne vertigineuse. Gowda avait officiellement été associé à l'enquête, sur l'insistance du commissaire principal Sagayaraj.

– Le député et ceux qui vivent chez lui sont informés de tous nos faits et gestes. Ils vont donc tous la jouer profil bas pendant un moment, avait-il conclu.

– Il ne se passe pratiquement rien, avait confirmé Santosh le matin même.

Les yeux de Gowda, posés sur le calendrier mural, s'étaient éclairés brusquement. Le 8 septembre. Cette date-là lui disait quelque chose, mais quoi ? Puis la mémoire lui était revenue. La fête de St Mary. Il avait pensé aux foules qui allaient emplir les artères du quartier. Bhuvana, qui qu'elle soit, avait sans doute décidé de se calmer un moment, mais elle sortirait, certaine de passer inaperçue dans l'océan humain couleur safran qui allait prendre les rues d'assaut.

– Il va se passer quelque chose, avait répondu Gowda sans s'expliquer.

– Comment le savez-vous, monsieur ?

– C'est ce soir qu'a lieu la procession de la basilique St Mary. Elle sortira, sachant que personne ne la reconnaîtra.

– Qui, « elle » ? avait demandé Santosh en retenant son souffle.

– Bhuvana. C'est le nom qu'elle se donne.

– Ça pourrait être un eunuque.

– Possible, avait répondu Gowda, posant les mains devant lui et s'absorbant dans la contemplation des lignes qui parcouraient ses paumes.

Que signifiaient-elles ? Celles du meurtrier suivaient-elles le même tracé que les siennes ou d'autres sillons ? Des courbes particulières pouvaient-elles laisser présager un passage à l'acte meurtrier ?

– Croyez-moi, avait-il ajouté, quelque chose me dit que nous en aurons le cœur net ce soir.

Santosh s'en était tenu là, se promettant de vérifier le fameux super sixième sens de Gowda tant vanté par Gajendra.

— Trouvez-vous un endroit où vous poster à quatre heures, dans la rue de la basilique. Habillez-vous en civil, portez une chemise safran. Achetez-en une si vous n'en avez pas.

Santosh avait obéi, perplexe. Mais en arrivant à Shivaji Nagar, il avait compris.

16 h 27

Tout était safran, partout et sous toutes les formes : chemises, saris, tuniques. C'était la couverture idéale pour un policier en planque.

Santosh rejoignit l'équipe de la Criminelle dans la pièce qu'elle occupait depuis le début de l'opération, au quatrième étage d'un immeuble au-dessus d'un grossiste de bois. Elle faisait partie d'un ensemble de bureaux qu'ils partageaient avec des courtiers, des consultants en marketing et même un dentiste qui y avait installé son cabinet. Les lieux offraient une vue plongeante, presque frontale, sur la rue où habitait le député et sur sa maison.

Les hommes de la Criminelle l'accueillirent avec des sourires goguenards. L'inspecteur Pradîp toucha le tissu de sa chemise, qui crissait sous les doigts.

— Elle est neuve, hein ? dit-il en riant.

Santosh rougit.

— Pour passer inaperçu au milieu de la foule, on a pensé que c'était mieux. C'est l'inspecteur Gowda qui me l'a conseillé, ajouta-t-il comme après coup.

— Vous perdez votre temps. Le député sait qu'on l'observe. Il a redoublé de précautions.

— Mais... comment ? demanda Santosh, médusé.

— Un mot qui s'égare, un papier qui traîne, allez savoir. Mais Ibrahim semblait indiquer que le député avait été prévenu..., dit Pradîp à voix basse. Vous vouliez quelque chose ?

— Non, juste m'informer, au cas où il y aurait eu du nouveau.

Pradîp haussa les épaules.

— Bon, alors j'y vais, dit Santosh.

— Amusez-vous bien ! lui lança Pradîp tandis qu'il dévalait les marches étroites.

16 h 42

Santosh avait arpenté la rue dans un sens et dans l'autre, mangé une barbe à papa rose et bu un thé, avant de tomber sur un groupe d'hommes et de femmes assis sur le seuil d'une boutique à l'oblique du portail sur le trottoir d'en face. Ils l'invitèrent à s'asseoir parmi eux :

— La procession commence à cinq heures, monsieur, vous avez le temps. Trouvez-vous une place où vous pouvez. Sinon, quand le char s'ébranlera, vous serez balayé.

Santosh s'insinua entre deux pèlerins. Une femme à la tresse grise lui sourit :

— C'est la première fois que vous venez ?

Il fit oui de la tête. Comment avait-elle deviné ?

— Moi, ça fait vingt-cinq ans. Sauf l'année de la mort de mon frère où je l'ai ratée, je viens régulièrement pour la procession, même si je n'en vois pas grand-chose quand je guide des novices.

Santosh sourit. Tous les vétérans étaient-ils comme elle, partageaient-ils la même ferveur, le besoin d'initier aux subtilités du pèlerinage, au point d'être incapables de mettre fin à leur participation au bout de quelque temps ? L'année précédente, quand il était allé vénérer Ayyappa à Sabarimala, il avait constaté le même phénomène.

— Vous allez voir, le char est vraiment extraordinaire ! poursuivit la femme.

– Ne lui gâchez pas sa surprise, Nirmala Jessy *Amma*, répliqua un homme. Laissez-le découvrir par lui-même la grâce de la Sainte Vierge.

Un éclair déchira le ciel sombre. Santosh regarda les nuages avec inquiétude.

– Croyez-moi, il ne pleuvra pas, dit Nirmala Jessy. La Vierge Mère ne permettra pas que ses enfants soient trempés.

– Vous êtes allé du côté de la basilique ? demanda quelqu'un.

Santosh fit non de la tête.

– C'est un endroit merveilleux, avec la croix lumineuse au sommet de son clocher, dit un jeune homme assis à côté de Nirmala Jessy. Sur fond d'orage, ce sera spectaculaire. On peut y faire un petit tour rapide, si vous voulez. On sera revenus à temps pour le début de la procession.

Nirmala Jessy lui serra le bras :

– Non, n'y va pas.

– Ne t'inquiète pas, *Amma*, fit-il en se dégageant pour se lever.

– Combien de temps ça prendra ? demanda Santosh en regardant sa montre.

– Dix minutes, frère. On coupera par les petites rues. Les avenues sont complètement bouchées.

Ignatius Arul l'entraîna dans un dédale de venelles.

– Ma mère croit que je suis né parce que la Vierge Mère lui a accordé sa bénédiction, dit-il en souriant. Elle m'a apporté ici quand j'étais bébé, et depuis elle insiste pour que je l'accompagne tous les ans.

Soudain ils se trouvèrent devant la basilique et Santosh vit ce qui lui avait été promis. Le clocher, la croix illuminée à son sommet.

– Il fait cinquante mètres de haut, murmura Ignatius qui s'émerveillait par procuration à travers le regard de Santosh.

À côté de la basilique, Santosh aperçut Gowda, appuyé contre un véhicule de police, qui surveillait nonchalamment la foule. Sa gorge se serra.

– On ferait mieux d'y aller, dit-il en faisant demi-tour.

Pendant leur absence, la rue s'était remplie de monde, de pèlerins portant des cierges et des fleurs, et de quelques vendeurs ambulants de ballons, de barbe à papa et de jouets en plastique. Un rugissement sourd parcourut la foule.

– La procession a commencé ! s'écria Nirmala Jessy d'une voix exaltée, et elle se dressa d'un bond.

– Assieds-toi, Maman, elle ne sera pas ici avant un bon moment.

Ils entendaient chanter dans le lointain. La vieille femme se tordait les mains.

– Ignatius, on est trop loin. L'année prochaine, il faut que nous trouvions une place près de la basilique. Je veux chanter l'Ave Maria avec eux.

– Tu pourras chanter quand le char passera par ici, dit son fils en jetant un coup d'œil amusé à Santosh.

Le député avait fait installer devant l'entrée de sa propriété une longue table sur laquelle étaient posés quatre grands pots ventrus en terre cuite. Deux hommes préposés au service proposaient de l'eau ou du petit-lait aux passants dans des gobelets en plastique.

Santosh regardait la scène avec une attention flottante. Le super sixième sens de Gowda ne semblait pas fonctionner cette fois, car la table bloquant l'accès au portail, personne ne pouvait entrer ou sortir.

– Le député est un homme bien, dit Nirmala Jessy.

Santosh la regarda avec surprise.

– Il offre de l'eau et du petit-lait aux pèlerins, chaque année. Il le faisait déjà bien avant d'être riche, d'avoir acquis cette maison et tout le reste.

– Il a fait un don important à l'association St Mary's de Lingarajapuram, renchérit Ignatius Arul. Nous sommes de là-bas. Il dit que toutes les déesses mères doivent être vénérées.

Le téléphone de Santosh se mit à sonner. C'était Gowda.

– Oui, monsieur, murmura-t-il en décrochant.

– Comment ça se passe ?

– Il y a beaucoup de monde et il fait très chaud. Heureusement, le député a placé une grande table devant son portail et il offre des rafraîchissements aux passants.

– Il y a une autre entrée.

– Oh...

– Vous ne saviez pas ? C'est bien ce qui me semblait. Une petite porte latérale, qui donne sur une impasse. Surveillez-la.

– Très bien, monsieur.

– Appelez-moi dès que vous voyez quelque chose ou quelqu'un bouger.

Santosh rangea son téléphone pensivement et vit Ignatius qui l'observait.

– C'était mon propriétaire, expliqua-t-il, il va me rejoindre, je dois aller le retrouver au bout de la rue.

– C'est bien normal, dit Nirmala Jessy. Votre nom, c'est comment ?

– Santosh.

– Et votre nom de baptême ? On ne vous en a pas donné un ?

Santosh eut un moment de panique. Aucun prénom chrétien ne lui venait à l'esprit. Brusquement, il se rappela la poissonnerie de Hennur Road.

– Jonah.

– Vous êtes de la police ? demanda Ignatius.

– Non, pourquoi ? marmonna Santosh, feignant l'étonnement.

– Quelque chose dans votre allure... les cheveux, répondit le jeune homme avec un grand sourire, avant d'ajouter d'un air entendu : La façon dont vous vous tenez, en bombant le torse, les épaules en arrière, les bras derrière le dos, et dont vous regardez le monde autour de vous, comme s'il vous appartenait.

Le sang afflua aux joues de Santosh. Et merde !

– Il veut devenir policier, c'est son rêve, intervint sa mère en souriant. Je lui dis toujours qu'il devrait passer l'examen.

Santosh se mit debout avec difficulté. S'il restait plus longtemps ici, elle finirait par lui trouver une épouse et par organiser sa vie, son plan de retraite, tout.

– Il faut que j'y aille.

17 h 12

Tout l'après-midi, ils défilaient, désireux de s'en remettre à la grâce d'une déesse pour concrétiser leurs rêves.

Étendue sur son lit, elle regardait le ventilateur tourner au plafond. Les bruits de foule s'intensifiaient. *Akka* avait fait une brève apparition pour lui dire que les pèlerins n'allaient pas tarder à envahir la place, qu'on n'y trouverait plus un centimètre carré de libre.

Elle ne dormait plus la nuit. Chaque fois qu'elle fermait les yeux, ses souvenirs l'oppressaient et elle aurait voulu fuir au bout du monde. Tout ce qui avait été beau dans sa vie était souillé et laid. Tout avait été anéanti, chaque fois. Sauf elle.

Mais elle n'était plus ce garçon. Elle ne serait plus jamais cette créature impuissante et timorée. Elle ne permettrait plus jamais à qui que ce soit de décider du cours que devait suivre sa vie. Au fil des années, elle avait appris à prendre les choses en main et à en garder la maîtrise.

Elle se dressa subitement sur son séant et entoura ses genoux de ses bras.

Quelque chose la poussait à se lever. Un besoin de sortir. D'être une autre. C'était la seule façon de faire cesser la douleur. La seule voie qui lui permettrait d'oublier, au moins pour un moment.

Bhuvana gloussa de rire. D'un rire exultant de petite fille en pensant à ce qu'elle préparait. Un rire léger qui lui demandait : Qu'attends-tu ?

Elle alluma la guirlande d'ampoules qui entourait le miroir, ouvrit la boîte et entreprit de se maquiller à petites touches rapides, en souriant timidement à son reflet.

Puis elle sortit six fioles de parfum, sans s'arrêter à les respirer l'une après l'autre comme à l'accoutumée. Ce soir, ce serait *Jannat ul Firdous*, son favori. Et pour la couleur de sa tenue, du safran pour se fondre dans la foule.

Elle extirpa de l'un des tiroirs un jupon et un corsage, un soutien-gorge rembourré et le slip assorti. Elle s'habilla en fredonnant, ajusta puis épingla les plis du sari bas sur le ventre, pour dégager la taille.

Ensuite elle choisit une perruque de cheveux mi-longs, tombant aux épaules, sur l'étagère du haut.

Elle fixa ses boucles d'oreilles, la paire aux perles fines enfin reconstituée par l'orfèvre. Elle se vit dans le miroir et s'ébroua de plaisir.

Je suis la plus belle femme que je connaisse. Où étais-tu partie, Bhuvana ? Depuis ton départ, j'étais perdue.

Mais aussitôt, il lui apparut que si Sanjay n'était plus, il ne pouvait y avoir de Bhuvana. Le personnage lui avait été dédié et il ne restait rien de lui. Une larme perla à ses yeux. Elle pleurait sur lui. Sur elle. Sur la fin d'un rêve.

Alors une voix se fit entendre en elle : Regarde-toi.

Elle obéit et, se tournant vers le miroir, elle vit que quelqu'un lui faisait face.

Kamâkshi, deux fois plus puissante, à l'esprit indomptable. C'est Kamâkshi qui déposa le brillant sur ses lèvres du bout du doigt en murmurant : Ce soir, ce soir... Elle prit une pose déhanchée, une main à la taille. Quelle traînée tu fais, Kamâkshi ! Elle toucha la topaze qui ornait son nombril. Elle imagina la pointe d'une langue en explorant la cavité et frissonna.

À Kamâkshi, la femme aux yeux lascifs, rien n'était impossible.

C'était une petite impasse bordée d'un côté par une rangée serrée de maisons, de l'autre par le mur d'enceinte de la demeure du député. On y voyait une chèvre attachée à un poteau, un robinet d'eau de la ville, des enfants qui jouaient. Du linge battait au vent sur un toit. Des femmes assises sur les seuils nettoyaient du riz, torsadaient des fleurs, se livraient aux activités auxquelles les devants de porte semblent dévolus. Un alignement de poteaux de granit barrait la voie aux véhicules, à l'exception des deux-roues qui pouvaient s'y insinuer. Quelques pèlerins étaient venus patienter là, échappant à la congestion des rues.

Brusquement, les réverbères s'allumèrent et l'espace fut noyé sous la lumière, qui dessinait au sol des flaques d'ombre contrastées. Santosh s'adossa au mur.

— Vous ne venez pas ? lui demanda un dévot en se hâtant vers la sortie de l'impasse. Le char ne va pas tarder !

Santosh se redressa, se dirigea lentement vers les poteaux de granit et s'arrêta à la sortie de l'impasse. Au loin, une marée humaine avançait par vagues. Un objet brillant entra dans son champ de vision, accompagné de chants et de sons tandis que la foule s'engageait dans la rue.

— La procession va s'arrêter un moment avant de tourner ! cria quelqu'un.

Des coudes s'enfoncèrent dans ses côtes. Les pèlerins tentaient à toute force de le dépasser dans leur hâte de s'approcher de l'idole.

À son insu, Santosh se retrouva près du char tout illuminé. À l'intérieur se dressait une statue de deux mètres de haut à l'effigie de la Vierge Marie, vêtue d'un sari safran, l'Enfant Jésus dans les bras.

— *Amma ! Amma !* criait la foule autour de lui, jetant des fleurs, tenant des cierges.

Le char penchait dangereusement sur un côté. Allait-il se renverser ? La croix qui le surmontait semblait trop grande pour lui. Il aurait suffi d'un individu pris de panique pour que la foule perde tout contrôle et que les pèlerins se piétinent les uns les autres. Santosh tenta de s'éloigner du flot humain et de retourner vers l'allée. En prenant le virage, il aperçut un mouvement du côté de la porte.

Quelqu'un sortait. Santosh repoussa sans ménagement les gens qui bloquaient son passage dans l'intention de se rapprocher. La silhouette, un moment avalée par l'ombre, émergea de nouveau dans la lumière. C'était une femme vêtue d'un sari safran.

Bhuvana. Ça devait être la Bhuvana que Gowda avait mentionnée. Et tout à coup il la reconnut. Cette femme était celle qu'il avait vue en compagnie de l'eunuque.

Il la suivit des yeux et avança dans sa direction tout en cherchant le numéro de Gowda dans le répertoire de son portable.

Gowda éloigna le téléphone de son oreille. La voix de Santosh semblait vouloir lui percer le tympan. En arrière-fond, il entendait des bruits de foule, de conversations, des klaxons, de la musique.

– Oui, Santosh. De quoi s'agit-il ?

– Je crois que je viens de repérer la femme, monsieur, dit-il, frémissant d'excitation.

18 h 10

Gowda regarda sa montre. Six heures passées. Toute trace de jour s'était fondue dans la nuit. Il tombait quelques gouttes de pluie. Il leva le visage vers le ciel.

– Vous allez être trempé, monsieur, dit un policier. Venez plutôt vous asseoir dans la jeep.

Gowda opina du chef et s'avança vers la Bolero. Jusqu'où Santosh avait-il pu filer Bhuvana ? Une sorte d'inquiétude le

362

submergeait. Le garçon était-il en sécurité ? Il était jeune, sans expérience, impatient de marquer des points... une telle conjoncture pouvait le mener à prendre des risques inconsidérés. Il leva les yeux vers la croix qui surmontait le clocher et murmura :

– Mère, faites qu'il ne lui arrive rien.

18 h 24

Santosh avait réussi à ne pas la perdre de vue en dépit de la foule. Elle n'était pas pressée, de toute façon. Absorbée dans ses pensées, elle marchait à pas glissés par les rues. Gowda lui avait enjoint de la suivre, mais avait-il compris qu'il s'agissait de celle qui accompagnait l'eunuque ? Celle dont ils avaient déduit qu'elle était le tueur ? À la voir, menue, fragile, la chose semblait improbable.

La pluie tombait dru à présent. Il vit la femme plonger sous le porche d'une boutique. Plusieurs pèlerins jouaient des coudes pour s'y abriter. Santosh se joignit à eux.

Il se tenait juste derrière elle. Elle était petite, si petite qu'elle ne lui arrivait même pas à l'épaule, alors qu'il ne dépassait pas lui-même un mètre soixante-quinze.

Chaque fibre de sa peau absorbait sa présence. Elle dégageait une odeur de jasmin. Était-ce son parfum ou les fleurs qu'elle portait dans les cheveux ?

Elle drapa étroitement le pan de son sari autour de ses épaules et Santosh posa les yeux sur ses pendants d'oreilles. Stupéfait, il constata que c'était l'exacte réplique de celui qu'on avait trouvé sur Liaquat. Comment était-ce possible ? Il devait y avoir quelqu'un d'autre, se dit Santosh, oui, c'était ça, le tueur était une autre personne. Elle n'avait pour fonction que d'appâter les victimes. C'est alors qu'il décida de ce qu'il allait faire.

Elle sentit la chaleur de son regard sur sa nuque, ses yeux qui la parcouraient et s'attardaient sur elle. Ce n'était pas la lubricité animale qu'elle connaissait aux hommes, mais le regard plus doux, plus curieux d'un individu répondant à une attraction, un homme qui se construisait détail après détail une mémoire d'elle.

Elle changea de posture afin qu'il puisse mieux la voir, repoussa une mèche de cheveux derrière son oreille pour dégager son visage. C'était de cette façon que sa rencontre avec Sanjay avait commencé.

Un sanglot lui monta à la gorge. Son Sanjay. Poignardé. À plusieurs reprises. Ses intestins répandus hors de sa blessure.

Elle repensa à un rat qu'elle avait vu un jour, les entrailles à l'air, becquetées par un corbeau qui sautillait à côté de lui en le regardant de biais. Elle eut un haut-le-cœur, la tête lui tournait, elle sentait le sol monter à sa rencontre. Deux bras robustes la retinrent de tomber.

Santosh l'avait sentie plus qu'il ne l'avait vue tourner de l'œil. Il avait tendu les bras instinctivement et l'avait rattrapée. Elle ne pesait pas plus lourd qu'un oiseau.

Un moment plus tard, elle reprit ses esprits.

– Je suis désolée, s'empressa-t-elle de dire tandis que les autres se tournaient vers eux.

– Vous avez un problème ? demanda un homme.

– Non, je vais mieux, merci.

– Elle est avec moi. C'est l'effet de la foule, elle s'est sentie étouffer. Rien de grave, dit Santosh avant de se tourner vers elle : Vous êtes remise ?

– Oui, merci.

– Vous n'auriez pas dû sortir dans une telle cohue.

Aussitôt il s'en mordit la langue. Qu'est-ce qu'il était en train de raconter ?

– Je devais sortir, répondit-elle.

– Vous vous rendez quelque part ?

Elle leva les yeux vers lui et crispa les lèvres en lui adressant un regard perçant :

– Pourquoi ? Qu'est-ce que ça peut vous faire ?

– Désolé, fit-il en se raidissant. Je me mêle de ce qui ne me regarde pas.

– Non, non, ce n'est pas ce que je voulais dire, se reprit-elle avec ardeur, comme pour combler la distance qu'il venait de créer entre eux. Je suis très embarrassée. Je ne sais pas ce que je dis, conclut-elle dans un regard implorant.

– Souhaitez-vous que je vous dépose chez vous ? Ou ailleurs ? Où vous voulez.

Elle le regarda de nouveau.

Il ne comprenait pas ce que signifiait ce regard. Son cœur battait trop fort pour qu'il y réfléchisse.

Qu'allait-elle répondre ?

Décidément, ils étaient tous les mêmes. Ils ne cherchaient qu'à satisfaire leur queue et leur petite personne. Tout le reste n'était que comédie. L'espace d'un instant, elle avait pensé qu'il était différent. Comme elle l'avait cru de son Sanjay.

Mais Sanjay lui-même n'était finalement qu'un imposteur, un gredin déguisé en prince. Sa vie comportait autant de zones d'ombre que la sienne. Elle l'avait cru épargné par tout ce qui touchait à l'existence qu'elle menait. Elle avait cru qu'il existait en lui une oasis de douceur et peut-être même d'amour véritable, alors qu'il aurait fini par réclamer d'elle la même chose que les autres.

Elle se tourna vers cet homme nouveau, son improbable sauveur, et le détailla. Il lui paraissait familier, les doigts passés dans la ceinture de son pantalon, avec sa chemise au col ouvert et ses cheveux courts, le menton rasé de près. Le déclic vint de la lueur dans ses yeux. Elle le connaissait. Elle l'avait déjà vu. Accompagnant l'inspecteur Gowda. Il était donc en filature... Voilà qui changeait tout...

Kamâkshi lui sourit.

19 h 04

Gowda jetait un coup d'œil toutes les deux minutes à son téléphone désespérément silencieux. Où était Santosh ? Pourquoi ne le tenait-il pas au courant ?

La pluie n'avait pas découragé la foule. Les policiers détestaient ce genre de situations dans lesquelles le ciel même semblait conspirer contre eux. Chaque instant représentait une menace potentielle pour la sécurité du public. Tant de vies rassemblées. Tant d'actes imprévisibles. Un sac arraché, un sein peloté, une boucle d'oreille perdue, un orteil écrasé. Personne ne cherchait à semer le trouble, pas de bousculade planifiée ou préméditée, mais à n'importe quel moment, il suffisait d'un geste individuel quelque part dans la foule pour déclencher des réactions en chaîne impossibles à anticiper.

La radio crachotait : on avait trouvé un couple âgé mort dans leur pavillon de Karamangala... un petit garçon avait disparu... un immeuble s'était écroulé dans Beggars Colony...

Gowda sortit de la voiture. La pluie avait faibli.

– Je dois partir, dit-il à l'inspecteur qui l'accompagnait, une main au-dessus du crâne pour le protéger des gouttes.

– On ne peut pas circuler, monsieur, il y en a encore pour une bonne heure..., s'excusa le jeune policier.

Gowda se résigna. Quelle idiotie d'être venu en jeep avec les autres ! Il aurait dû prendre sa moto et la garer dans les environs. Il ne pouvait tout de même pas partir à la recherche de Santosh à pied.

19 h 23

Elle semblait très bien s'orienter à l'intérieur du labyrinthe de Shivaji Nagar. Santosh la suivait sans oser s'enquérir de l'endroit où ils allaient.

– Vous venez voir la procession tous les ans ? dit-elle.

La pluie avait rafraîchi l'air nocturne. Santosh regrettait de n'avoir pas pris sa veste.

– Non, c'est la première fois. Et vous ? demanda-t-il en contournant précautionneusement une flaque.

– Je n'en ai pas manqué une seule depuis que j'ai quatre ans.

Elle lui adressa un sourire qui creusait des fossettes à ses joues. Santosh ne s'était pas encore risqué à la regarder de près, mais en dépit de la lumière parcimonieuse, il se rendait compte qu'elle était jolie. Quel lien avait-elle avec la maison du député ?

– Allez-vous me laisser à une station d'autorickshaws ou me raccompagner ? demanda-t-elle subitement.

– Je vous raccompagne. Ces rues n'ont pas l'air sûres la nuit.

Et, disant cela, il balayait du regard les venelles jonchées d'ordures où les passants étaient pour la plupart des hommes. Sur le trottoir, un individu qui les observait en se curant les dents se remonta l'entrejambe en marmonnant quelque chose.

– C'est dangereux pour une femme seule, ajouta-t-il.

– Au contraire, c'est l'endroit le plus sûr du monde. Il y a des gens de jour comme de nuit, et il suffit qu'une femme pousse un cri pour que dix hommes s'approchent et demandent ce qui ne va pas.

– Tous des voyous.

– On croirait entendre un policier, répliqua-t-elle en lui jetant un regard perçant.

– Je... je suis un homme. Je sais comment les hommes fonctionnent !

Il coula un regard à sa montre. Il n'avait pas pu contacter Gowda depuis longtemps. L'inspecteur principal devait être furieux.

– Je fumerais bien une cigarette. Ça ne vous gêne pas ?

Elle s'arrêta. Il entra dans une échoppe et demanda une India Kings, se rappelant la marque que fumait Gowda. Pendant que le boutiquier extrayait une cigarette d'un paquet, Santosh sortit son portable et envoya un texto à Gowda : *Je file B., suis à Shivaji Nagar.*

Sentant sa présence à son côté, il pressa la touche « Envoi » et rempocha son téléphone. Puis, prenant la cigarette, il en tapota l'extrémité contre son menton et dit :

– Finalement, je la fumerai plus tard… J'essaie d'arrêter le tabac !

Elle sourit.

Elle lui demanda de héler un autorickshaw pour eux, sa maison étant trop éloignée pour s'y rendre à pied. Elle donnerait les indications au conducteur.

– Vous êtes nouveau à Bangalore, je me trompe ?

– Ça se voit tant que ça ? fit-il avec un sourire amusé.

Puis, d'un petit air entendu :

– Je n'ai pas d'expérience, c'est vrai, mais seulement en ce qui concerne la ville…

Elle lui sourit et se drapa dans le pan de son sari. Elle aimait ce moment de l'histoire, le flirt, le badinage. Les sous-entendus. Les regards en coin. Le jeu du chat et de la souris.

Dans le rickshaw, leurs épaules se frôlèrent. Ils étaient parfois pressés l'un contre l'autre au hasard des cahots sur les chaussées défoncées. Lors d'un de ces contacts, elle le sentit prendre sa main.

– Ça vous ennuie ? demanda-t-il.

Sous-entendu : « Tu veux baiser ? » Oui, elle le voulait.

Elle fit non timidement de la tête. Cela faisait partie du jeu. Les hommes qui recherchaient des femmes comme elle attendaient cette touche de pudeur, ces yeux baissés. Ce comportement de vierge effarouchée, même si elles s'étaient déjà fait enfiler à n'en plus pouvoir. En fin de compte, tous les hommes se valaient.

Gowda marcha le long de Jumma Masjid Road en serpentant entre les voitures, puis traversa pour s'engager dans Commercial Street, où toutes les boutiques étaient illuminées.

Si Mamtha l'avait vu ! Durant toutes ces années, jamais il ne l'avait accompagnée dans cette rue pour ses courses annuelles d'Ugadi. Il avait toujours prétexté son travail pour échapper aux implications de ce genre d'équipée : suivre son épouse d'une boutique à l'autre en quête du même article, hésiter, revenir sur ses pas, comparer, discuter vainement des aspects positifs et négatifs... Et voilà qu'il se trouvait dans ce royaume du commerce, à inspecter visages et vitrines du regard. Santosh était-il dans ces parages ?

Il l'appela une fois de plus. « Votre correspondant n'est pas disponible, annonça une voix électronique. »

Il allait devoir téléphoner à Urmila.

Il lui dirait – enfin, non, il lui demanderait – de le conduire. Elle serait partante, il le savait. « Voilà une chance de participer à ma vie professionnelle. Alors ne te plains plus jamais que je te cache tout », lui dirait-il en riant.

Il imaginait le sourire qui lui monterait aux joues, les vêtements qu'elle passerait pour la circonstance : un jean, une chemise, des tennis sans la moindre marque d'usure. Elle prendrait la Scorpio plutôt que l'Audi A4 qu'elle avait l'habitude de conduire. C'était une intervention policière, oui ou non ?

Quelle était la part du jeu de rôle dans leur relation ? Cette aventure avec lui, n'était-ce pas un peu pour elle une façon de se glisser dans une nouvelle peau, en l'occurrence celle de la femme qui retrouve un ancien soupirant ?

Il sentit sa mâchoire se crisper et reprit le contrôle de ses pensées qui menaçaient de dériver dans une impasse. Il se remit en route vers Kamaraj Road. Il allait dire à Urmila de l'attendre à l'entrée de Commercial Street.

20 h 15

— Qu'est-ce qui se passe ?

— Pas grand-chose, dit Gowda en haussant les épaules, puis, se ravisant, il expliqua : Santosh ne m'a pas contacté depuis deux heures et je n'arrive pas à le joindre.

— C'est un grand garçon, Borei, répondit Urmila, un rire au coin des lèvres.

— Mais un enquêteur sans expérience. Je lui ai demandé de filer quelqu'un et je n'aurais pas dû. Il a peut-être des ennuis.

Gowda se frappa la tête à plusieurs reprises sur le tableau de bord.

— Ne fais pas ça, Borei, tu vas recommencer à saigner du nez. Tout ira bien, tu verras, et puis on est à Bangalore, dit-elle d'une voix calme.

— On enquête sur un meurtre. J'aurais dû prévenir Stanley de ce qu'on préparait. Je n'avais pas le droit d'entraîner Santosh là-dedans. Et maintenant, il a disparu, marmonna Gowda, qui gardait la tête baissée.

— Où va-t-on ?

Il se redressa.

— Démarre, je te dirai. J'y vais à l'intuition, je n'ai que ça, tu sais...

Les rues étaient engorgées. La pluie et les déviations mises en place n'avaient pas suffi à rendre la circulation plus fluide. Tandis qu'ils roulaient au pas vers Wheeler Road, dans la portion la plus étroite de la rue, au croisement de Sabapathi Lane et de Kamaraj Road, un petit camion, excessivement chargé, freina brusquement, un pneu arrière éclaté.

Coincés, dans l'impossibilité de reculer comme d'avancer, Gowda et Urmila regardèrent en silence les passants s'attrouper et se creuser la tête pour trouver une solution avec le chauffeur du camion.

Gowda pressa de nouveau le numéro de Santosh. Indisponible.

20 h 21

Un vent frais lui fouettait le visage. Où allaient-ils donc ?

– Vous ne m'avez pas donné votre nom.

– Vous non plus, répliqua-t-elle en lui coulant un de ces regards dont elle avait le secret.

– Santosh Ignatius, improvisa-t-il.

– Kamâkshi.

Tiens, pensa Santosh. Gowda lui avait dit qu'elle s'appelait Bhuvana. Elle s'inventait un nom, tout comme lui. Manquait-il de prudence ? Si elle pouvait mentir avec autant de facilité, de quoi d'autre était-elle capable ? Puis il la vit tournicoter un mouchoir autour de son doigt et se sentit rassuré. Peut-être était-ce le surnom qu'on lui donnait chez elle.

– Vous habitez loin d'ici, Kamâkshi ?

– Dites, madame, où est-ce qu'on va ? renchérit le conducteur de l'autorickshaw.

– Continuez de rouler jusqu'à Nagavara. Ensuite, je vous dirai.

Elle se tourna vers Santosh :

– Ce n'est pas chez moi, je vis avec mon frère et sa famille. Vous savez ce que c'est...

Il fit oui de la tête. Gowda s'était complètement trompé sur le compte de cette femme, décida-t-il.

– Ils refusaient que j'aille voir la procession, mais moi, je ne voulais pas rompre avec une coutume que je suis depuis

371

si longtemps. Tournez à gauche, ajouta-t-elle à l'intention du conducteur.

Ils se trouvaient dans une ruelle étroite bordée de boutiques de part et d'autre. Un énorme immeuble dominait les maisons basses de toute sa hauteur.

Avisant le trois-roues, deux des chiens assemblés près d'une poubelle se jetèrent à sa poursuite en aboyant.

– Quel fléau, ces cabots ! grogna le conducteur. Si j'avais su que vous alliez si loin, je ne vous aurais pas chargés.

– C'est votre travail, coupa Santosh. Vous êtes payé pour.

– Facile à dire pour vous, mais c'est moi qui vais devoir refaire tout le chemin à vide !

– Je vous garderai pour aller jusqu'à la Grande Ceinture. Ça vous va comme ça ?

Santosh vit avec surprise Kamâkshi faire non de la tête.

– Vous ne pouvez pas partir. Je veux vous présenter mon frère, dit-elle.

Le jeune inspecteur retint une envie de sourire. Voilà qui devenait intéressant.

Brusquement, une pensée le frappa. Et si c'était le frère, le meurtrier ? Mais pourquoi ? Les crimes n'étaient pas motivés par l'argent, Santosh le savait. Leur mobile devait être plus profond, plus obscur. Le trafic d'organes, par exemple ? Non, les cadavres avaient tous gardé leur foie et leurs reins…

Il se remémorait ce que Gajendra lui avait dit un jour, alors qu'ils enquêtaient ensemble sur la mort d'un homme à qui son meurtrier avait coupé les deux mains. Gajendra lui avait parlé du tueur en série que les médias avaient surnommé Jack l'Étrangleur. Ses victimes étaient pour la plupart des femmes de condition modeste. Il pillait leur domicile après son passage, mais c'était seulement pour égarer les recherches. « C'était un psychopathe à l'état pur, il tuait par plaisir. Ce sont ceux-là dont nous devrions avoir peur », avait ajouté Gajendra, au grand étonnement de Santosh.

Il demanderait au conducteur de l'attendre comme il l'avait prévu. Il était temps également de faire savoir à Gowda où il se trouvait.

Il sortit son portable et vit que son précédent texto était resté dans la boîte d'envoi. Son supérieur devait écumer de rage, se dit-il, malheureux. Il pressa son numéro sans obtenir de ligne. Signal trop faible. Il renvoya le message et décida d'en composer un autre en hâte au moment où ils atteindraient leur destination, quelle qu'elle soit.

L'autorickshaw prit un nouveau virage et Santosh s'aperçut qu'ils étaient arrivés, par une autre route, à l'usine de confection, qui se dressait dans l'obscurité comme un monstre maussade surgi de l'enfer. Il se sentit la bouche sèche.

– C'est ici que vous habitez ? demanda-t-il d'une voix posée.

– Bien sûr que non ! La maison est au bout de l'allée. Mon frère travaille comme gardien ici.

– Qui ? Manjunath ?

Elle lui lança un regard curieux, mais répondit d'un ton neutre :

– Vous le connaissez donc ?

– Je l'ai rencontré, répondit Santosh en se maudissant, un jour où je suis venu avec l'entrepreneur.

– Vous êtes déjà venu ici, alors !

Il fit oui de la tête.

– Arrêtez-vous, ordonna-t-elle au conducteur, qui s'exécuta dans un crissement de freins.

– Je réglerai, dit Santosh en descendant pour la laisser descendre, avant de s'adresser au conducteur : Voici cent roupies. Je vous en donnerai cent de plus à mon retour pour m'avoir attendu. J'en ai pour un quart d'heure, même un peu moins.

L'homme regarda le billet et le souleva entre deux doigts.

– Un quart d'heure, d'accord.

Tandis qu'elle marchait devant lui, il la suivit en pianotant sur son portable : *Atelier confection*.

Elle se retourna en souriant :

– Il n'y a pas de réseau par ici. Vous ne pourrez pas vous servir de votre téléphone avant d'être retourné sur la route principale.

Santosh vit que le message avait été avalé, et sourit sans rien dire. D'ailleurs il n'aurait pu proférer un son, sa langue était comme soudée à son palais pour toujours.

Il était déjà venu, il avait reconnu l'usine, il marchait derrière elle en cherchant à contrôler sa peur. La situation était nouvelle. D'ordinaire, la peur venait à la fin, quand ils comprenaient ce qu'elle avait décidé de faire d'eux. Qu'il soit terrorisé d'emblée, c'était encore plus amusant. Avait-il compris dès l'instant où, l'ayant vue, il avait joué avec elle ? Ou venait-il d'en avoir la révélation ? Elle lui poserait la question un peu plus tard. Il le lui dirait. La peur lui ouvrirait la bouche et formerait les mots nécessaires, cette peur qui faisait faire tant de choses aux hommes...

Elle ouvrit une porte et l'invita à entrer.

– On dirait qu'il n'y a personne, dit-elle, où sont-ils donc tous partis ?

Il ne répondit pas. Elle sentait, à sa posture, qu'il se tenait prêt à contrer toute attaque surgie de l'inconnu.

– Écoutez, j'ai la clé de la pièce attenante à l'atelier, dans l'usine. Si nous entrons, je pourrai allumer et rester là jusqu'au retour de mon frère. Vous, vous n'avez pas besoin de vous mettre en retard et de faire attendre le rickshaw. Tenez, dit-elle en lui tendant la clé qu'elle venait de tirer de son sac.

Éclairant de son portable allumé la serrure, elle l'observa un moment de dos, aux prises avec le cadenas. En dix secondes, elle extirpa de son sac la balle enveloppée d'une chaussette et la lui balança à toute force en plein crâne.

Il y eut un craquement sinistre, suivi d'un choc sourd. Le coup parfait.

Il s'écroula.

21 h 10

Le portable de Gowda émit un bip.

— C'est bien ce que je pensais, dit-il, les yeux sur l'écran. Il est avec elle.

— Mais où sont-ils allés ? demanda Urmila en ralentissant avant un dos-d'âne.

Un bruit d'objets métalliques qui s'entrechoquaient se fit entendre et la curiosité poussa Gowda à tourner la tête vers la banquette arrière.

— Qu'est-ce qu'il y a derrière ?

— Mes affaires de golf. J'ai joué ce matin au club de Bangalore.

— Tu as fait un bon match ? demanda Gowda.

Il ne connaissait rien au jeu. À moins qu'il ne faille dire « au sport » ? Il ne savait même pas s'il fallait parler de match ou de partie.

— Assez bon. Mais mon caddie était malade et son remplaçant était cette vieille relique d'Ijas. Un vrai moulin à paroles. À l'entendre, il n'est pas seulement caddie, mais directeur de conscience de tous les individus qui se sont fait un nom dans cette ville.

— À part traîner les crosses d'un trou à l'autre, quelle est la fonction d'un caddie ? demanda Gowda, les yeux sur la route.

— Il a une bonne perception du terrain, il peut donner des conseils sur la façon de jouer, et pour moi, avec mon handicap, ce n'est pas du luxe.

Gowda ne comprenait pas un mot à ce qu'elle lui racontait.

– Au fait, reprit Urmila, il m'a dit quelque chose d'intéressant sur ton Ravikumar. Tu savais que le député avait été caddie au club de Bangalore ? Ijas l'a eu comme apprenti.

Gowda sentit un vertige le submerger. Tout parut se dissoudre autour de lui. Elle était là, la pièce manquante du puzzle. Elle lui crevait les yeux depuis toujours et il ne l'avait pas vue. Il savait que le député s'était appelé Caddie Ravi, mais il ne s'était jamais demandé pourquoi.

Les eunuques dans la maison. Le pendant d'oreille en perle. La Scorpio garée chez le député. Les reproductions des tableaux de Ravi Varma. Le faux billet de Bhuvana. La vieille usine. Les crânes fracassés, Ranganathan, douze ans plus tôt, puis, récemment, les autres victimes. Que lui avaient dit le docteur Khan jadis et le docteur Reddy quelques jours auparavant ?

L'empreinte ressemble presque toujours à l'arme utilisée. Ici, c'est un objet lourd, avec une petite surface de contact, qui a servi à porter un coup tangentiel, provoquant une fracture localisée. C'est suffisant pour étourdir un homme...

Un objet dur, petit, arrondi... Un marteau aurait brisé la surface différemment. C'est plutôt un coup porté avec élan par quelque chose comme une noix de coco, en beaucoup plus petit. Une sorte de balle, je dirais a priori...

Une balle de golf pour assommer. Quelqu'un qui savait exactement quelle force appliquer pour infliger une blessure. Une arme que le meurtrier pouvait facilement dissimuler dans un sac à main quand il se mettait en chasse de sa victime.

Mais le député n'aurait jamais pu se faire passer pour une femme, quoi qu'il fasse. Au mieux, pour une femme virile. Son cadet, par contre... ce nabot à la joue douce, aux pas délicats, aux diamants dans les oreilles... Le frère instruit, s'identifiant à ses modèles préférés des toiles de Ravi Varma, pouvait faire une femme tout à fait séduisante. Le pendant d'oreille en perle fine trouvé sur Liaquat était le sien. Bhuvana, il était Bhuvana, petite, fatale, championne de karaté, parfaitement entraînée à envoyer au tapis un homme de deux fois sa taille et son poids.

Merde, merde, trois fois merde ! Pourquoi n'avait-il rien vu ? Ce putain de rhum lui avait grillé les neurones. Il ne boirait plus jamais une goutte d'alcool. Et dire que Santosh était avec elle maintenant, Dieu sait où ! Il devait le retrouver avant qu'elle...

Un nouveau bip retentit, signalant l'arrivée d'un message sur son portable.

— Putain !

— Quoi ? demanda Urmila.

— Tu peux accélérer ? Ce crétin est à l'usine avec elle. Va savoir ce qu'elle a le temps de lui faire avant qu'on arrive...

Urmila pressa la pédale d'accélérateur du pied et l'aiguille du compteur de vitesse fit un bond.

— Plus vite ?

— Plus vite !

21 h 19

Lorsque Santosh revint à lui, elle était assise à son chevet près du sofa en skaï. Il voulut lever la tête, mais une douleur intolérable lui traversa le crâne.

— Vous aurez moins mal si vous ne bougez pas.

Il retomba étendu.

— Espèce d'ordure ! cracha-t-il, chaque mot provoquant un élancement dans son cerveau.

— Pour qui me preniez-vous, inspecteur Santosh ? Pour une imbécile ?

Santosh ferma les yeux.

— Vous, les hommes, vous êtes tous les mêmes. Vous vous croyez plus intelligents que nous !

Il rouvrit les yeux pour dire :

— Pourtant vous n'êtes pas une femme, quoi que vous pensiez !

Elle le gifla. Avec une force toute masculine qui fit pivoter sa tête vers le dossier en skaï.

— Je vaux toutes les femmes du monde ! hurla-t-elle, furieuse. Tu veux que je te taille une pipe ? Le plaisir que ma langue est capable de procurer à ta queue te ferait oublier n'importe quelle femme. Aucune ne saurait te sucer comme moi. Aucune ne te laisserait la baiser comme je le pourrais.

Il suivait des yeux la créature quasi démente qui arpentait la pièce. Il devait gagner des secondes, des minutes, en la poussant à parler pour surseoir au sort qu'elle lui réservait. Le conducteur du rickshaw viendrait-il le chercher ? Et Gowda, est-ce qu'il aurait le temps d'arriver ? Il fallait absolument qu'elle continue à parler.

— Ça ne fait pas de vous une femme, murmura-t-il.

Elle s'arrêta et le gifla de nouveau.

— Je vous interdis de dire ça, gronda-t-elle en reprenant son va-et-vient d'un pas furieux.

Santosh palpa sa poche de pantalon, y sentit son portable, tâtonna sur les touches pour retrouver le dernier numéro appelé, celui de Gowda. Elle suspendit sa marche :

— Vous vous croyez très malin !

Elle arracha le téléphone de sa poche et le jeta sur une table.

— Mon frère est comme vous. Il me prend pour un animal de cirque capable d'apprendre des tours, mais incapable de penser par lui-même.

Elle le redressa en position assise, prit une corde et lui lia les poignets et les jambes.

— Voyons ce que vous allez pouvoir faire, attaché comme ça, ricana-t-elle, son visage penché au-dessus de lui.

Un frisson parcourut son échine en la regardant à travers un brouillard de douleur. Brusquement, toutes les pièces du puzzle s'emboîtèrent. Et il vit dans ses yeux que sa déduction ne lui avait pas échappé.

– C'est vous..., croassa-t-il.

Elle ne le laissa pas continuer.

Elle vint se placer derrière lui, car elle n'aimait pas être sous leur regard. Elle n'aimait pas l'idée qu'ils voient le plaisir qu'elle prenait. C'était une sensation intime qui ne se laissait pas partager. Les coups de pieds désespérés, le corps tordu de douleur, les cris, la résistance, tout ce chaos lui déplaisait. Elle aimait les voir impuissants, consentants, livrés à sa jouissance.

Elle n'aurait jamais cru, la première fois, que ce plaisir atteindrait une telle intensité. Glisser la corde autour du cou, lui laisser faire son travail en se contentant de tirer et de serrer lui donnait un peu l'impression de faire planer un cerf-volant, avec de meilleurs résultats. Au dernier moment, quand la vie les quittait, elle devenait cette aile légère, très haut dans le ciel au-dessus du monde, reine de l'instant.

Santosh sentit un lien se resserrer autour de son cou, du verre lui trancher la gorge. Le sang jaillit et il se débattit.

À travers l'épouvante et la douleur, il entendit une voix.

– Qu'est-ce qui se passe ici, bordel ?

Elle se retourna et la corde lui échappa des mains.

– Pourquoi faut-il que tu gâches tout en arrivant chaque fois que je commence à me sentir bien ? hurla-t-elle, furieuse.

– Quoi ? Qui êtes-vous ? s'écria le député en entrant, un revolver à la main.

Il s'arrêta net, incrédule, pétrifié devant la scène qui s'offrait à ses yeux.

– Oui, *Anna*, c'est bien moi, dit Chikka.

Le député regardait fixement l'homme qui perdait son sang, sans doute sur le point de mourir, et son frère travesti. On lui avait rapporté que quelqu'un venait parfois la nuit à l'usine et, ce soir, qu'une femme avait été repérée. Chikka

379

était le seul, en dehors de lui, à avoir la clé. Quand il avait reçu l'appel un peu plus tôt, il avait décidé de venir voir par lui-même si son idiot de cadet venait sauter sa pute dans le bureau.

La scène, hallucinante, dépassait son entendement.

– Où est le primate ? reprit Chikka. King Kong ? Ton lèche-cul si loyal ? Ton « frère par une autre mère », comme tu disais ?

Le député s'affaissa sur une chaise et jeta le revolver sur la table. King Kong était resté au bar de Kothanur où ils se trouvaient quand on l'avait appelé au téléphone.

– C'est toi qui te servais de cet endroit, Chikka ! Qu'est-ce que ça veut dire ? Qu'est-ce qui se passe ? C'est quoi, cette folie ? gémit-il en enfouissant la tête dans ses mains.

– Toi, c'est toi qui as tout déclenché.

– Moi ?

– Je t'ai supplié de ne pas acheter l'usine. Tu n'as rien voulu entendre. En le faisant, tu as ramené le passé à la surface. Mon passé, que je voulais tant oublier. Tu savais que Ranganathan m'avait baisé ici. Mais est-ce que tu savais que j'aimais ça, que j'aimais qu'il me baise, que j'aimais le pouvoir que j'avais de lui donner du plaisir ? Jusqu'au jour où tu nous es tombé dessus. Et ce que j'ai vu dans tes yeux alors, ce dégoût... À ce moment, quelque chose est mort en moi, tu le savais, ça ?

Le député revoyait le vieil homme, la bouche ouverte, le désir dans son regard ; il revoyait son petit frère sur le sofa, presque nu, et son poing soudain crispé.

Chikka ferma les yeux. Le souvenir avait ramené la colère et l'écœurement dans ceux de son frère. Tout lui revint d'un coup.

Ranganathan tombait à genoux dans un bris de verre, un tissu se déchirait, puis quelque chose de métallique heurtait le sol. Ranganathan gémissait, et *Anna* hurlait :

– Vieux dégueulasse ! C'était ça, le prix de toutes tes gentillesses ! Espèce de salaud !

Chikka entendait des gifles claquer, peau contre chair. Il se roulait en boule, *Anna* s'approchait de lui, il bégayait :

– Je, je n'ai pas...

– Ce n'est pas de ta faute, ne t'inquiète pas, je suis là, ton *Anna* est là pour régler le problème, pour le punir de ce qu'il t'a fait, murmurait son aîné en le mettant debout et en l'aidant à se rhabiller. Viens, lui disait-il ensuite gentiment, puis, avec fureur : Cette ordure ne te fera plus jamais de mal !

Chikka se laissait emmener, engourdi, malade du dégoût qu'il avait lu dans les yeux de son frère. Comment quelque chose d'aussi délicieux pouvait-il être aussi répréhensible ?

Voir Chikka en victime d'un vieux pervers sexuel avait arrangé tout le monde à la maison. Chikka aussi y croyait, c'était plutôt commode. N'importe quel stimulus pouvait remplacer Ranganathan, éveiller en lui l'envie de chercher l'émerveillement qu'il avait découvert entre les mains du vieil homme. Cette ascension vers l'extase qui lui faisait oublier toutes ses peurs et repoussait tous ses démons. Mais si *Anna* s'en apercevait ? Chikka frémissait à la pensée de ce qu'il lirait dans les yeux de son aîné.

Chikka – ou était-ce Bhuvana, ou encore Kamâkshi ? Il ne savait plus qui il était – regardait le visage d'*Anna*. Son frère lui avait dit :

– Tu oublieras. Il suffit de le vouloir.

Il avait suivi son conseil. Il s'était exercé à oublier.

Il avait commencé par tuer Ranganathan. Le vieil homme s'était mis sur son chemin une fois ou deux dans la rue et ils étaient retournés à l'usine. Chikka ne savait rien lui refuser.

Puis *Anna* avait appris qu'une voiture était venue attendre son cadet à la sortie de l'école.

– *Amma* m'a dit que tu étais allé chez un ami dans sa voiture. Quel ami ?

– Sailesh, avait menti Chikka. Son père a un garage de véhicules d'occasion. Il nous a emmenés dans une voiture qu'il livrait à un client.

Anna avait cru à son histoire, mais Chikka avait peur qu'il découvre un jour la vérité. S'il se débarrassait de Ranganathan, il ne lui désobéirait plus, s'était-il promis. Il avait peaufiné scrupuleusement son plan, emprunté à *Anna* sa spécialité – la balle de golf dans une chaussette – et prévu une corde telle que personne n'en avait jamais utilisé. Sur le modèle du fil *manja* qu'on attache au cerf-volant, capable de couper la corde de ses rivaux. Il avait pilé puis mélangé le verre à de la colle blanche et appliqué cette pâte le long d'une corde laissée ensuite à sécher sur le toit, à l'abri des regards.

– J'étais jeune, je manquais d'expérience. Le vieux m'a échappé et s'est fait renverser par une voiture en traversant la rue. Je croyais que tout était fini, que j'étais libre…

« Mais non, il a fallu que tu gâches tout en achetant l'atelier. Sinon, j'aurais oublié le passé pour de bon. Au lieu de ça, tu m'as traîné ici pour me montrer ton acquisition. Je t'ai vu te crisper quand tu as reconnu ce sofa ! cria Chikka en décochant un coup de pied au canapé sur lequel Santosh s'était effondré sur lui-même.

« Je savais que tu pensais à ce qui s'était passé dans cette pièce. Et moi aussi, j'y pensais. Le calme de l'usine, le silence, l'extase et la honte. Je voulais retrouver ce plaisir coûte que coûte, je le voulais plus fort que jamais.

« Puis la déesse m'est apparue. Tu croyais être le seul à pouvoir la susciter, n'est-ce pas ? Eh bien non, moi aussi, j'en étais capable. Elle est même venue de sa propre initiative. Elle m'avait choisi parce qu'elle me savait deux fois plus fort que toi. Elle m'a montré la voie. Elle m'a appris à m'habiller et m'a dit qui je devais être. Et elle me guide vers eux.

« Ils sont partout et de tous les genres, des hommes mûrs blasés, des garçons impétueux. Je les trouve, ils me trouvent, ça dépend. Nous partageons le même besoin, tu comprends ? Mais quand c'est fini, je revois ce dégoût... au fond de ton regard... et il me poursuit. La déesse dit que la seule chose à faire, c'est d'effacer ce souvenir. Alors, je les tue...

« Parce que, comme tu le disais ce soir-là, *Anna*, ce n'est pas de ma faute. Ils m'ont poussé à le faire. Et ils doivent payer pour ça !

Le député secouait la tête. Il n'en croyait pas ses oreilles.

– Mais qu'est-ce que tu racontes, Chikka ? demanda-t-il d'une voix faible.

– Tu ne m'en savais pas capable, tu pensais être le seul à posséder les qualités nécessaires pour jouer à Dieu, pour distribuer les bénédictions et les châtiments. Comme pour mon Sanjay ! Tu lui as ôté la vie sans l'ombre d'un scrupule. Ce n'est pas Dieu qui a décidé que Sanjay avait achevé son séjour sur Terre, c'est toi. Tout ça parce que Sanjay aurait pu constituer une menace.

– Sanjay ? répéta le député, médusé, en levant la tête.

– Mon Sanjay m'aimait, tu entends ? Mais tu me l'as enlevé, lui aussi. Et tu ne le connais même pas par son nom ! Pour toi, tout est jetable, tout !

Le député entendit le déclic. Son frère tenait le revolver dans une main et venait de l'armer.

– Quel effet ça te fait, *Anna*, de te sentir impuissant ? De savoir que ta vie n'est pas entre tes mains ? Quel effet ça te fait de te retrouver dans la peau de Chikka ?

– Je...

Le député ne put poursuivre. La balle pénétra dans son cœur avec le bruit bref et liquide d'une goutte d'eau dans la mer.

21 h 36

En tournant dans l'allée qui menait à l'usine, Gowda et Urmila virent un autorickshaw qui s'éloignait. Gowda avait appelé le central et réclamé des renforts de toute urgence en espérant qu'ils arriveraient à temps. Il fronça les sourcils en constatant que la seule voiture présente dans la cour était la Honda CRV blanche du député. Urmila se gara juste derrière.

Gowda se rua vers le bâtiment sans écouter son amie qui l'exhortait à la prudence.

Santosh gisait avachi sur le sofa, la gorge tranchée. Sur la chaise, le député était mort, une stupéfaction sans borne inscrite sur ses traits.

Par terre, son cadet, la tête sur les genoux, pleurait, un revolver posé près de lui. Un sari jeté un peu plus loin formait une flaque safran à côté d'une perruque.

Chikka leva vers Gowda un visage strié de larmes.

– J'ai dû le tuer. C'était lui, monsieur, l'auteur de tous ces meurtres. Mais je n'ai pas pu sauver votre collègue, il était trop tard...

Gowda n'en croyait pas ses yeux. Toutes les pièces de l'énigme se trouvaient devant lui, mais...

Une jeep freina devant la bâtisse et presque aussitôt une escouade de policiers se présenta sur le seuil. Gowda désigna Chikka du menton et l'un d'eux s'avança pour l'entraîner.

Il observa tour à tour le cadet qui s'éloignait, l'aîné mort, le sol plongé dans la pénombre. Son regard était d'un calme souverain.

Puis il s'approcha de Santosh. Comme la vie était éphémère ! C'était la première fois qu'il perdait un collègue. Et il était en partie responsable de ce qui s'était passé dans cette pièce. Il devait y avoir une meilleure façon de s'y prendre, plus élaborée, plus systématique, qui aurait évité à Santosh cette fin tragique. Il n'aurait jamais dû le laisser assurer seul cette filature. Il n'était qu'un très jeune homme, à peine plus âgé que Roshan... Gowda ferma les yeux, bourrelé de culpabilité et de remords. Puis il entendit un faible gémissement. Son souffle se suspendit dans sa gorge, son cœur s'emballa.

– Il est vivant ! hurla-t-il. Il est vivant ! Emmenez-le à l'hôpital, vite ! Immédiatement !

Un fourgon de police était arrivé pour emporter le corps du député. Les hommes de la Criminelle étaient en route. Gowda se retourna avant de quitter la pièce. Que s'était-il réellement passé dans ce bureau ? C'est alors qu'il aperçut le téléphone de Santosh sur la table. Y jetant un coup d'œil, il constata que l'appareil avait dû enregistrer quelque chose. Il le ferma d'un claquement sec et le glissa dans sa poche. Plus tard, au commissariat, se dit-il.

Car, avant toute chose, il allait demander à Urmila de suivre la jeep à l'hôpital. Il harcèlerait les médecins, le personnel, il s'assurerait que Santosh allait recevoir la plus grande attention et les meilleurs soins, pour le faire revenir dans le monde des vivants.

Et quand le jeune inspecteur se réveillerait, il serait là, lui, Gowda, à le veiller. Pour lui présenter des excuses. Pour être ce que Santosh souhaitait qu'il soit pour lui. Il lui devait bien ça.

GLOSSAIRE

Termes de parenté et d'adresse

Akka : sœur aînée, et terme d'adresse courant, teinté d'affection et de respect, pour les femmes plus âgées (mariées : jusqu'à un certain âge ; non mariées : toute leur vie).

Amma : mère, et terme d'adresse courant, teinté d'affection et de respect, pour les femmes mariées plus âgées que soi d'au moins une génération.

Anna : frère aîné, et terme d'adresse courant, teinté d'affection et de respect, pour les hommes plus âgés.

Appa : père.

Bhai jaan : ami (litt. : « frère ») cher.

Macha(n) : beau-frère (tamoul), terme d'adresse entre amis (collégiens).

Mamu : oncle, et terme d'adresse teinté d'affection et d'une certaine familiarité pour un homme plus âgé qu'un « frère aîné ».

Mia : mari (hindi, culture musulmane).

Termes d'usage courants

akki roti : galette à base de farine de riz (Karnataka).
attar : parfum naturel distillé sans alcool, sous forme d'huile légère.
badam : amande indienne (*Terminalia catappa*, combrétacées).
bibi : femme, épouse musulmane.

biriyani : plat de riz au safran cuisiné avec de la viande et des épices ; recette musulmane appréciée d'un grand nombre d'Indiens d'autres confessions.

bisibela bâth : plat de riz, de lentilles et de divers légumes (Karnataka).

chakka (en kannada, langue du Karnataka) : eunuque.

chakli (kannada ; tamoul : *murukku*) : pâte de farine de riz et de haricots noirs, frite sous forme de colimaçon dentelé mangé sec.

chiroti : crêpe à base de farine peu raffinée de blé, frite puis trempée dans le sirop de sucre, saupoudrée ou non de sucre glace (Karnataka).

Chitrakala Parishat : institut des Beaux-Arts (enseignement, expositions) à Bangalore.

dargah : tombeau d'un sage musulman de tradition soufie vénéré comme un saint, parfois constitué en sanctuaire et lieu de pèlerinage.

dhotî : vêtement blanc d'homme.

Dîvali : fête annuelle hindoue dite « des Lumières » en l'honneur de la déesse Lakshmi.

duppata : vêtement couvrant la tête.

ghusl : terme arabe désignant les grandes ablutions requises par l'islam dans certaines circonstances, qui consistent à laver le corps entier.

gopuram : grand portail de temple, parfois au milieu de chacun des quatre murs de l'enceinte carrée, érigé en forme de haute pyramide tronquée, dans le style des temples dravidiens de l'Inde du Sud.

gulkand : confiture de pétales de rose (Inde du Nord, Pakistan).

gutka (ourdou) : chique de bétel contenant noix d'arec, tabac, paraffine, chaux et diverses saveurs sucrées.

halîm : plat musulman consistant en un ragoût de viande, de lentilles et de blé pilé, cuit avec diverses épices (Hyderabad, Inde du Nord, Pakistan).

hijra (ourdou, passé en hindi) : eunuque, avec une acception plus large que ce terme : les *hijra* sont parfois vus comme représentants un « troisième sexe » dans le contexte indien.

Hoysala : jeep nommée d'après une dynastie de l'Inde du Sud qui régna sur la majeure partie de l'actuel Karnataka entre le Xe et le XIVe siècle.

idli-sambâr : les *idli* sont des disques de pâte à base de farine de lentilles et de riz cuits à la vapeur et traditionnellement consommés au petit déjeuner en Inde du Sud ; le *sambâr* est la sauce d'accompagnement épicée, à base de lentilles ou de pois (*Cajanus cajan*), de légumes et de tamarin.

jalebi : torsades orange de pâte à base de farine et d'eau, frites dans une grande quantité d'huile et enrobées de sirop de sucre.

-ji : suffixe qui rehausse les noms propres et autres termes d'adresse (parenté, fonction) masculins d'une nuance de respect et d'affection. On l'utilise parfois de façon autonome comme terme d'adresse (*ji*).

kanjûs : radin.

kara bâth : plat de petit déjeuner à base de semoule de blé, d'épices, de raisins secs et de noix de cajou (Karnataka).

kesari bâth : dessert à base de semoule, de raisins secs et de sucre, avec ou sans fruits supplémentaires (Karnataka).

koli sâru : curry de poulet accompagnant les *ragi mudde*, les *parota* et autres galettes (Karnataka).

Kudremukh (litt. : « tête de cheval ») : massif montagneux (et plus particulièrement sommet du même nom, à cause de sa forme) de la région de Chikkamagaluru, au Karnataka.

kurta pajama : ensemble tunique et pantalon bouffant à cordon, tenue indienne masculine très courante.

lund ka baal : litt. poil de bite.

lunghi : pagne de la taille aux pieds en coton imprimé.

maa ki chut : litt. con de ta mère.

maghreb : soleil couchant, d'où prière du crépuscule dans l'islam.

manja : jaune et, par extension, ficelle du cerf-volant incrustée de verre pilé.

masâla dosa : crêpe de farine de riz et de haricots noirs, farcie de pommes de terre aux oignons frits et aux épices.

morah : siège.

mossoppu : purée de légumes frais et de pois, nourriture goûteuse de la cuisine paysanne au Karnataka.

nâstha : snacks.

nîm : margousier (*Azadirachta indica*), dont les feuilles ont de grandes propriétés médicinales ; c'est aussi un pesticide naturel.

obattu : crêpe fourrée aux pois chiches, à la noix de coco râpée et au sucre de palme, plus particulièrement consommée pendant les célébrations d'Ugadi (Karnataka).

pandal : toiture temporaire de bambou et de palmes érigée à l'occasion de fêtes (mariages, festivals de temples, etc.) pour abriter les participants.

parota : à la mode keralaise, galette à base de farine de blé, d'œufs et d'huile.

pûja : rite d'offrandes et de prières à une divinité.

puri : disque de farine de blé qui gonfle à la friture.

ragi mudde : boulettes de mil rouge (éleusine) cuites à l'eau (Karnataka).

raita : yaourt liquide aux légumes crus (oignons, tomates, concombres, seuls ou en mélange) coupés fin, consommé en accompagnement des plats salés.

rasam : bouillon épicé à base de tomate, de tamarin et de piment (Inde du Sud).

rudrâksha : graine d'*Elaeocarpus ganitrus*, rugueuse, à plusieurs faces, consacrée à Shiva et portée en chapelet par les ascètes dans la tradition shivaïte.

rumâli roti : galette si grande et si fine qu'elle se plie comme un *rumâl* (mouchoir).

sagu : curry de légumes bouillis, intégrés à une purée fine de pois chiches, de noix de coco et d'épices.

samosa : beignet triangulaire épicé, fourré à la viande ou aux légumes.

shamiana : tente d'apparat en tissu avec dais (ou chapiteau d'exposition).

suleimani : thé noir parfumé au citron.

tampura : luth à quatre cordes produisant une suite répétée de trois notes en accompagnement de la musique hindoustanie.

Ugadi : Nouvel An (Karnataka, Andhra Pradesh).

uthappam : crêpe de riz épaisse à laquelle peuvent être mélangés des tomates, des oignons, des piments au cours de la cuisson.

vindaloo : mélange d'épices dont les principales sont piments rouges, tamarin, gingembre, cumin, graines de moutarde.

wudu : ablutions effectuées en préalable aux prières dans l'islam.

yaar : ami, pote.

REMERCIEMENTS

Je me suis lancée dans l'écriture de ce livre sur un coup de tête en mai 2010. Dès la deuxième page, il m'est apparu que j'allais devoir non seulement effectuer des recherches bibliographiques, mais solliciter l'aide d'un certain nombre de personnes pour m'informer. Je voudrais remercier toutes celles qui m'ont ainsi facilité l'accès aux renseignements dont j'avais besoin, et en premier lieu M. Nizammudin, ancien directeur général et inspecteur général de la police de Bangalore, ainsi que P.K. Hormis Tharakan, ancien directeur général de la Police du Kerala. Plusieurs cadres de la police du Karnataka ont avancé des suggestions et offert des informations cruciales pour le livre. Cependant, pour des raisons évidentes, ils préfèrent garder l'anonymat. Merci, Messieurs, vous vous reconnaîtrez !

Merci, également, au Dr P.K. Sunil qui m'a initiée aux univers qu'un manuel de science médico-légale peut ouvrir à l'imagination d'un écrivain, puis m'a suggéré le titre du livre ; au Dr Rajamani, médecin légiste, pour avoir répondu patiemment à mes questions avec humour ; au Dr Rajesh Shetty, directeur médical au Ramaiah Medical College, pour m'avoir fait pénétrer dans le labyrinthe de l'autopsie.

Je suis reconnaissante à Naseer Ahmed de m'avoir entraînée dans cette merveilleuse promenade nocturne à Shivaji Nagar qui a ouvert mes perceptions à un monde dont j'ignorais complètement l'existence.

Je remercie Jayant Kothkani non seulement, cette fois, pour avoir été mon premier lecteur, mais pour avoir pris le temps de mettre par écrit ses souvenirs de la Bangalore des années 70.

Sunil Koliyot ami précieux, et qui en me dévoilant le sésame technique du nettoyage des pommeaux de douche m'a été d'un si grand secours.

Pradeep Menon, de Dark Arts The Tattoo Studio, Bangalore, pour la générosité avec laquelle il m'a fait profiter de ses connaissances en matière de tatouage.

Chetan Krishnaswamy, pour mille et un détails, aperçus, informations, pour avoir éradiqué de mon texte toutes mes erreurs de compréhension – et pour les rires, les bières et les poulets au piment.

Junoo Simon, vieil ami et compère, pour tous les bons moments passés ensemble et pour la fantastique couverture qu'il a dessinée !

Comme chaque fois, ce livre n'aurait pas existé sans V.K. Karthika, qui partage ma façon de voir pour chacun de mes livres ; dont la foi inextinguible éclaire et attise la passion d'écrire.

Merci à Shantanu Ray Chaudhuri qui, avec un grand calme et une belle efficacité, a accompagné le livre jusqu'à sa forme définitive.

À Camilla Ferrier et à son équipe de Marsh Agency, qui m'ont apporté un soutien sans faille.

À Mini Kuruvilla, qui a commenté chaque étape de l'ouvrage.

À Sukhita Aiyer, Madhu Ambat, Sumentha et Franklin Bell, Francesca Diano, Leela Kalyanraman, Gita Krishnankutty, Achuthan Kudallur, Carmen Lavin, Dimpy et Suresh Menon, S. Prasannarajan, Rajesh M.B., Sunita Shankar, Abhijeet Shetty, Navtej Singh, Rajani Sunil, Jayapriya Vasudevan et Patrick Wilson, tous ces amis qui m'ont rendu la vie plus facile de tant de manières pendant toutes ces journées.

Aux piliers de ma vie : Soumini, Bhaskaran – mes parents –, Unni, Maitreya et Sugar, pour leur présence et leur attention. De chaque instant.

CHEZ LE MÊME ÉDITEUR

Composition : Nord compo
Impression : CPI Bussière en avril 2013
Éditions Albin Michel
22, rue Huyghens, 75014 Paris
www.albin-michel.fr

ISBN : 978-2-226-24684-4
N° d'édition : 20319/01 – N° d'impression : 2001891
Dépôt légal : mai 2013
Imprimé en France